ESC@NDALO

CB132369

ESC@NDALO

Amor proibido,
privacidade devassada
e vidas em jogo: um
Romeu e Julieta de
nossos dias

Therese Fowler

Tradução
Henrique Amat Rego Monteiro

Novo Conceito

Publicado originalmente nos Estados Unidos por Ballantine Books, um selo de The Random House Publishing Group, uma divisão de Random House, Inc., New York
Título original: Exposure
Copyright © 2011 by Therese Fowler
Copyright © 2013 Editora Novo Conceito
Todos os direitos reservados.

Esta é uma obra de ficção. Os nomes, personagens, lugares e acontecimentos descritos são produto da imaginação do autor. Qualquer semelhança com nomes, datas e acontecimentos reais é mera coincidência.

1ª Impressão — 2013

Produção editorial:
Equipe Novo Conceito
Capa: Neusa Dias
Impressão e Acabamento RR Donnelley 130913

Este livro segue as regras da Nova Ortografia da Língua Portuguesa.

Dados Internacionais de Catalogação na Publicação (CIP)
(Câmara Brasileira do Livro, SP, Brasil)

Fowler, Therese
Escândalo / Therese Fowler ; tradução Henrique Amat Rego Monteiro. -- 1. ed. -- Ribeirão Preto, SP : Novo Conceito Editora, 2013.

Título original: Exposure.
ISBN 978-85-8163-317-6

1. Ficção norte-americana I. Título.

13-09559 CDD-813

Índice para catálogo sistemático:
1. Ficção : Literatura norte-americana 813

Novo Conceito

Rua Dr. Hugo Fortes, 1.885 — Parque Industrial Lagoinha
14095-260 — Ribeirão Preto — SP
www.editoranovoconceito.com.br

ESC@NDALO

A meus filhos, que têm de sobreviver num mundo repleto de desafios e perigos que eu nunca sequer imaginei quando era adolescente.

E a seus colegas e amigos, e aos pais desses, que estão tentando fazer o mesmo.

E, por último, aos que não foram capazes de resistir às tempestades.

Amor que não é loucura NÃO É AMOR.

Pedro Calderón de la Barca

PRIMEIRO ATO

Eu viveria em seu amor como as algas vivem no mar,
Oscilando para lá a cada onda que vai, oscilando para cá a cada onda que vem;
Esvaziaria minha alma dos sonhos agregados em mim,
Palpitaria quando seu coração palpitasse, seguiria sua alma aonde ela me levasse.

SARA TEASDALE

1

NOVE HORAS ANTES DA CHEGADA DA POLÍCIA, Anthony Winter se achava descalço e despenteado na modesta varanda à frente da casa que dividia com a mãe. As tábuas de madeira pintadas estavam úmidas e frias sob seus pés, mas ele mal reparava. Na mão direita, segurava uma folha de bordo caída sob o sol que acabava de despontar no horizonte. Na esquerda, o telefone celular. Olhou para a folha, maravilhado com sua cor laranja-avermelhado, surpreso e feliz pela natureza poder fazer algo como uma folha que apenas algumas semanas antes fora verde-esmeralda e antes disso verde-escuro, e antes disso um minúsculo broto apertado num botão espigado de um galho balançando à brisa da primavera na Carolina do Norte. Sempre fora uma pessoa observadora; nem sempre tão romântico. Amelia despertara nele esses sentimentos. Ela fazia isso com todos.

Ao telefone, Amelia atendera com a voz arrastada de sono. Era segunda-feira, o dia em que ela dormia até mais tarde que no resto da semana. De terça a sexta-feira, ela se levantava às 5h30 para fazer a lição de casa antes da corrida de seis quilômetros que antecedia as aulas do colegial, que se iniciavam às 8h50 no colégio Ravenswood. Às três da tarde, ela ia para a aula de dança — balé, dança moderna, jazz —, à qual se seguia a de canto, duas vezes por semana, às cinco; depois disso, muitas vezes havia o ensaio de alguma peça teatral e, então, se as pálpebras não estivessem baixando como os tons sombrios da sala de estar da professora de canto, poderia começar a fazer a lição de casa. No entanto, na maioria das vezes, fugia da mansão imponente em que morava, para passar uma hora roubada na companhia dele. Anthony. O homem (ela adorava chamá-lo assim, depois que ele completara 18 anos) com quem pretendia passar toda a sua vida futura e, além desta, se Deus fosse generoso com eles, o resto da eternidade.

Ao ver Amelia e Anthony juntos, jamais se imaginaria que fossem destinados a outra existência senão a um futuro encantador e, possivelmente, à grandeza. Talvez Amelia tivesse, como o pai gostava de dizer, saído do ventre da mãe banhada pela poeira das estrelas, o que lhe conferia uma natureza ingenuamente romântica e sentimental. E talvez também fosse verdade o que a mãe de Anthony dizia: que o filho fora um primeiro prêmio da loteria cósmica, e ela, a ganhadora. Eles eram, cada um a seu modo, bem-educados e adorados. Juntos, representavam uma discreta, mas poderosa força da natureza. O amor faz dessas coisas com as pessoas às vezes.

Naquela manhã, nove horas e quem sabe cinco minutos antes de sua prisão, Anthony achava-se na modesta varanda da frente, com uma folha e um celular nas mãos frias.

— Sonhei com a gente — dizia Amelia, numa voz sugestiva que mexeu com ele, por dentro e por fora.

Ele ouviu a mãe descendo a escada, então fechou a porta da frente. Diferentemente dos demais integrantes do corpo docente de sua escola, ela sabia sobre o filho e Amelia; à sua maneira, ela aprovava. Ainda assim, ele preferia manter as suas conversas reservadas. Certas coisas, até mesmo uma mãe solidária não gostaria de ouvir. Certas coisas ele não queria de maneira alguma que ela soubesse.

2

ÀS 8H35 DA MANHÃ, Amelia parou o carro no estacionamento dos alunos e continuou sentada com o motor em funcionamento para mantê-lo aquecido à espera de que Anthony chegasse também. Ainda sorria ao lembrar-se das suas palavras, pronunciadas em voz baixa enquanto saía do sono para entrar no dia. Ele lhe citara Shakespeare:

Mal se encontraram, logo se olharam;
Mal se olharam, logo se amaram;
Mal se amaram, logo suspiraram;
Mal suspiraram, perguntaram o motivo de o haverem feito;
Mal souberam a razão, logo procuraram o remédio.

Ela sabia os versos de cor. Interpretara Rosalinda, ele Orlando, na produção escolar de *Como Gostais* no ano anterior. E embora os versos fossem de Rosalinda, sobre o amor de sua prima pelo irmão de Orlando, essa era, acima de tudo, a história deles, em verso.

Mal se olharam, logo se amaram.

Amor à primeira vista. Amelia, aos 16 anos quando acontecera, uma caloura compenetrada do colegial, cuja experiência romântica com garotos era superficial e limitada, não acreditava que isso pudesse acontecer a alguém como ela. Mas, perda, mas, sim, um favor, tão útil para ele quanto a linhagem andaluz responsável por sua aparência.

A mãe, natural do norte de Nova York, onde Anthony vivera até os dez anos, era parte judia, parte russa, parte irlandesa católica, parte canadense quebequense, com um toque iroquês adicionado algumas gerações antes. A linhagem importava, mas não era nem deveria ser tudo.

— *On est tous dans le même bain* — ela costumava dizer a seus alunos durante as aulas de francês, Amelia incluída. Estamos todos no mesmo barco. — As fronteiras são arbitrárias, imposições artificiais, criadas pela mão humana — também costumava lembrar. E depois havia a frase de que Amelia mais gostava: — A autoridade é para ser questionada.

Esse era o tipo de mensagem de que Amelia precisava para ajudá-la a ter coragem de viver a própria vida.

A mãe de Anthony era popular entre os estudantes de Ravenswood, que se inscreviam para as suas aulas ou de artes plásticas ou de francês, mesmo se não fossem especialmente talentosos numa dessas disciplinas. Amelia, a caminho de preparar-se para as reuniões de pais, professores e alunos do primeiro trimestre do ano anterior, saíra-se com esta aos pais:

— Não é que ela dê notas altas com facilidade ou não passe lições de casa. Ela é apenas legal.

Isso fora algumas semanas antes de conhecer Anthony, quando dele só ouvira falar, às vezes em tons desfavoráveis. Ele ingressou na escola no início do colegial, quando a Sra. Winter foi contratada, e por isso era um mistério entre os alunos que, como Amelia, sempre haviam frequentado essa escola. Os colegas não tinham certeza de como classificá-lo, Anthony não se encaixava em nenhuma das panelinhas. Não era um atleta. Não frequentava o curso preparatório para a faculdade. Não era um drogado. Não gostava de rock, punk ou gótico. Dizia-se que era inteligente, mas reservado — nem tanto a ponto de ser considerado um nerd. Era mais o tipo de sujeito que seria visto num anúncio da Apple. Seus cílios eram tão espessos e escuros que até mesmo um olhar inocente poderia parecer sensual. Os garotos da

2

ÀS 8H35 DA MANHÃ, Amelia parou o carro no estacionamento dos alunos e continuou sentada com o motor em funcionamento para mantê-lo aquecido à espera de que Anthony chegasse também. Ainda sorria ao lembrar-se das suas palavras, pronunciadas em voz baixa enquanto saía do sono para entrar no dia. Ele lhe citara Shakespeare:

Mal se encontraram, logo se olharam;
Mal se olharam, logo se amaram;
Mal se amaram, logo suspiraram;
Mal suspiraram, perguntaram o motivo de o haverem feito;
Mal souberam a razão, logo procuraram o remédio.

Ela sabia os versos de cor. Interpretara Rosalinda, ele Orlando, na produção escolar de *Como Gostais* no ano anterior. E embora os versos fossem de Rosalinda, sobre o amor de sua prima pelo irmão de Orlando, essa era, acima de tudo, a história deles, em verso.

Mal se olharam, logo se amaram.

Amor à primeira vista. Amelia, aos 16 anos quando acontecera, uma caloura compenetrada do colegial, cuja experiência romântica com garotos era superficial e limitada, não acreditava que isso pudesse acontecer a alguém como ela. Mas, como qualquer coisa que se rejeita e depois se vivencia com força total — um furacão, o Senhor, a visita de um fantasma —, ela se convertera instantaneamente. Com o coração trespassado por tamanha certeza, como acontecera aos amantes de Shakespeare, ela se tornara uma convertida feliz ao Amor Instantâneo — ainda que discretamente. E com um cuidado seletivo, a fim de que o pai não viesse a descobrir e estragasse tudo.

Sempre que as amigas mais confiáveis a ouviam falar sobre ir ver Anthony no palco em audições, sobre como se apaixonara por ele antes mesmo de ele ter pronunciado sequer uma palavra, as garotas gravitavam a seu redor como se ela fosse uma fogueira e elas, viajantes enregeladas numa paisagem nevada inóspita e hostil. Ah, ser amada. *Ter* um amor, um amor de verdade, não do tipo fácil das faixas musicais de artistas performáticos travestidos que lhes era oferecido o tempo todo. Ou pior: sugerido nas presunções indecentes da pornografia on-line, acalentado pelos mais repulsivos de seus colegas de classe abastados, para quem a mulher ideal era uma divindade sexual exorbitante do tipo Lady Gaga, com meia arrastão e maquiagem pesada nos olhos. Não. Ser Amelia, que tinha *Anthony*, que era o sonho daquelas garotas bem-nutridas. Anthony era apaixonado. Insubmisso. Talvez o melhor de tudo, Anthony era um segredo.

Elas tinham certeza de que o pai de Amelia, Harlan Wilkes, a mataria, ou talvez a Anthony, ou talvez aos dois, se descobrisse que Amelia não apenas namorava alguém que ele desaprovava, mas também, ao planejar um futuro com Anthony Winter, o enganava de todas as formas concebíveis. As garotas comentavam sobre o amor perigoso de Amelia com expressões orvalhadas, distantes, entre risinhos e suspiros. Elas seguiam o rastro de Anthony como damas da corte mas, embora respeitassem a reivindicação de posse incontestável de Amelia sobre ele, ao mesmo tempo, não perdiam nunca de vista a esperança de ser aquela para a qual ele, um dia, quem sabe, pudesse voltar-se caso alguma coisa viesse a dar errado.

Sentada ali no estacionamento, Amelia observou um carro após o outro chegar e manobrar para estacionar — muitos deles modelos luxuosos adquiridos nas concessionárias de seu pai —, enquanto o ar quente do aquecedor amornava-lhe as pernas nuas sob a saia. Não fosse pelo prazer de ver Anthony, seu desejo era não passar mais um dia sequer em Ravenswood. Frequentava a escola naquele campus valorizado, em meio à floresta, desde que tinha quatro anos de idade. Os prédios e as áreas abertas, os campos esportivos, o estádio, os professores e os funcionários, as salas de aula, o ginásio — nada parecia ter mudado em todo aquele tempo. Entravam novos alunos todos os anos, sim, mas eles eram, na maioria, réplicas de todos os alunos que os haviam precedido e modelos para os que viriam depois. Amelia conhecia a palavra para o que sentia: *tédio*. Conhecia também o remédio: fuga.

Mal souberam a razão, logo procuraram o remédio. Nesses dias, ela vivia esse verso, apesar da perturbação que lhe causara quando ensaiaram a peça.

— O *remédio* é para a *razão* de seus suspiros — explicara a Sra. Fitz, a diretora. — Oliver e Célia estão desesperados para dormir juntos, então a solução que encontram é casar-se no dia seguinte e aliviar essa coceira, por assim dizer.

O que Amelia e Anthony tramavam era um remédio contra a linda vida envolta numa fita cor-de-rosa que o pai dela insistia que deveria ser seu futuro — um futuro que não incluía alguém nem remotamente parecido com Anthony. Nenhum intelectual de qualquer espécie ("Pensam muito, agem pouco", Harlan Wilkes costumava dizer). Nenhum jovem alto, magro, de cabelos pretos com cachos emoldurando-lhe o rosto em forma de coração, um rosto que fazia pensar nele como *italiano*, ou possivelmente *judeu* ou, dependendo da familiaridade com um mundo mais amplo, *jordaniano*. Anthony poderia ser qualquer um desses, poderia interpretar todos eles — o que, pensou Amelia, fazia parte da sua genialidade no palco.

Kim Winter, a mãe ruiva, de pele clara, e uma das professoras preferidas de Amelia, emprestara-lhe apenas os olhos castanhos; o resto dos traços de Anthony era contribuição do pai, a única antes de abandonar a esposa e o filho prestes a nascer, alegando que cometera um erro em relação ao casamento, e outro ainda maior em relação à paternidade. Felizmente, Anthony herdara da mãe a capacidade de prosseguir — o que não queria dizer que Kim e Anthony não tivessem sido afetados. Quando Anthony se deprimia, às vezes falava sobre como mostraria ao pai ausente quanto se saíra bem sem ele, quanto a rejeição do pai não significara uma perda, mas, sim, um favor, tão útil para ele quanto a linhagem andaluz responsável por sua aparência.

A mãe, natural do norte de Nova York, onde Anthony vivera até os dez anos, era parte judia, parte russa, parte irlandesa católica, parte canadense quebequense, com um toque iroquês adicionado algumas gerações antes. A linhagem importava, mas não era nem deveria ser tudo.

— *On est tous dans le même bain* — ela costumava dizer a seus alunos durante as aulas de francês, Amelia incluída. Estamos todos no mesmo barco. — As fronteiras são arbitrárias, imposições artificiais, criadas pela mão humana — também costumava lembrar. E depois havia a frase de que Amelia mais gostava: — A autoridade é para ser questionada.

Esse era o tipo de mensagem de que Amelia precisava para ajudá-la a ter coragem de viver a própria vida.

A mãe de Anthony era popular entre os estudantes de Ravenswood, que se inscreviam para as suas aulas ou de artes plásticas ou de francês, mesmo se não fossem especialmente talentosos numa dessas disciplinas. Amelia, a caminho de preparar-se para as reuniões de pais, professores e alunos do primeiro trimestre do ano anterior, saíra-se com esta aos pais:

— Não é que ela dê notas altas com facilidade ou não passe lições de casa. Ela é apenas legal.

Isso fora algumas semanas antes de conhecer Anthony, quando dele só ouvira falar, às vezes em tons desfavoráveis. Ele ingressou na escola no início do colegial, quando a Sra. Winter foi contratada, e por isso era um mistério entre os alunos que, como Amelia, sempre haviam frequentado essa escola. Os colegas não tinham certeza de como classificá-lo, Anthony não se encaixava em nenhuma das panelinhas. Não era um atleta. Não frequentava o curso preparatório para a faculdade. Não era um drogado. Não gostava de rock, punk ou gótico. Dizia-se que era inteligente, mas reservado — nem tanto a ponto de ser considerado um nerd. Era mais o tipo de sujeito que seria visto num anúncio da Apple. Seus cílios eram tão espessos e escuros que até mesmo um olhar inocente poderia parecer sensual. Os garotos da escola não conseguiam rotulá-lo, por isso o depreciavam — as garotas não muito, porque, afinal de contas, ele era *gostoso;* não havia outra palavra para isso. Quando Amelia finalmente o viu, adorou-o, identificou-se com ele, classificou-o simplesmente como *Anthony*.

No carro, na volta da escola para casa, um dia depois de uma reunião com os professores de Amelia, Harlan Wilkes disse:

— Não tenho nada contra você, Joaninha, mas não vejo o que há de tão especial nessa tal senhora Winter.

— Ela me pareceu muito agradável — disse a mãe de Amelia. Ela virou-se para a filha, que estava no banco de trás. — Notei que ela não usa aliança de casamento.

— Ela diz que está mantendo as suas opções em aberto.

Amelia admirava a atitude positiva da Sra. Winter quanto a ser solteira, e esperava adotá-la com a convivência. Sim, Amelia tinha apenas 16 anos na época e estava bem longe de ver-se na condição de solteirona (se é que ainda chamavam assim nesses dias), mas estava bastante convencida de que nenhum homem a amaria depois de saber de seu "problema". Ela achava que o melhor a fazer seria aceitar essa sina. Algumas coisas simplesmente não se podiam alcançar com determinação e trabalho duro.

— Manter as opções em aberto? Na idade dela? — disse o pai.

— Ela não é tão velha assim — respondeu Amelia. — Você é mais velho do que ela.

— E eu estou casado, já faz 20 anos.

— Bem, eu acho que ela é ótima.

Naquela noite, Kim Winter usava calças cor de berinjela e uma blusa de malha creme de gola alta, com um lenço de seda de cores vivas amarrado em volta do pescoço. Amelia admirava tudo nela, incluindo o estilo.

— É claro, ela é "ótima", se você acha que "ótimo" é ser uma professora de artes plásticas de meia-idade solteira e ganhar, quanto?, uns 30 mil por ano — disse o pai, enquanto olhava para Amelia por cima do ombro. — E você ainda quer saber por que a estou pressionando para cursar uma escola de administração e negócios.

Amelia não queria nem saber. A seu ver, ele simplesmente não entendia. Seu mundo, o negócio de venda de carros importados, não tinha nada a ver com arte, beleza ou magia. Ele tolerava os interesses dela, era verdade, mas apenas porque os considerava atividades extracurriculares, não diferentes de atletismo ou da participação no Grupo de Teatro ou no Clube de Francês. Ela teria de esperar até emancipar-se, tornar-se independente, e então viveria a vida como bem quisesse. Seria um privilégio acabar como a Sra. Winter, se isso significasse que estaria fazendo as coisas que adorava.

No ano que transcorrera desde aquela noite, nada mudara na maneira de pensar de seu pai. As ideias de Amelia, porém, haviam mudado, e assim que completasse 18 anos, em fevereiro, diria aos pais exatamente de que maneira isso ocorrera. Revelaria seu plano de mudar-se com Anthony para Nova York, onde os dois frequentariam, se conseguissem entrar, a New York University, para estudar teatro e ao mesmo tempo seguir carreira na Broadway. Ela queria dizer-lhes isso naquele momento; doía-lhe manter seus sentimentos e planos em segredo. No entanto, Amelia sabia como reagiriam, e por isso a melhor estratégia era adiar até que tudo se tornasse fato consumado, imutável.

Amelia avistou o velho Mini Cooper de Anthony atrás do novo Infiniti de Brandt Wilson e desligou o motor de seu carro. Cameron McGuiness, sua amiga mais fiel desde os primeiros dias de jardim de infância, viu-a do outro lado do estacionamento e acenou. Cameron sabia que não devia parar para conversar com ela àquela hora da manhã, sabia que os poucos minutos que Amelia tinha com Anthony antes das aulas eram um bem precioso. Amelia encostou a cabeça contra o assento revestido de couro e suspirou. O verão não poderia demorar mais.

Se dependesse de seu pai, ela se casaria no sábado seguinte à formatura na faculdade (em qualquer escola sulista de elite, mas de preferência Duke), numa majestosa cerimônia toda branca, que incluiria, é claro, um vestido branco ridiculamente caro, que seria complementado por um diamante de noivado tão pesado que ela teria dificuldade de levantar a mão esquerda. Um anel que lhe teria sido presenteado um número conveniente de meses antes (ou seja, mais de nove) por uma versão do século XXI do Ken da Barbie. Ken usaria um smoking da sua coleção, comprado com o salário substancial que ganhava trabalhando em algum cargo administrativo de alto nível. Não haveria carreira na Broadway, apenas ingressos para a Broadway — uma situação torturante para Amelia, que imaginava a inveja que a angustiaria sentada na plateia, assistindo às outras mulheres viverem o sonho do qual ela abdicara, submissa e obediente demais para persistir. Seu futuro poderia facilmente desencaminhar-se por esse rumo, não fosse por Anthony.

O sorriso de Amelia, esmaecido pelos pensamentos negativos, ressurgiu quando ela viu Anthony caminhando na direção de seu carro. Ele, com sua cabeleira suntuosa, seus lábios cheios, sua sagacidade, sua confiança serena, era seu salvador. Ele a fizera acreditar que deveria não apenas reivindicar seu futuro por si mesma quando chegasse o momento, mas também fazê-lo realmente acontecer. O pai não era dono dela. Nenhum homem era. O que quer que viesse a fazer, aonde quer que fosse, seria por vontade própria.

— Olá, linda — disse Anthony quando Amelia abriu a porta e saiu.

Ela sorriu. Deliciava-se com a emoção que sentia por ele, por seu amor por ela, por *ela* e por ninguém mais, alguém cuja infância não fora desperdiçada escondendo uma falha vergonhosa. Ele olhou para sua boca daquele jeito só dele, que provocava cócegas nela, um beijo sem contato. *Segurança em primeiro lugar,* eles muitas vezes brincavam um com o outro. Oficialmente, publicamente, não eram nada mais do que bons amigos que compartilhavam o amor pelo teatro, por sushi e pela música. Oficialmente, eram ocupados demais para namorar — ninguém, de maneira alguma. "Teremos tempo para isso depois", diziam-se sempre.

Amelia imaginou o beijo, seus lábios macios, o calor da sua boca.

— Não podemos simplesmente fugir? — perguntou ela.

Ela olhou para o colégio, o edifício de pedras brancas rebrilhando deslumbrante ao sol da manhã. Os adolescentes afluindo para dentro do prédio, vestidos com as cores do uniforme: azul-marinho, branco e cinza. Os alunos tinham alguma margem de manobra quanto aos uniformes: saia, calças ou bermudas sob medida; blusa de gola abotoada, camisa de malha de bom gosto ou do tipo polo; suéter com gola careca ou decote em V — e em qualquer combinação de azul, branco ou cinza (exceto ausência de fundo branco entre o Dia do Trabalho e o Memorial Day). Mas, realmente, Amelia achava que exigir o uso de uniforme era, antes de tudo, uma forma de tirania. Liberdade de expressão, era isso o que desejava. Liberdade de expressão em todos os sentidos.

— Quem precisa disso? — disse ela. — Podemos fazer um exame supletivo em Nova York.

Anthony inclinou a cabeça com uma gravidade exagerada.

— Certo, certo, o departamento de admissão da NYU não verá nenhuma diferença.

— Pois não deveriam — disse ela. — Se pudéssemos ficar por lá depois das avaliações.

Ambos tinham uma audição como parte da seleção para ingressar na Tisch School of the Arts, da NYU. Haviam marcado a sessão para a terça-feira anterior ao Dia de Ação de Graças, quando viajariam para Manhattan com o Grupo de Teatro. Seria uma viagem supervisionada pela escola, mas, por serem alunos mais antigos, teriam períodos livres para fazer compras, passear ou, conforme viesse a ser o caso, encaixar-se numa manhã de testes na NYU. Anthony não precisava esconder da mãe seus planos, e Amelia o invejava por isso. Que vantagem havia em ter todos aqueles privilégios com que crescera quando não lhe permitiam ser autêntica em casa? Que bom seria viver cada dia com sinceridade.

— Faltam sete meses para a formatura — disse Anthony. — Podemos conseguir. Então ninguém poderá nos acusar de ser irresponsáveis ou arruinar nosso futuro.

— Você não conhece meu pai.

Ela contara a Anthony tudo sobre o pai, é claro, e Anthony encontrara-se com ele brevemente, uma ou duas vezes, mas Amelia se perguntava se ele achava que ela exagerava. O empresário Harlan Wilkes, um filho de adolescentes da classe baixa de Robeson County, um homem que progredira tanto em seu ramo que ninguém na região central da Carolina do Norte pensaria em automóveis importados sem também cogitar o nome dele, era conhecido como magnânimo e generoso, justo e honesto em todas as suas transações. E ele era mesmo assim. Mas era também implacável, pelo menos quando se tratasse de estabelecer limites e orientar sua querida filha única, protegida e favorecida. Esperava ansiosamente que Amelia seguisse o curso que traçara para ela. Durante a maior parte de sua vida, Amelia o deixaria contar com isso; apesar de ter seus próprios sonhos, ela também esperava isso de si mesma. Até acontecer Anthony.

— Certo, não há dúvida, você vai arruinar o futuro *dele* de qualquer maneira. Mas vamos ter certeza de não arruinarmos o seu. — disse Anthony.

— Ou o seu.

Amelia os imaginava juntos protagonizando uma peça no Teatro Gershwin completamente lotado. Anthony não era o tenor mais forte como os tenores da Broadway, mas o que a voz não alcançava ele compensava com presença de palco. Ele era uma fera, ágil, elegante, de olhar penetrante. Na perspectiva dela — uma perspectiva matizada de cor-de-rosa, pelos padrões de qualquer adulto —, ele não teria dificuldade de encantar diretores de elenco e as plateias de tal modo que seus ouvidos seriam persuadidos a adorar tanto sua voz quanto ele próprio, do mesmo modo que a mãe dela adorara vera Pierce Brosnan na versão cinematográfica de *Mamma Mia!*

Anthony disse:

— Sete meses.

— Duzentos e dez dias.

— Mais ou menos. Vamos embora, vamos acabar logo com isso.

Durante a segunda aula, todo o colégio compareceu ao auditório para a reunião sobre conduta. O traço de personalidade daquele mês era a Confiabilidade. Amelia prestou pouca atenção à mulher grave, de aparência frágil, em pé no palco, que ministrava uma palestra sobre o valor da confiança. Quem dentre eles já não assistira àquela apresentação várias vezes antes? Para Amelia, o mais importante era o laptop que, em seu estado sonolento matinal, fora deixado sobre o balcão da cozinha. Precisava dele para a apresentação de geologia na quinta aula, um projeto em PowerPoint que ela demorara três semanas para montar. Pelo celular, enviou uma mensagem de texto à mãe, pedindo-lhe para deixar o computador na escola o mais rápido que pudesse, depois ficou ali sentada, formando letras da língua de sinais com a mão esquerda, fotografando-as com o celular e enviando cada foto para Anthony. Ela soletrou B-O-C-E-J-O, e depois B-E-I-J-O, enquanto a seu redor muitos outros alunos se comportavam do mesmo modo, enviando mensagens de texto com queixas ou piadas, ou fazendo planos sobre aonde ir no horário de almoço. Não, eles não deveriam usar seus celulares ou quaisquer aparelhos eletrônicos no horário de aula, mas sabiam que poderiam dar um jeito de usar durante a reunião se parecessem estar prestando atenção. Até alguns professores consultavam seus aparelhos para verificar e-mails ou atualizar-se quanto ao noticiário. Os mais exigentes confiscavam os equipamentos eletrônicos que fossem usados durante a aula, e a política da escola era confiscar e guardar todos os itens até o final do período letivo. No entanto, haviam sido tantas as queixas de pais alegando a necessidade de um acesso contínuo aos filhos que a política fora relaxada; os aparelhos confiscados eram devolvidos no final do mesmo dia.

Anthony escreveu em resposta "__jos", e Amelia sorriu. *Beijos.* Na esteira da resposta dele veio a de sua mãe: "Oi. Estou em Durham para uma reunião. Tentarei levá-lo para você no almoço, OK?". Amelia escreveu em resposta: "Obrigada, bjs". A garota do lado direito de Amelia, Bella Giordano, cutucou-a e sussurrou:

— Braddock.

O diretor do colégio aproximava-se pelo corredor atrás delas. Amelia se perguntou se Anthony estava certo em pensar que havia algo romântico acontecendo entre Braddock e a mãe dele. Isso seria esquisito, pensou, mas também agradável, eles formavam um par perfeito. Assim como ela e Anthony. Destinados a isso. Amelia apertou o celular entre as palmas das mãos e suspirou. "Sete meses", pensou. "Duzentos e dez dias mais ou menos."

A espera — pela formatura, mas mais do que isso, pelo Futuro — era desgastante. Cada dia era como tentar manter-se à tona da água à espera de um navio que mal podia ser visto no horizonte. O tempo passava tão lentamente que Amelia seria capaz de jurar que a Terra parara de girar, possivelmente a pedido do pai dela. Dificilmente se passava um dia sem que Harlan Wilkes lamentasse que "No próximo ano, neste momento, você estará acordando num dormitório da Duke", o que ele não sabia que não aconteceria, mesmo se ela entrasse, ou, "Vai ficar tudo tão quieto sem você aqui", apesar de ela já não passar quase nenhum tempo em casa e ele raramente estar lá quando ela o fazia.

Ele queria que Amelia continuasse a ter dez anos de idade, a ser sua princesinha adorada, adorável, acenando a todos do banco traseiro de um Mercedes conversível enquanto eles avançavam lentamente pelo centro de Raleigh no desfile de Natal. Harlan sentia saudade da pré-adolescente que fora sua companheira constante no "estábulo" — ajudando-o a lavar e encerar algum conversível esportivo em que sairiam para um passeio naquele dia. Haviam sido Bugattis, Triumphs, um Austin Healey, um Bentley, um Morgan e um Rolls-Royce Silver Wraith 1947, que ele dirigia só no início da manhã, nos dias em que as estradas estavam secas e não havia vento. Amelia, apesar de não ter nenhum interesse de verdade nos carros, adorava ouvir as histórias sobre a infância do pai, sobre como ele fora pobre, como sonhara em um dia ser rico o bastante para comprar uma picape Chevrolet novinha em folha.

— E agora olhe para nós — dizia ele, lustrando o para-lama preto do Wraith até virar um espelho que refletisse sua satisfação e o sorriso orgulhoso dela. Ele era o único homem em seu mundo então.

A expressão "filhinha do papai" inspirava-se em filhas como Amelia, que não tinham como saber que, pelo simples fato de crescer, eram obrigadas a partir o coração do pai. Se Amelia soubesse que um homem forte poderia ser frágil também, então teria tomado mais cuidado em protegê-lo.

3

NAQUELA MANHÃ DE SEGUNDA-FEIRA, 87 minutos antes de chamar a polícia, Harlan Wilkes saiu do escritório às 11 horas, planejando trabalhar mais um pouco em casa e depois, se o tempo permitisse, fazer o percurso de sempre até o clube de golfe para tentar treinar melhor o desvio da bola para a esquerda após cada tacada que, ultimamente, vinha colocando sua pontuação acima de 90 todas as vezes que participava de uma partida. Sheri provavelmente estaria fora, como de costume. Ele não se preocupara em informar-se sobre a agenda dela, que vivia repleta de atividades que variavam desde aulas de ginástica até trabalho voluntário na escola de Amelia, na igreja que frequentavam, no abrigo de animais do condado e na Cruz Vermelha. Harlan sentia-se tão orgulhoso de Sheri, que viera do tipo de família sulista a que ele desejara pertencer, quanto da filha ajuizada e perfeita. Um grande número de esposas passava os dias gastando o dinheiro que o marido dera duro para ganhar. Sheri não. Ela era decoradora quando a conhecera — na verdade, ele a contratara para transformar sua primeira casa em algo que se parecesse com um lar. Ela demonstrara excelente ética profissional. Depois que Amelia nasceu, Sheri dedicou-se a cuidar da filha como se fosse uma carreira — diversões, escola, acampamentos, cursos e coisas do gênero. Agora que Amelia mostrava-se admiravelmente capaz de administrar a própria agenda tanto quanto os pais, Sheri encontrara maneiras de dedicar seu tempo a outras pessoas necessitadas.

Harlan era louco por suas garotas. Todo mundo dizia isso, e ele gostava que dissessem. Sentia-se orgulhoso de, depois de muito trabalho, longas horas de dedicação e, no início, um pouco de bajulação, ter conquistado uma posição na vida que lhe *permitia* ser louco — por Amelia, por Sheri e até por sua cadela, uma fêmea de labrador dourada chamada Docinho. A cadela estava ficando grisalha ao redor dos olhos e do focinho, e a presença de um coelho já não a instigava a ponto de fazê-la levantar-se. Ainda assim, ele lhe dava regularmente sobras de comida e a levava para o trabalho nos dias em que não precisaria sair mais cedo. Ela era sua melhor garota, da maneira simples e descomplicada que só um cão pode ser.

Todos diziam também que Amelia e Harlan eram muito parecidos, não na aparência, mas nos talentos. Ele era alto, assim como Amelia, e ambos tinham cabelo escuro, com toques avermelhados que brilhavam ao sol como o vinho de cereja que Harlan roubara de um mercadinho quando era criança. Ambos tinham nariz aquilino e sobrancelhas expressivas, e olhos azuis, que, no caso de Amelia, eram salpicados de dourado. O queixo de Harlan era mais anguloso, e sua testa alargava-se à medida que se elevava a linha de onde partiam os fios prateados, mas não havia nenhuma dúvida de que ela era filha dele. Amelia parecia-se tanto com Harlan que Sheri muitas vezes repetia a piada: "O que uma loura diz quando descobre que está grávida? 'Ó Deus, espero que esse filho seja meu!'".

Amelia assemelhava-se fisicamente a Harlan, mas ele vivia dizendo que, em matéria de temperamento, ela lembrava a mãe: gentil, generosa e tolerante quanto às falhas dos outros. Boa demais às vezes, pensava, mas não podia reclamar quando tantas vezes ele fora o beneficiário desse atributo. Ao contrário de Amelia, Harlan não sabia cantar e, fora do chuveiro, nem sequer tentava. Também não dançava bem, nem era um ator, isso com certeza. Mas a esposa dizia que ele tinha o físico de um deus — um deus secundário, observava ela para provocar, dos dias em que os espécimes masculinos ideais eram homens como Stallone e Schwarzenegger. O físico de Amelia, segundo ela, era o de um anjo.

O fato de Amelia ter 17 anos agora era a única coisa que perturbava Harlan, que por outro lado era o feliz mandachuva em seu universo de comercialização de automóveis importados — seis franquias nessa altura: Honda, Maserati, Toyota, Rolls/Bentley, Mercedes/VW, BMW, e continuava crescendo. Dezessete era o pior de todos os anos da adolescência, perto demais da idade em que a lei dizia que ela poderia tomar todas as suas decisões e cuidar de si mesma. Isso lhe parecia uma ideia ridícula. Aos 18 anos, ela precisaria mais do que nunca que ele cuidasse dela. Era uma sorte, pensava ele, que ela já entendesse isso. Ela escutava seus conselhos, seguia suas regras e agradecia-lhe pelos esforços que fazia para certificar-se de que ela tivesse tudo de que precisava (e mais o que queria) na vida.

Seus funcionários — desde gerentes de marketing até retocadores de funilaria, e todas as categorias intermediárias — todos admiravam a relação entre pai e filha. Pelo que ouvira, muitos dos filhos deles eram preguiçosos ou mimados, voluntariosos, tagarelas e, às vezes, problemáticos. Harlan sabia de dois que haviam sido presos por posse de drogas, alguns que haviam sido acusados de dirigir alcoolizados, uma que engravidara aos 15 anos — uma colega de classe de Amelia, que tivera gêmeos e se recusara a dá-los para adoção. O pai tinha 20 anos na época e foi preso por estupro. Harlan balançava a cabeça quando pensava nisso. Que tremenda bagunça era tudo aquilo. Amelia tinha seus momentos: "As garotas", as pessoas costumavam dizer com a clássica balançada de cabeça, "parecem adorar fazer um drama de tudo", e com certeza Amelia às vezes também o fazia. Ainda assim, apesar de ela ser teimosa às vezes, ele agradecia a Deus todos os dias pela boa sorte.

Harlan passou pela guia rebaixada na entrada e estacionou embaixo do que o construtor da casa chamara de *porte cochère,* uma espécie de pórtico de passagem construído à maneira de uma ponte, que dividia o pátio da frente do quintal, onde a calçada continuava e se ramificava em duas. A construção em si era um prolongamento da casa; "a sala da ponte", como Amelia a batizara aos seis anos de idade, ao ver o modo como se enquadrava por cima. Ela ficara encantada ao saber que levava da ala dos quartos à sua sala de jogos. Tanto a ponte quanto a sala de jogos tinham longos vãos com janelas em arcadas, e eles haviam contratado um decorador para fazer tudo parecer um antigo castelo de pedra por dentro, arrematado com "tochas" a gás e calçamento de pedra nas passarelas. Amelia arregalara os olhos de surpresa e encantamento quando ele a trouxera para ver a casa recém-acabada e lhe mostrara o espaço que acabara de criar internamente. Na hora de dormir, aquela noite, ele colocara a cabeça no ombro de Sheri e chorara. Em todos os 47 anos que vivera até então, nunca fora tão grato a um Deus que o fizera a princípio um garoto magro vivendo num pulgueiro, efetivamente órfão de pais ignorantes e descuidados, mas que, em seguida, dotara-o de determinação e sagacidade suficientes para tornar-se um homem de tal estatura que poderia fazer *isso* pela própria filha.

Naquele momento, ele saltou de seu Maserati GranCabrio e sorriu ao escutar o clique característico que a porta fazia quando fechava. Os últimos anos haviam sido difíceis para as vendas de alto luxo, mas aquele carro, bem, aquele em particular deixava os endinheirados executivos empolgados, ansiosos para alavancar a recuperação econômica e exibir uma aparência de grandiosidade ao fazê-lo. Um carro para a família, o primeiro verdadeiro quatro-lugares da Maserati. Ele o dirigia só para poder virar a cabeça dos potenciais compradores, inspirá-los a ir visitar sua loja.

— Eh-eh! — Harlan riu, dando um tapinha no capô do carro. — Um pouquinho melhor do que aquela porcaria do Cutlass. — Seu primeiro carro, comprado com os primeiros 200 dólares que ganhara, traficando erva. Amelia não conhecia essa parte da história do pai; quase ninguém conhecia. O fato de a construção de seu império ter começado com venda de maconha para seus colegas adolescentes desajustados era uma informação que era melhor guardar para si.

Docinho recebeu-o com festa na entrada dos fundos. Ele se agachou para coçar-lhe as orelhas e dar-lhe um beijo no focinho. Em seguida, deixou as chaves em cima do balcão, ao lado do laptop de Amelia — um daqueles incríveis Macs leves, finos como um bloco de anotações. Eles o tinham comprado para ajudar a diminuir o peso que ela precisava carregar para todo o lado na mochila. Sheri lera um antigo romance de Richard Russo no qual a filha adolescente andava sobrecarregada com o peso excessivo da mochila e preocupara-se com Amelia. Harlan, por sua vez, não era um leitor muito assíduo, mas Sheri tirava um montão de coisas dos livros e ele a admirava por isso. Quanto ao Mac, bem, era um magnífico exemplar de tecnologia, e Harlan era totalmente a favor disso.

Ele pegou uma garrafa de cerveja da geladeira e levou Docinho para fora, para o quintal. Os bordos, carvalhos, nogueiras e liquidâmbares dentro e em torno de seus 4 mil metros quadrados ostentavam as cores típicas de novembro. As faias, sempre atrasadas, estavam apenas começando a mudar de cor. Que diferença entre as estações do ano ali e no estado de Ohio, praticamente desmatado, onde acabara de passar uma semana em visita às instalações da montadora Honda. Verdade seja dita, ele odiava ficar longe de casa por tanto tempo. Ah, Sheri saía-se muito bem sem ele. Amelia também. Se tivesse de admitir, diria que era o único a sentir-se solitário e melancólico quando partia em viagem de negócios. Ficar longe de casa o privava das suas amarras. Num carro de aluguel ou na calçada de alguma outra cidade, ele era apenas um indivíduo qualquer. Era, com muita facilidade, o menino de rua que morava num trailer abandonado, comendo salgadinhos baratos e se perguntando quando os pais ficariam sóbrios e voltariam para casa.

O celular tocou, e ele atendeu.

— Wilkes falando.

— Senhor Wilkes, aqui é Parker Finch. Como estão as coisas hoje?

— Parker, meu garoto! — Harlan esperava a ligação. — O que é que tem de bom para mim?

— Bem, tenho o prazer de informar que podemos lhe conceder o empréstimo. Com as garantias que deu, a diretoria está mais do que satisfeita em liberar o dinheiro.

Harlan sorriu. A boate em estilo country na qual compraria uma participação era um sonho com raízes em seus primeiros dias de venda de automóveis. Naquela época, depois de longas horas passadas sem vender nada a ninguém e desesperado, pensando que nunca conseguiria ver seu negócio decolar, ele costumava entornar algumas cervejas num barzinho country dirigido por um sujeito chamado Clem Carroll. Ele e Clem passavam o tempo conversando sobre a boate que Clem pretendia abrir algum dia. Durante um tempo, eles haviam perdido contato, e então, havia dois anos, Clem entrara na concessionária Toyota de Wilkes para comprar um Tundra e ver se Harlan aceitava tomar uma cerveja e participar da sociedade nessa boate. Harlan propôs, quando Clem tivesse levantado 70% do necessário para iniciar o negócio, encarar o resto. Agora, chegara a hora.

Harlan perguntou a Parker:

— Você tem um par de botas, não tem?

Parker disse:

— Avise-me quando a boate estiver funcionando, que vou aparecer com elas.

— Ótimo, então.

E àquela altura, julho muito provavelmente, Harlan estaria pronto para apresentar Parker a Amelia. Com Parker trabalhando na agência bancária de Chapel Hill e Amelia não muito longe, em Duke, eles teriam as condições mais do que convenientes para um namoro casual que, no devido tempo, poderia muito bem levar o garoto a tornar-se um parente. Harlan gostava muito dessa ideia; Parker era exatamente o tipo de sujeito que proporcionaria a Amelia a continuação da vida a que ela estava acostumada, a vida que merecia. Ele era o tipo de sujeito em companhia de quem Amelia certamente jamais acabaria como a mãe dele.

Depois de desligar o telefone, Harlan levou os dedos à boca e assobiou para chamar a cadela para dentro.

— Vamos lá — disse ele quando ela veio trotando de volta. — Vamos ver se encontramos alguma coisa para almoçar.

Dentro, ele pegou um pote de salada de batata, um receita especial de Sheri com batata Asterix, e sentou-se no balcão do bar. Sem nenhuma outra motivação além da mera curiosidade, abriu o computador de Amelia. Uma caixa de texto apareceu no centro da tela preta, à espera de uma senha. É claro que ela teria se preocupado com a segurança daquela coisa; se esquecesse na escola ou deixasse na casa de um amigo, não gostaria que outras pessoas ficassem bisbilhotando seus arquivos e coisas parecidas. Ele inclinou a tela para baixo, quase a fechando, e depois a levantou de novo.

D-O-C-I-N-H-O, digitou. Amelia adorava a cadela como a irmã que nunca tivera, embora não por falta de ele e Sheri tentarem. Sheri carregara mais três bebês por cerca de 20 semanas e quase sangrara até a morte ao abortar o terceiro, quando o médico dera um ultimato e amarrara-lhe as trompas.

Não, Docinho não era a senha.

Pensando no senso de humor de Amelia, Harlan tentou S-E-N-H-A. Também não era.

Ele esfregou a boca, tomou um gole de cerveja, depois tentou C-U-R-R-I-T-U--C-K, o nome da rua em que se localizava a casa de praia da família, em Bald Head Island. Amelia adorava aquela casa, mal podia esperar pelo dia em que deixavam a residência na cidade para passar ali o verão como costumava ser todos os anos — ou melhor, como era antigamente. No último verão, ela fora a contragosto, depois ficara zanzando no ciclomotor para todos os lados durante dias, até conformar-se com a rotina da vida na ilha. Harlan se preocupara, mas Sheri dissera para deixá-la em paz.

— Ela tem 17 anos. Está se sentindo solitária aqui. Sem ter o que fazer, em comparação com todos os seus compromissos e a escola. Seus amigos são sua vida.

Três a zero. O Mac educadamente informou-lhe que tentara entrar tantas vezes sem sucesso e para tentar novamente mais tarde. Harlan fechou-o incontinenti, sentindo-se ligeiramente envergonhado. Os laços daquela família baseavam-se no respeito mútuo entre os três e lá estava ele, tentando xeretar as coisas pessoais da filha, exatamente como se tivesse ido ao quarto dela e tentado arrombar uma gaveta trancada.

Na verdade, ele fizera isso uma vez, quando Amelia tinha 11 ou 12 anos — não porque desconfiasse de alguma coisa, mas porque queria conhecer, realmente *conhecer*, a criaturinha estranha em que se tornara —, a partir de uma combinação, pensava ele, da puberdade e de que parecia estar finalmente prestes a vencer a gagueira que incomodava a todos desde as vésperas de seu quinto aniversário. A gaveta guardava os tesouros peculiares de uma menina dessa idade: pedras bonitas, flores e folhas prensadas, poemas que copiara ou compusera — Harlan, com os parcos conhecimentos adquiridos num ensino médio malfeito, com certeza não saberia dizer. Encontrara também um cartaz de sua primeira viagem a Nova York, quando assistira ao *Rei Leão*. Dobrada, dentro da gaveta, escondia-se uma lista esmeradamente escrita, no alto da qual se lia: "Passos para o Sucesso". Ela enumerara apenas três: *1. Praticar canto; 2. Assistir a mais peças; 3. Perguntar ao papai sobre seus segredos.* E ela seguira esse plano estritamente; essa era sua garota, claro.

Ele abriu o laptop novamente. A tela de senha gentilmente reapareceu, dando-lhe outra oportunidade de chutar. Ele olhou para a caixa retangular com o cursor piscando e tentou o melhor que pôde entrar na mente de Amelia. Mas era aí que estava o problema, não era? Não era capaz de entrar, não mesmo; por isso estava sentado ali, um calor subindo pelo pescoço enquanto ignorava firmemente a impropriedade do que estava fazendo — tentando fazer. Ele tentou racionalizar, argumentando consigo mesmo que era questão de zelo de um pai ver o que a filha estava fazendo, e, de qualquer maneira, ela nunca ficaria sabendo que ele fizera isso.

J-O-A-N-I-N-H-A, ele tentou, o apelido pelo qual a chamava. Fora.

C-I-C-L-O-M-O-T-O-R, sua atividade preferida. Não.

Harlan afastou-se do balcão e fechou os olhos. O que mais seria importante para ela? Dançar. Cantar. Atuar. Ele pensou no cartaz do *Rei Leão* e de como Amelia, com oito anos de idade na época, ficara tão encantada com a produção que não falava de outra coisa no voo de volta para o aeroporto internacional de Raleigh-Durham.

— Eu q-q-quero ser a Nala — declarou ela, em voz suave e deliberada, os olhos brilhando. Depois, toda séria, concluiu: — Papai, p-por que tem de existir um *r-rei* da selva?

A gagueira dela lhe doía. Os médicos não conseguiam explicar o motivo de ter começado e por que persistia, e isso lhe doía também; ele gostava de ação, movimento, progresso. Quando lhe conseguiram uma terapeuta da fala, ele dissera à mulher, apenas para receber um sermão sobre o estabelecimento de expectativas razoáveis:

— Vamos cortar o mal pela raiz.

Razoáveis. Bem, isso tudo dependia de quem estivesse fazendo o arrazoado, certo? Se ele tivesse seguido um caminho "razoável" em toda a sua vida, teria passado os anos enfrentando as dificuldades que Clem enfrentara por tanto tempo. Mas aceitara o conselho da mulher depois de Sheri observar que ele sabia menos que nada sobre a cura da gagueira.

No avião, naquele dia, ele disse a Amelia:

— Não tem de existir, Joaninha, isso é apenas um filme. Quando você estiver um pouco mais crescida, faremos um safári pela África, o que acha? E veremos leoas de verdade, são elas que mandam, não estou certo, querida?

Sheri, sentada do outro lado do corredor ao lado deles, estendeu a mão e deu um tapinha no braço dele.

— Sempre — disse ela, sorrindo.

Ele esperava que Amelia adorasse a ideia de participar de um safári, mas não. Ela se recostou no assento, cruzou as pernas debaixo de si e olhou pela janela. Seus sonhos não tinham nada a ver com a África. Graças à tolerância de Sheri e às garotas mais velhas com que Amelia passara a encontrar-se em concursos de canto e de teatro da comunidade e que mais tarde conseguiram pequenas colocações em peças de teatro em Nova York, ela *continuou* sonhando. Ela mantinha contato com aquelas garotas pelo Facebook e vivia comentando com ele e Sheri sobre as proezas mais recentes dessa ou daquela. Fora por isso que ele fizera um esforço compenetrado para direcioná-la para atividades mais práticas, seguras. Precisava garantir que quanto fosse que herdara da mãe dele não viesse à tona e lhe arruinasse a vida, com tanta certeza como sua pobre e sonhadora mãe arruinara a dela — e quase a dele também.

B-R-O-A-D-W-A-Y, Harlan digitou, e então pressionou ENTER.

— Isso! — sussurrou ele, sorrindo enquanto a tela se transformava num campo de flores silvestres com um céu azul ao fundo.

Seu prazer duraria apenas sete minutos, e esse lapso de sete minutos seria o último deleite que experimentaria por um longo período dali em diante.

4

OS LUSTROSOS PISOS BRILHANTES dos corredores de Ravenswood aqueciam-se com os alunos correndo para seus armários ou abrindo caminho entre os colegas em direção à lanchonete ou à saída para o estacionamento. Kim Winter entrou nesse caos com Brittany Mangum nos calcanhares.

— Mas veja, senhora Winter, eu realmente sei como conjugar *dormir* e *venir*, só que fiquei acordada até tarde na noite de domingo, estudando, para... para meu teste de álgebra II, certo?, e por isso fiquei cansada *demaaais* para estudar francês, certo?, e nem sequer tomei o café da manhã direito naquele dia, quero dizer, eu sei que deveria ter estudado, e estudo, quase todos os dias...

— Foi só um teste — disse Kim. — Você terá outras oportunidades de compensar os pontos perdidos antes do fim do trimestre.

Olhando atrás de Brittany, ela viu William Braddock no outro extremo do corredor, perto do início da escada. Ele encontrou o olhar dela e sorriu.

— Eu sei, eu sei — disse a garota, balançando o cabelo castanho liso atrás dos ombros —, mas veja, meu pai, ele espera que eu só tire A em todos os testes, não tenho desculpa para tirar uma nota ruim num teste, isso é o que ele diz, sendo os testes mais fáceis do que as provas, entende?

— Se eu me deixar convencer por você, terei de melhorar a nota de todos os outros alunos que foram mal.

O que significava a maioria da classe. Quando os alunos trocaram entre si os testes e Kim começara a ler as respostas, brotaram gemidos de todas as fileiras de carteiras.

— Certo, eu sei. Em rigor, você teria de ser justa, e é por isso que não precisamos *comentar* com ninguém. Eu a procuro depois das aulas e...

— Brittany. Não. Sinto muito. Diga a seu pai que você vai conseguir melhorar a nota, vou oferecer várias oportunidades nos ditados no quadro-negro, então, fique atenta, e conseguirá.

— Por favor! Por favor, por favor, *por favor?*

A garota fez um beicinho encantador, mas Kim não se deixou influenciar. Com base no que ouvira dizer na primeira aula do curso de artes plásticas, sabia muito bem que na noite de domingo Brittany não se dedicara à matemática, mas a Seth Herzog, seu namorado, que organizara uma festinha aproveitando a ausência dos pais. O que o pai de Brittany acharia disso? O que William Braddock pensaria disso — se é que já soubera da história? Kim relanceou o olhar na direção dele. As suas maçãs do rosto ainda exibiam os sinais do bronzeado adquirido no fim de semana, recordando o almoço para o qual haviam saído de caiaque no lago Johnson. Será que ele ainda usava a mesma loção pós-barba que usara no sábado? O perfume tinha muito a ver com atração, muito embora ele pudesse cheirar a sujeira e ela mal se importaria.

— Senhora Winter? — disse Brittany.

— O quê? Ah — disse ela, voltando-se para a garota. — Não, desculpe. Agora, vá almoçar.

A garota estava tão magra.

Kim observou William; na verdade, admirou-o enquanto ele brincava com os alunos que passavam, até que Debbie Marchek, professora recém-formada de 23 anos que ensinava alemão numa sala de aula vizinha à dela, apareceu a seu lado, dizendo:

— Será que são apenas meus alunos ou há algo no ar hoje?

— Do que você está falando? — perguntou Kim, voltando-se com relutância para Debbie.

— Eles parecem estar um pouco dispersos, e não sou eu que estou dizendo, isto é, ah, você sabe, parece que estão preocupados em massa.

Kim riu.

— Esse é o estado natural do adolescente, você se esqueceu?

— Certo, sim — disse Debbie —, mas é mais do que isso. Como se os planetas estivessem num alinhamento estranho ou algo parecido.

— Estão de ressaca.

— Você não está falando sério. Num dia de *semana?*

— Eu sei. Talvez tenhamos sido pouco eficazes em exortá-los a "aproveitar as oportunidades que surgirem pela frente".

Debbie balançou a cabeça.

— Uau. Então, acho que teríamos de denunciar isso, certo?

— Hum. Vou comentar com William durante meu horário de planejamento — disse Kim, esperando parecer adequadamente relutante. — Por tudo de bom que isso venha a causar.

— Pensei que os garotos de Ravenswood fossem mais inteligentes.

— O quê? Só porque as suas famílias são bem de vida? — Ela arqueou as sobrancelhas como a dizer que Debbie tinha muito que aprender, depois continuou: — Mas, mesmo se fosse esse o caso, existe inteligência e existe sabedoria. As duas nem sempre andam juntas.

Quando ela tornou a olhar pelo corredor, William Braddock se fora. O prazer de tê-lo visto, porém, permaneceu.

Kim passara grande parte da adolescência, às vezes impulsiva, às vezes imprudente, na livraria dos pais em Ithaca, no estado de Nova York. Fora lá que conhecera Santos Ruiz Arroyo, um estudante universitário de intercâmbio três anos mais velho do que ela, que tinha 17 anos na época. A livraria foi o palco do início do namoro, que durou a maior parte do primeiro ano dele na faculdade, e foi retomado oito anos depois, quando Santos regressou a Ithaca para lecionar literatura mundial aos estudantes universitários. Ele era muito cativante, o tipo de homem que exibia as suas paixões publicamente, vivia-as diariamente e não conseguia entender por que todo mundo não fazia o mesmo. Kim não conseguia esconder seu fascínio. Ele encarnava a pessoa que ela queria ser, enquanto a chamava de o *yin* de seu *yang*. "Você me dá equilíbrio", dissera ele quando lhe propôs casamento, e ela ingenuamente imaginou que esse equilíbrio viesse a ser mútuo, em vez de levar a perpétuos mal-entendidos e frustrações.

Os pais, e a livraria, voltariam a ter um papel importante em sua vida depois de Santos tê-la deixado. *Deixar* — essa era uma expressão muito branda para o que ele fizera, abandonando-a dez dias antes de dar à luz, pelo amor de Deus, enquanto ela tentava descobrir como conciliaria a mulher que fora antes da gravidez com a que se tornaria depois, como seria mãe e esposa ao mesmo tempo. Bem, ele resolvera isso por ela, certa manhã, no quarto do bebê, onde ela dobrava uma pilha de macacõezinhos macios de maneira sonhadora, quando apareceu carregando uma mochila com todos os seus pertences e disse, com seu sotaque espanhol infalivelmente encantador, que a deixava os joelhos moles:

— Não consigo encarar isso tudo, Kim. — Ele apontou para os macacões, para o berço, para a banheira portátil que, muito improvavelmente, dera início à reação em cadeia que o levou a apontar em seguida para a barriga dela. — Sei que lhe disse "É claro, vamos fazer isso". Sei que fui um participante voluntário, mas fiz um profundo exame de consciência e agora sei que não tenho vocação para pai. Muito menos para marido, certo? Você está sempre dizendo que não levo isso a sério, que não cumpro minha parte. Que bem poderia fazer a você se tudo o que quero é fugir? Você ficará melhor sem mim, vai ver só.

Santos estava certo. Ele não conseguia encarar a situação, e ela não o queria — nem como marido, nem como pai de seu filho —, *porque* ele não conseguia encarar a situação, e desse modo ficaria melhor sem ele. Acabou precisando apenas de, ah, mais ou menos um ano de uma tristeza esmagadora, durante o qual duvidou de todos os seus instintos e repensou todas as suas decisões, até chegar a essa conclusão. Conversar com uma terapeuta ajudou, assim como ajudou o fato de Anthony finalmente dormir durante a noite (era incrível o que uma noite inteira de sono fazia para melhorar a saúde mental), e ela foi capaz de perceber que reprimir a raiva e a autopiedade era dar a um homem egoísta o controle sobre a vida dela. Um homem egoísta *ausente*, que lhe mandara os documentos do divórcio acompanhados de um bilhete em que dizia que estava voltando para a Espanha e que lhe desejava amor e tudo de bom, na certeza de que ela seria uma mãe fabulosa.

Deixá-la, porém, era a maneira como ela considerava o que ele fizera sempre que repassava sua vida pré-Raleigh. Parecia uma classificação neutra, e ela sentira-se neutra em relação a isso durante todos aqueles anos que se seguiram. Se ao menos o mesmo pudesse ser dito sobre Anthony; era muitíssimo mais fácil ser divorciada do que não ter pai.

Mas se Santos tivesse continuado ali, ela e Anthony jamais poderiam ter ido para Raleigh. Seus pais escolheram mudar-se para lá quando a neve e o frio de Ithaca tornaram-se demais para eles. Kim, sendo ainda solteira e filha única, acompanhou-os para aquele clima mais quente, pensando que teriam décadas juntos para explorar e apreciar as montanhas a poucas horas a oeste e as praias a poucas horas a leste, e a instigante cultura do Piedmont, o clima mais quente e a ausência de neve (na maioria dos anos). Ela odiava o fato de seu pai ter podido desfrutar apenas um punhado de invernos suaves antes que o câncer pancreático o roubasse deles.

A perda do pai a obrigara a colocar os fatos em perspectiva. Ela permanecera junto a seu túmulo fazendo o inventário: sim, naquele momento lhe restava apenas um de seus pais e, sim, continuava solteira e, sim, "certa idade" sobrepunha-se a seus anos de juventude. E era verdade que seu entusiasmo para o namoro, sua disponibilidade para suportar o ambiente de "mercado de carne" das boates, sua tolerância com os arranjos bem-intencionados que os amigos casados organizavam, sua capacidade de livrar-se de um romance fracassado, tudo isso diminuíra ao longo dos anos. Ainda assim, ela era saudável, trabalhadora, inteligente, atraente o bastante (graças à ioga e ao hidratante) e mãe de um rapaz talentoso, com grande potencial. Tinha bons amigos e não poucos interesses. O homem certo ainda poderia existir em seu futuro, desde que se mantivesse aberta à possibilidade.

Possibilidade: esse era o presente que a morte do pai lhe proporcionara. A perda deixava uma lacuna, era verdade, mas também abria um espaço a ser preenchido novamente, uma lição que agora transmitia a seus alunos com autoridade própria quando acontecia de a procurarem para contar as suas mágoas. *Après la pluie, le beau temps.* Depois da tempestade vem a bonança.

Kim não conseguira ir para Ithaca, mas Raleigh era agora seu lar. Trabalhara muito para conquistar um lugar ali, tendo se filiado à Associação de Pais e Mestres quando lecionara na rede pública de ensino e à Associação de Belas-Artes de Ravenswood, associando-se ao clube de jardinagem do bairro, participando de peças de teatro, indo a festivais, introduzindo Anthony no futebol e até comprando uma minivan. Fizera amizade com colegas de trabalho, com outros pais do futebol, com os pais de alguns de seus alunos, com os funcionários e com a gerente da loja de sua mãe. Sua melhor amiga, Rose Ellen, dissera que ela estava ali por tempo suficiente e assimilara a cultura bem o bastante para merecer a condição de "nativa honorária" — e isso, partindo de Rose Ellen, nascida e criada na vizinha Southern Pines, era uma conquista. Kim imaginava que sua migração para o chá doce e o amor por biscoitos e molho de salsicha não maculara sua causa.

E então houve William. Apesar das regras de confraternização, e apesar das suas reservas quanto a ceder nas relações pessoais no trabalho, o que ela e William tinham em comum tornara-se mais do que uma amizade.

De início, embora tivesse se estabelecido uma boa ligação entre eles, quando ela participara da entrevista para o cargo de professora, nada houvera de impróprio. Durante todo o ano anterior, ela se concentrara em mostrar-se à altura dos integrantes do corpo docente de Ravenswood, embora alguns deles se mostrassem céticos quanto a se seu estilo e suas habilidades formados no ensino público se encaixariam bem ali. William nada mais era do que seu chefe — atraente, agradável.

Então, no final de junho, ela o encontrara por acaso no mercado dos produtores no centro da cidade. Em vez do uniforme formal costumeiro, com paletó e gravata, ele vestia uma camiseta, e das mais surradas. E shorts! Ele tinha pernas musculosas, bem proporcionadas em relação à parte superior do corpo belamente revelada, um conjunto que condizia muito bem com sua personalidade calorosa, atenciosa, inteligente. Eles almoçaram juntos no mercado. Depois saíram para uma longa caminhada pelo Pullen Park. Ele mencionou um filme que ela queria ver, e eles decidiram ir juntos no fim de semana seguinte. Assistiram ao filme, depois foram comer uma pizza na Lilly e, coroando o encantamento agradável de tudo aquilo — a luminosa noite de verão, a conversa sociável, as risadas, a afinidade fácil —, fizeram planos para repetir o encontro. A atração fora tranquilamente natural, mas mútua e real.

Naquele momento, eles mantinham mais do que uma amizade, mas menos do que um romance categórico. Mais do que um flerte, mas menos, muito menos, do que um compromisso. Realmente, ela não sabia como chamá-lo. Ainda no dia anterior, comentou com Rose Ellen, que era diretora da escola em que Kim lecionava antes de Ravenswood:

— Não é uma coisa nem outra.

— Você precisa se decidir se ele é seu chefe ou um homem... — respondeu Rose Ellen.

Kim riu.

— Com certeza ele é um homem, e um belo exemplar, diga-se de passagem.

— Nesse caso, trate-o de acordo — aconselhou Rose Ellen. — Pare de se preocupar com a posição dele *acima* de você e comece a pensar em tê-lo em uma posição *em cima* de você.

Essa não deixava de ser uma perspectiva, sem dúvida alguma.

O que quer que estivesse acontecendo entre ela e William, o simples fato de acontecer provocava em Kim uma emoção que ela gostaria de poder expressar livremente. No pé em que as coisas estavam, além de Rose Ellen, apenas sua mãe desconfiara de que Kim fora fisgada.

— Você anda numa agitação ultimamente que quase se compara à de seu cabelo — observou a mãe na noite anterior.

— E eu tento manter tanto meu cabelo quanto meu ritmo sob controle. Trata-se apenas de uma amizade, *comprenes?*

— É uma pena. Mas ainda é cedo para vocês dois. Por mais que seu pai e eu nos sentíssemos irremediavelmente atraídos um pelo outro desde o dia em que nos vimos, não reconhecemos isso de imediato.

— É, mas você e o papai não tiveram de se preocupar em quebrar todas as regras.

— Você se esquece de que eu era uma judia casando-se com um gentio. De acordo com minha mãe, nós afrontamos as regras de *Deus*.

William ainda não tomara a iniciativa de beijá-la, mas Kim tinha uma forte sensação de que ele queria fazê-lo — e não era engraçado, perfeitamente juvenil, ela querer que ele tomasse a iniciativa? As reuniões de professores eram os eventos mais deliciosos, William olhando-a como se ela fosse a sobremesa saborosa que ele morria de vontade de experimentar. E ao cruzar com ele no corredor, os olhares, os sorrisos. Eles poderiam muito bem comparar-se aos adolescentes que passavam seus dias se controlando, como ela disse à mãe. Como avançariam para o nível seguinte do relacionamento era um problema que ela ainda não fora capaz de resolver. Mas vinha pensando seriamente nisso e tinha certeza de que ele também.

Kim almoçava sentada no parapeito da janela, de onde podia observar com a mesma facilidade os pintassilgos, chapins e tentilhões que afluíam para o comedouro do lado de fora e os cinco alunos que naquele momento trabalhavam no estúdio.

Eles formavam um grupo variado. Vanessa, Robert e Channing: sociáveis, mas não tão seriamente dedicados à arte, presentes ali para tentar acompanhar ou melhorar um trabalho medíocre na esperança de aumentar as notas medíocres. Cassandra Lynn e Richard: não muito sociáveis, mas muito talentosos, ridiculamente mesmo, no caso de Cassandra Lynn, dedicada a aperfeiçoar o trabalho para seu portfólio. Todos eles, com exceção de Richard, eram o que Kim considerava "sulistas demais", ou seja, nascidos em famílias nativas que mandavam os filhos para Ravenswood desde a inauguração da escola em 1855. Richard, como Amelia Wilkes, era sulista, mas o primeiro da família a frequentar uma escola particular. Esses jovens consideravam-se um passo adiante dos arrivistas aventureiros do Norte — ianques que tinham vindo para o sul em busca de oportunidades de enriquecer com a pesquisa, a produção e a venda de produtos farmacêuticos e eletroeletrônicos, e que, então, punham os filhos em Ravenswood em muitos casos simplesmente porque podiam e em outros casos para ajudar a aburguesar a família, facilitando o convívio no clube de campo. E esses aventureiros situavam-se um degrau acima dos "parasitas sortudos" — jovens com bolsas de estudo e filhos de funcionários, como Anthony, os quais, não importando o lugar onde tivessem nascido, aparentemente não pertenciam às salas de Ravenswood, mas o destino os colocara ali de qualquer maneira.

A porta do estúdio se abriu, e Anthony apareceu. Ele entrou, acenando para os outros alunos enquanto atravessava a sala em direção à janela. Kim admirava a facilidade com que o filho se deslocava no espaço, sua fluidez. Um jovem Antonio Banderas, era quem ele lhe lembrava, o nariz aquilino apenas o suficiente para ser interessante sem sobrecarregar o rosto, as mãos com dedos longos desenvolvidos de modo substancial e capaz, bem adequadas ao trabalho que vinha desenvolvendo para a Habitat for Humanity, uma organização cristã sem fins lucrativos dedicada à eliminação da carência habitacional. Ele era uma atração no campo de futebol, com uma energia ilimitada, capaz de desafiar a gravidade. Ela não o chamaria de um jogador desprovido de ego — existia um coisa dessas entre os adolescentes? Mas ele era responsável, consciente dos companheiros de equipe e do conjunto como um todo.

Mesmo assim, Kim sabia, por longa experiência, que todo adolescente era potencialmente uma catástrofe hormonal esperando para desencadear-se. Estava sempre aconselhando as alunas que a procuravam com seus lamentos e confissões, pelo papel que desempenhava em suas vidas — não só como professora, mas como professora de artes criativas e românticas, temas a que elas reagiam tão bem. Aquelas jovens adolescentes, cujas equivalentes em Ithaca ela contratava com prazer para tomar conta de Anthony quando ele era mais novo, eram naquele momento o tipo de garota a quem ela estaria disposta a pagar para manter-se longe dele. Elas tinham páginas em redes sociais e blogs apinhados de fotos provocantes — de si mesmas, dos amigos — que pareciam anúncios de serviços sexuais. Flertavam com os rapazes, publicando mensagens com fotos de si mesmas de biquíni ou sutiã. Um dia, Rose Ellen fora levar lanches para o filho Mark e os amigos, e encontrara o grupo, três garotas e dois rapazes, jogando sinuca seminus! Kim se perguntava se as caixas de suco que ela e todas as mães que conhecia tinham fornecido aos filhos não conteriam algum aditivo secreto capaz de diluir o senso de decoro dos jovens e eliminar-lhe as inibições.

Ela não passara por tais situações embaraçosas com Anthony, embora isso se devesse mais à sorte do que à sua inocência. Ele tivera muitas namoradas e diversas oportunidades para fazer bobagens. Não era possível supervisionar um adolescente do mesmo modo que se fazia com um garoto mais novo; eles tinham amigos com carros, amigos com a chave de casa, eles próprios tinham carro. E mesmo quando estavam em casa, mesmo quando se achasse que sabia o que estavam acontecendo, eles poderiam a qualquer momento desfazer-se das camisetas e sutiãs para uma brincadeira atrevida na piscina. Ou pior.

Aos 14 anos, Anthony dissera que pretendia "poupar-se das garotas certinhas" — e sem dúvida falava sério, se é que algum jovem de 14 anos de idade é capaz de prever seu futuro. Mas Kim não apostaria nisso. Antes de começar a namorar Amelia, sempre que ela via uma garota receber atenção suficiente da parte dele para incitar a dúvida relativa à "certinha" na mente dela, ele já passara para outra. O alívio que ela sentia a cada vez era inquietante; as suas convicções de longa data sobre adolescentes e sexo — que o sexo era uma atividade saudável e necessária ao desenvolvimento — não a incomodavam tanto quando se tratava do próprio filho.

Agora que ele se enamorara da bela, serena e constante Amelia, mergulhara tão fundo na relação como se tivesse pulado num rio com uma pedra amarrada no pé. Pouco importava se já fizera sexo ou não; até mesmo Kim podia ver que o sexo era, se viesse ao caso, apenas uma faceta de um amor complexo e surpreendentemente genuíno. Ela se encantara com Santos por um tempo, mas nunca amara um homem com o abandono tão profundo e a cegueira arrebatadora que só parecia ser possível aos jovens. Ninguém nunca a adorara sem reservas, nem planejara a vida para entrelaçar-se com a dela em vez de simplesmente coexistir. Como deveria ser isso?

Como mãe, Kim queria ser cética em relação ao amor adolescente, advertir Anthony a não colocar muito de si mesmo num romance cuja duração até a idade adulta era improvável. Como mulher, com um coração que ansiava por seu par tão fortemente como ninguém, que encontrava beleza, consolo e inspiração do mesmo modo que os artistas ao longo dos tempos traduziam o amor em palavras, pinturas e esculturas, ela precisava admitir que, se existisse essa coisa de amor verdadeiro, ele não conheceria limites. Se existisse essa coisa de amor verdadeiro, aqueles dois o simbolizavam ao máximo.

Kim observou Anthony e esperou ver Amelia aparecer atrás dele; eles sempre almoçavam juntos. Ela passaria por eles e depois eles iriam ao refeitório com os amigos, um bando de garotos com perspectivas tão brilhantes que William comentara brincando que as merendeiras estavam exigindo receber óculos escuros para atendê-los. Ele via os garotos como uma prova de que seus esforços para tornar Ravenswood um modelo realizado de escola preparatória para a universidade eram bem-sucedidos. Kim sabia que, quando William os observava rindo e brincando, eles não pareciam ser nada mais que oito ou dez adolescentes prontos para entrar na maturidade, a uns poucos preciosos meses de saltar para fora do ninho e para o mundo, para deixar a ele, Ravenswood e os pais orgulhosos. Tal como acontecia com o resto do corpo docente, William não estava ciente de Anthony e Amelia como um conjunto à parte. Embora Kim gostasse da ideia de ele saber disso, apreciando poder falar sobre tudo com ele, ela ainda guardava consigo esse segredo, a fim de proteger tanto os garotos quanto William.

Anthony largou a mochila no peitoril da janela.

— Pensei que você tinha dito que sairia para o almoço hoje. — disse-lhe Kim.

— E saí — disse ele, pegando um dos palitos de cenoura dela.

— Onde está Amelia?

— Ela esqueceu o computador e precisou voltar para casa para buscá-lo. A mãe dela iria trazê-lo, mas acabou ficando presa. No trânsito — acrescentou, numa referência divertida ao modo como alguns de seus poucos amigos de Ithaca os tinham advertido muito seriamente de que "A região de Raleigh-Durham tem algumas áreas perigosas. Vocês precisarão ter cuidado por onde andam". Um julgamento baseado em rumores, em desinformação, ainda que disseminado autoritariamente como fato.

— Entendi — disse Kim, sorrindo.

Ela estendeu a mão para acariciar o cabelo do filho, e ele deixou que ela o fizesse. Não contente com isso, sentou-se ao lado dela e passou-lhe o braço sobre os ombros, completamente despreocupado sobre como os outros garotos veriam isso. Que adolescente abraçaria a mãe professora na frente de outros adolescentes? Kim sentiu-se repleta de prazer e ternura, e com o pensamento, que em breve seria testado, de quanto era incrivelmente sortuda.

5

— OI, WINTER! — Rob Calloway cumprimentou Anthony no corredor de Ravenswood enquanto os dois chegavam a seus armários antes da quarta aula.

— Oi — disse Anthony, guardando o celular no bolso.

Ele mandara mensagem para Amelia três vezes, tentara ligar para ela duas vezes e não obtivera nenhuma resposta. Provavelmente a bateria do celular dela descarregara ou ela deixara o telefone em casa quando foi buscar o laptop, alguma coisa nesse sentido. Provavelmente, ela apareceria ali no corredor a qualquer momento, com um sorriso de desculpas encantador por cima do cardigã de cashmere cinza e da saia pregueada azul-marinho, roupas comuns que nela pareciam tecidas por fadas. Para Anthony, o simples fato de Amelia existir, sua própria existência, era a prova de que existia magia no mundo.

Ele seria até capaz de dizer isso em voz alta, não fosse o fato de estarem mantendo o relacionamento em segredo por enquanto. Mas, se se atrevesse a louvar com entusiasmo os aspectos mágicos de Amelia, os colegas perdedores, sem dúvida alguma, diriam que ele era um otário, um panaca, um homo (o que não faria sentido, mas eles não se preocupariam com a incongruência). Ele perdoava os retardados ignorantes e, se fosse do tipo carola, faria uma prece por sua evolução. O mundo precisava de menos cinismo, mais amor. O amor era a resposta. O amor fazia o mundo girar. O amor era tudo de que se precisava. O amor, na verdade, estava por toda a parte.

Ele abriu o armário e tirou seu livro de álgebra; não havia muito amor ali. Ele odiava a matemática com a mesma intensidade com que era competente naquela matéria. Que utilidade tinham os números imaginários para escrever peças de teatro, atividade em que ele estava ficando cada vez mais habilidoso, ou para interpretar um papel nelas, o que já fazia muito bem, ou para qualquer aspecto da dramaturgia: direção, interpretação, cenografia — todas as coisas que estudaria quando estivesse cursando a faculdade na NYU? *Pessoas* imaginárias, porém, ele poderia assimilar. Imaginou um tipo de cálculo para a arte dramática, exercícios que envolvessem colocar os personagens em todos os tipos de situações teóricas a fim de resolver, ou pelo menos estudar, os complexos problemas do mundo. Tal como acontecia com as soluções na matemática avançada, a dramaturgia de sucesso resultaria de uma espécie de alquimia — nesse caso, de um roteiro, uma direção e uma atuação que, quando bem executados, eram transformadores tanto para os atores quanto para o público. Mal podia esperar o momento em que ele e Amelia estariam imersos nesse tipo de solução de problemas.

— Pronto para o teste? — perguntou ele a Rob.

Rob balançou a cabeça e sorriu.

— Não muito. Os pais de Peyton viajaram neste fim de semana, então, você sabe, decidimos que era o momento certo para mandar ver. Mais de uma vez — acrescentou Rob, com uma risadinha, como se esse fato o surpreendesse. As suas orelhas se avermelharam, e ele concentrou toda a atenção em encontrar cuidadosamente a combinação de seu cadeado. — Para falar a verdade, nem pensei em estudar.

— Ah, certo — disse Anthony. — Sei, posso entender.

Ele gostava de Rob. À diferença de alguns de seus colegas riquinhos, Rob parecia bem verdadeiro, apesar de seu novo Mazda RX-8, dos ingressos familiares para todos os jogos dos Carolina Panthers na temporada, do assim chamado "Complexo Calloway" — um terreno de 12 hectares com uma casa de 1.200 metros quadrados com piscina, banheira de hidromassagem, cavalariça, picadeiro e pista de terra para motocross — e da presença constante da mãe de Rob na secretaria dos alunos de Ravenswood, onde era voluntária dedicada. Rob e Peyton não eram exatamente um caso de fim de semana. Eles estavam namorando desde a volta às aulas no final de agosto. Peyton, ele sabia, já andava navegando pelos sites de joalherias, conferindo os anéis de noivado de diamante e pensando em conjuntos de porcelana. Amelia tentava tirar a cabeça de Peyton das nuvens, incentivando-a a expandir seus horizontes para algo mais além de casamento e bebês, a fazer alguma coisa útil com a formação pré-universitária obtida em Ravenswood — pelo menos até Rob ter certeza de que queria seguir os passos do pai, corretor de investimentos. Peyton, porém, era "muito tradicional", como ela mesma dizia, contentando-se em tornar-se o mesmo tipo de mulher que a mãe — assim como a de Amelia, a propósito.

Anthony sabia que, quando se tratava de tornar-se um macho imbecil, a riqueza não era realmente a culpada. Era possível encontrar o mesmo tipo de atitude degradante em caras que cresciam com quase nada. Caipiras, que era o que mais tinha em seu antigo colégio. Integrantes de gangues. Fundamentalistas religiosos de todo tipo. Tratava-se de cultura. Valores. Sua mãe e os amigos dela comentavam essas coisas o tempo todo. Por quaisquer razões, muitos caras marginalizavam as mulheres, sexualizando-as ou desprezando-as ou as duas coisas, erros que ele nunca cometeria com Amelia.

Ela não só era possivelmente a mulher mais linda já criada pelos deuses, como também gastava seu tempo e sua energia em coisas que realmente importavam. A mãe dele a pintara bem quando comentara: "Amelia é a garota menos frívola que já conheci". É claro, ela usava expressões meio simplistas e dirigia um BMW novinho, além de ter um cartão de débito que o pai mantinha abastecido para que nunca precisasse preocupar-se se poderia pagar o almoço ou pôr gasolina no carro. A questão era: ela estava pronta — não, ela estava *ansiosa* — para abrir mão de tudo isso em troca do que realmente importava a ela. A eles.

Rob fechou o armário.

— Você estudou? Vou sentar atrás de você e olhar por cima de seu ombro.

— Na verdade, trabalhei o fim de semana inteiro — disse Anthony, o que não era uma mentira, mas isso também não o impedira de estudar.

O movimento nas lojas de discos como aquela em que trabalhava estava ficando cada vez mais devagar, agora que a maioria dos garotos tinha acesso à música on-line. Os clientes tendiam a ser os amantes da música de meia-idade que preferiram as tecnologias antigas ou estavam evitando as novas, e esses tendiam a fazer compras preferencialmente nas manhãs de sábado e nas tardes de domingo.

Não que fosse dizer a Rob (ele que tivesse a nota que merecia), mas Anthony conseguira tanto estudar quanto fazer uma nova sequência de músicas gravadas para Amelia, uma compilação de canções de grupos como Coldplay, The National, Paramore, Owl City e mais algumas de uma banda chamada The xx, que ele descobrira graças à revista *Rolling Stone*. O empresário dissera que a banda era "apenas mais um grupo de punks londrinos", o que só fizera Anthony gostar ainda mais deles.

— Quem sabe Rickman não está melhor que a gente — disse Anthony.

— Acho que não. — Rob sorriu com ironia e acrescentou: — Ele é o único que realmente precisa transar.

Anthony fechou o armário e olhou mais uma vez para o corredor antes de seguir para a aula. Ainda nada de Amelia.

— É verdade — disse ele.

— Qual é sua desculpa, Winter? Amelia realmente está se guardando para o casamento? Ou, espere, não me diga, você está treinando para ser padre. Padre Anthony — disse Rob, rindo. — Vejo tudo direitinho. Você faz bem o tipo frio e preocupado.

— Na verdade — disse Anthony com um encolher de ombros resignado —, é porque Peyton já tem seu homem.

Desviar as perguntas sobre sua situação sexual com humor, como sempre fazia, afastava os abutres que teimavam em sobrevoá-lo.

— Pode apostar que sim. — Rob sorriu para ele. — Bem, tenho certeza de que você e sua mão direita, ou será a esquerda?, serão muito felizes juntos até sua sorte mudar.

Anthony estendeu a mão direita como para apertar a de Rob e disse:

— É uma honra estar na companhia de um especialista.

— Não mais, cara. Agora não preciso. Tenho a coisa de verdade.

A coisa de verdade: isso deveria significar "amor". Mas, sem dúvida, também havia o aspecto físico a ser considerado.

Tudo o que Anthony sabia sobre Amelia antes de conhecê-la era que sua reputação era de pura — pura demais, se fosse considerar um monte de caras, mas isso não queria dizer que ela fosse o que alguns deles afirmavam: frígida. Lésbica. Secretamente comprometida com um cara mais velho e rico, que nenhum dos colegas já vira, mas que poderiam facilmente imaginar que existia. Tinha de ser uma dessas coisas, diziam, pois de outro modo ela não flertaria, provocaria, seduziria todos eles da maneira como as outras garotas bonitas faziam? Se fosse normal, ela não seria tão distante e fria. Não, nenhum deles jamais a convidara para sair ou tentara conseguir uma resposta verdadeira sobre o mistério porque, afinal, quem quereria colocar-se numa situação dessas apenas para levar o fora? Havia muitos peixes mais fáceis de pescar.

Não demorou muito, porém, para Anthony ver Amelia como pertencente a uma classe própria. Ela representava a diferença entre o *geral* e o *específico*. Em geral, ele sempre encontrara garotas atraentes. Em geral, gostava da companhia das garotas. Mas Amelia o fitara do outro lado do palco, as cortinas de veludo azul penduradas atrás dela, os refletores iluminando seu cabelo castanho e então uma descarga de alguma coisa — chame de eletricidade, chame do que quiser — passou por ele e ele literalmente parou de respirar. O que ele queria era cair de joelhos. O que fez em vez disso foi virar-se para a Sra. Fitz e dizer:

— Aí está minha Rosalinda.

A Sra. Fitz olhou para onde ele apontara, depois voltou-se novamente para Anthony. As sobrancelhas finas arquearam-se, e os lábios pintados separaram-se, mas o fizeram de uma forma tão estranha, que foi como se ela não estivesse no comando das suas expressões.

— Assim seja — disse ela.

— Mas, senhora Fitz — reclamou Chris Harrington —, a senhora disse que estava pensando em *mim* para Orlando.

A Sra. Fitz piscou para o rapaz. Uma vez. Duas vezes.

— Sim, bem, não há nada que se possa fazer quanto a isso. Você dará um ótimo Oliver.

Era simplesmente assim que o universo funcionava quando Amelia se achava por perto.

Inquestionável. Era essa a palavra que Anthony considerava a que melhor caracterizava sua relação com Amelia. Era essa, e ela era isso.

O aspecto físico: os primeiros beijos entre eles foram hesitantes, quase castos, ele seguindo o exemplo dela, para não chegar com muita força e assustá-la. Ao contrário de outras garotas que conhecera e incentivara, ela não pressionou o corpo contra o dele, fingindo uma atração exagerada, nem com segundas intenções. Na primeira vez em que ele moveu a mão do ombro dela e percorreu pela lateral do peito até a cintura, ela estremeceu.

Na primeira vez em que a beijara intensamente, com as mãos envolvidas em seu cabelo e os quadris esfregando-se contra os dela, tornando seu desejo óbvio para ambos, ela engasgou. Realmente *engasgou*. Ele não esperava por isso.

— Desculpe — disse ele, afastando-se depressa.

— Não, está tudo bem.

O rosto estava vermelho, os olhos arregalados, mas ela sorria. Não era frígida. Não era lésbica. Não era indisponível. Apenas inexperiente.

Algumas semanas mais tarde, depois de um ensaio de *Como Gostais*, eles ficaram juntos no estacionamento, sob o zumbido das lâmpadas de vapor de sódio, conversando sobre como ela gostaria de poder namorá-lo abertamente. O pai dela não era um cara mau, disse Amelia. Ele se preocupava com ela, só isso. Ela tivera alguns problemas quando era pequena, e ele era protetor.

— Problemas? — perguntou ele, sua imaginação respondendo à pergunta com um namorado obsessivo, um namorado abusivo, abuso de drogas em segredo, bulimia...

— Um problema. Um... um defeito, pode-se dizer.

Evitando os olhos dele, ela contou que tivera uma gagueira alguns anos antes. Tivera de fazer terapias e um monte de avaliações psiquiatras. Quando olhou para ele novamente, ela parecia estar se encolhendo na expectativa da sua resposta.

— É óbvio que você a venceu — disse ele. — Isso é impressionante.

— Mesmo? — Ela se iluminou. — Obrigada. Eu vivia pensando que era, sei lá, uma aberração. Não comento sobre isso. Poucos amigos sabem.

— Não vou falar sobre isso, se você...

— É, eu gostaria que não comentasse. Manter o assunto escondido de todos foi uma boa, eu acho, como isto. — Ela sorriu e fez um gesto indicando eles dois. — E já que estou confessando coisas — acrescentou —, você deve saber, eu queria que você soubesse que ainda sou virgem, então... — Ela encolheu os ombros, deixando as palavras no ar.

— Eu imaginei. Está tudo bem. Isso é ótimo. Para que pressa, não é?

— Você não se importa?

— Já que as confissões parecem ser um tema aqui, vou confessar que realmente gosto da ideia de talvez chegar a ser o primeiro.

O que se seguiu ao longo dos meses seguintes foram minutos roubados passados em amassos atrás da garagem de carros esportivos do pai dela, os "estábulos", em noites geladas; mensagens de texto de fim de noite, quando deveriam estar dormindo; e-mails que ela compunha meticulosamente entre os ensaios ou as aulas — ela queria deixar claro que seu desejo por ele era muito mais que luxúria. Outros jovens se estragavam por recreação, só mais um pouco de diversão numa noite de festa regada a bebidas e drogas de fácil acesso. Não era o que ela desejava de maneira alguma, não fazia seu estilo, e ela fazia questão que ele soubesse disso, para que não a incluísse sem mais nem menos no grupo de jovens privilegiados que muitas vezes substituíam o bom senso e os bons costumes por dinheiro.

Anthony estava mais que pronto a ir além dos beijos e toques incendiários, mas Amelia queria esperar até o fim do ano letivo, quando seus horários se aliviassem e o clima estivesse mais quente. O final de junho parecia ideal, considerando as suas obrigações e seu ciclo mensal, além do fato de ela ausentar-se a partir de 2 de julho para passar oito semanas na casa de praia dos pais.

— É difícil acreditar que eu queira que seja realmente especial? — perguntou ela.

Amelia fazia coisas com ele, com seu cérebro, com seu coração, que nenhuma garota fizera antes. Ela conseguia deixá-lo literalmente atordoado só por estar perto o suficiente para ele poder sentir seu cheiro. E seu desejo — bem, bastava dizer que comprovara como funcionava bem a teoria do banho frio. O pior de tudo era também o melhor de tudo: ainda que a ideia o assustasse — como poderia acontecer tão cedo e tão rápido? —, ele sabia que encontrara sua alma gêmea e que sua vida, desde o momento em que pusera os olhos nela, a ela pertencia.

O plano deles era começar aquela noite *realmente* especial com um jantar romântico num modesto restaurante francês a que seus pais nunca pensariam ir. Ela mentiria, dizendo que iria a uma festa do pijama na casa de Cameron, e ele, que ficaria na casa de Rob, e eles conseguiram um quarto de hotel no Marriott em Durham — a uma boa distância de qualquer uma das concessionárias do pai dela, de modo que não haveria como ser reconhecida por algum funcionário que poderia, por exemplo, estar lá com parentes ou amigos em visita. Eles não podiam ter sido mais cuidadosos. Anthony faria uma jarra de margarita de morango — a mãe nunca conferia seu estoque de bebidas — e a congelaria, para beberem no hotel. Ele se encarregaria da música, enquanto Amelia tomaria um banho de espuma, e eles concordaram que enfrentariam juntos uma ida à farmácia para comprar "proteção".

Era um bom plano mas, como o poeta Robert Burns destacou em sua ode a um rato em campo aberto, "Os planos mais bem lucubrados de ratos e de homens / Em geral acabam mal". Um bom plano, mas um plano que seria desfeito, alterado por acontecimentos fora do controle de qualquer um. Ainda assim, na ocasião, Anthony não se lembraria dos versos seguintes do poema: "E deixam-nos nada além de tristeza e de dor, / Em lugar da alegria pretendida".[1]

O dia em que o plano foi mudado, eles estavam nos bastidores do Raleigh Little Theatre, após a apresentação final da peça *Nossa Cidade*, em meados de junho, o fim de semana seguinte à morte de Erica Gold, uma amiga caloura deles, quando seu irmão Barry perdeu o controle do carro e colidiu contra umas árvores. Barry não

1. A estrofe original em escocês do poema "To a mouse, on turning her up in her nest with the plough" (A um rato, incomodado no ninho pelo arado), de Robert Burns (1759-96), é: "*The best laid schemes o' mice an' men / Gang aft agley / An' lea'e us nought but grief an' pain, / For promis'd joy!*". (N.T.)

bebera, não dirigia em velocidade excessiva, as estradas estavam secas. No funeral na quinta-feira, os pais de Barry repetiam: "Deve ter sido um veado, ou um cachorro. Um gambá, talvez. Uma raposa". Eles não sabiam, e Barry, ainda inconsciente no hospital universitário de WakeMed, não fora capaz de dizer. A aleatoriedade do acidente repercutiu entre os adolescentes que os conheciam. Alguns reagiram reunindo-se; outros, rezando. Anthony, Amelia e os outros em seu círculo haviam se reunido no Blue Jay Point na sexta-feira à tarde e tentaram escrever uma canção para Erica, mas acabaram atirando pedras na água calma do Lago Falls e contando as ondulações até que escureceu demais para enxergarem.

Em *Nossa Cidade*,[2] Anthony era George Gibbs e Amelia era Emily Webb, um casal que no palco apenas reforçava o que eles tinham certeza de ser verdade: o destino os queria juntos. Amelia comentara que o pai dela tinha uma visão diferente ("Aquele garoto Winter *de novo?* Não gosto desse rapaz farejando atrás você o tempo todo."), mas o público reagiu a eles com interesse e entusiasmo tão verdadeiros que o diretor decidiu manter o par novamente na primavera seguinte, no musical *Kiss Me, Kate*.[3] E, quem sabe?, talvez os diretores de Nova York notassem sua experiência em conjunto e decidissem mantê-los juntos — não como protagonistas, tudo bem, não de imediato; primeiro, precisariam provar seu talento. Ainda assim, trabalhar juntos regularmente era o sonho e a meta deles. Se isso também significasse que, quando os outros conquistadores aparecessem farejando, ele estaria lá para avisá-los, tanto melhor. Ele sabia que, uma vez que Amelia estivesse no mundo — o mundo real, mundo de Nova York —, os homens seriam atraídos para ela do mesmo modo que o eram para Idina Menzel, a estrela da Broadway. O rosto de Amelia seria a imagem triunfante destacada nas placas da Times Square, sua personagem seria a imagem que decoraria os ônibus e pontos de ônibus, cujo autógrafo num ingresso de teatro um dia se tornaria um talismã para incontáveis jovens aspirantes.

---

2. Peça escrita por Thornton Wilder em 1938 com o título original de Our Town. Ambientada na cidadezinha americana de Grover's Corners, representa a vida cotidiana dos cidadãos americanos entre os anos de 1901 e 1913. Sem um cenário nem adereços para os atores, Wilder usa dispositivos metateatrais, incluindo a narração de um diretor de palco. (N.T.)

3. Comédia musical de 1948, baseada na peça A Megera Domada, de William Shakespeare, com canções do músico e compositor americano Cole Porter. (N.T.)

O público do Raleigh Little Theatre saía em filas do auditório e, por detrás da cortina, os atores encaminhavam-se aos camarins para retirar a maquiagem de palco e retomar as suas identidades cotidianas. Todos confraternizavam entusiasticamente e com alegria depois do trabalho bem feito. Amelia, no entanto, parecia perturbada.

Anthony a puxou de lado.

— Tudo bem com você?

Ela levantou o decote alto da blusa de babados branca, em seguida desabotoou o botão de cima, depois o outro e o terceiro. No entanto, não havia nada de sugestivo nas suas ações. Na verdade, ela parecia inconsciente do que estava fazendo, enquanto observava os outros atores partirem.

Ela se virou para Anthony e disse:

— Nós fizemos essa peça quantas vezes, 11? E ouvir todo mundo rindo e feliz. — Ela balançou a cabeça. — É como se as pessoas não prestassem atenção ao sentido verdadeiro por detrás de tudo. Será que alguém sequer *pensou* sobre o terceiro ato?

O terceiro ato era a parte sombria e existencial da peça. Emily, depois da morte, assistia ao próprio funeral e refletia sobre a vida: "Ela passa tão rápido. Mal temos tempo de olhar uns para os outros... Ah, terra, você é maravilhosa demais para qualquer um compreendê-la... Será que algum ser humano compreende a vida enquanto vive... a cada minuto?"

Anthony pensou por um instante e depois disse:

— Alguns estão pensando nisso, com certeza, talvez todos eles. Vai ver que é por isso que estão contentes.

Amelia virou-se para ele, os olhos arregalados.

— Por que estamos esperando, Anthony? Poderia ser em qualquer dia, a qualquer minuto.

— Não precisamos esperar — disse ele.

— Se dependesse de você...?

— Eu quero você a todo instante, o tempo todo. Mas quero que você seja feliz com isso, então...

— Todos os nossos planos… não é isso que vai tornar o momento especial. É sermos nós o que o torna especial. Pode acontecer alguma coisa nas próximas duas semanas.

Ela estava certa. Ainda assim, ele disse:

— Não vai acontecer nada.

— Provavelmente não. Espero que não. Mas você não sabe. Ninguém *sabe*. — Ela verificou se ninguém os estava vigiando, depois passou os braços ao redor da cintura dele, aproximando-se tanto que ele pôde sentir as coxas dela sob a saia e a anágua contra a sua. — Encontre-me no clube às 11.

— Tem certeza? — perguntou ele, já sentindo o sangue ferver com a perspectiva.

— Completamente.

Dez minutos antes da hora marcada, ele estacionou o carro na estrada de serviço a uns 800 metros da casa de Amelia, de modo que não houvesse nenhuma possibilidade de que a vista ou o som de um carro chamasse a atenção — em especial um carro descorado pelo sol, batido, com uma década de desgaste como seu. Então, com o coração pulsando forte contra as costelas antes mesmo de partir, ele percorreu rapidamente a distância para o outro lado da propriedade dos Wilkes. Era experiente e conhecedor o bastante para sentir-se confiante em relação à mecânica do que estavam prestes a fazer, mas nunca estivera tão ansioso em fazer as coisas direito.

O clube de Amelia era uma pequena cabana situada um pouco além do quintal e do gramado, à beira da floresta. Inspirado no chalé de Thomas Kinkade, o predileto da mãe dela, fora construído de pedra e tijolo, com pé-direito alto e um telhado de palha de verdade. Ele o vira uma vez à luz do dia, como um dos cerca de 30 adolescentes presentes à casa dos Wilkes no último mês de fevereiro para comemorar o aniversário de 17 anos de Amelia. Harlan Wilkes o atraíra para uma conversa:

— Então, você é aquele cuja mãe é professora, vocês todos vieram de Nova York, certo?

— Sim, senhor — disse ele, da maneira como a mãe lhe ensinara que era preciso ao enfrentar os homens do sul, se não quisesse causar polêmica, e no que dizia respeito a Harlan Wilkes, ele queria passar tão despercebido quanto possível.

Wilkes observara Anthony olhar para Amelia e três de suas amigas, que estavam jogando Twister. Os jeans Pernelli de cintura baixa de Mary Beth ameaçavam mostrar mais da sua parte traseira do que ela pretendia. Wilkes parecera não notar, dizendo:

— Sua mãe, ela ensina francês.

— Artes plásticas e francês, sim, senhor — disse Anthony, desviando casualmente o olhar para longe do jogo (de Amelia) e para a cozinha, onde Sheri Wilkes permanecia com várias outras mulheres, mães de convidados, da mesma maneira que, ele sabia, todas elas tinham feito uma dúzia de anos antes. Da mesma maneira que sua mãe fazia com os amigos de Ithaca, enquanto ele e seus convidados construíam torres de Lego ou corriam para todos os lados com suas capas de Batman.

Wilkes permanecera ao lado dele.

— Você é um aluno do colegial, assim como Amelia — perguntou ele, e Anthony assentiu com um movimento de cabeça, desejando que alguém viesse salvá-lo.

— Você pratica esportes? — perguntou Wilkes.

— Futebol, sim, senhor. Estamos começando os treinos para a temporada estudantil da primavera e eu joguei pela escola no outono passado, na seleção do colégio — respondeu Anthony.

— Em que está planejando se especializar, supondo que esteja pensando em ir para a faculdade?

— Artes... artes dramáticas.

— Existe curso superior para isso? — bufou Wilkes, dando então um tapinha nas costas do rapaz. — Desejo-lhe sorte com isso — completou antes de afastar-se para submeter outro rapaz dentre os muitos presentes ao mesmo tipo de interrogatório.

Naquele dia, o dia da festa, estava frio demais para eles permanecerem ao ar livre. De dentro, por detrás das janelas imponentes da sala de estar da família, o chalé de Amelia parecia austero, rodeado por roseiras e hortênsias podadas em antecipação à primavera. Nessa noite de junho, com as mesmas plantas exuberantes e florescentes, as cores escurecidas quase ao ponto de se tornarem pretas ao luar, o chalé atraía Anthony como se a casa, ou ele, estivesse sob o efeito de um encantamento.

Ele bateu na porta e em seguida a abriu. Amelia estava lá com uma colcha e uma vela, vestindo shorts de pijama de algodão e uma blusinha da mais fina das rendas, um fiapo de roupa. Ela tomou-o pela mão, depois fechou a porta e prendeu-a com uma pedra pesada. Virando-se para ele de novo, ela disse:

— Não é exatamente um belo quarto de hotel...

— Está perfeito. — Ele se inclinou para beijá-la, acrescentando: — Assim como você.

Quando Anthony se recordava daquela noite — e ele se lembraria muitas vezes durante os dias sombrios e vazios que se seguiriam desde que o problema começara —, saboreava o que, na época, fora um fluxo intenso de sensações e emoções. A pele suave de Amelia corada e reluzente à luz das velas. O cabelo solto caindo sobre os ombros como uma torrente de seda escura. As mãos dela sob a camisa dele, erguendo-a por cima da cabeça, e, em seguida, levantando sua própria blusinha, e então o contato da pele dela contra a dele, os seios contra o peito, um coração batendo contra o outro.

Ele se recordava de como tinham rido quando ele tropeçou ao dar um passo para fora da calça e depois como ela se tornara séria, quase reverente, quando se ajoelhou e tirou sua cueca e correu as mãos sobre ele. E ela o puxou para a colcha e depois se sentou sobre os calcanhares.

— Uau, olhe para você, você é incrível. Fique assim mesmo, não se mexa.

Ele pensou que ela fosse pegar uma camisinha quando puxou o nécessaire acolchoado que normalmente continha a carteira e o celular, mas foi o telefone dela que apareceu. Isso o surpreendeu, mas só por um instante, quando percebeu o que ela tinha em mente.

— Você parece a estátua de um deus grego. Apolo, o deus da profecia e da verdade — disse ela.

— E da justiça, das pestes e da poesia, não se esqueça. — As lições da escola afirmando-se no mais improvável dos momentos.

Ela segurou o telefone na frente dele, depois bateu uma foto.

— Hum — disse ela, olhando a foto. — Dobre a perna, não, espere, apoie-se sobre um cotovelo, então dobre a perna. Certo. Assim. — E bateu outra foto, avaliou o resultado e disse: — Preciso de mais luz para isso.

— Mas não para *isto* — disse ele, estendendo a mão para ela e puxando-a para debaixo da colcha.

Eles se beijaram, apalparam-se com lenta deliberação, enquanto os grilos cantavam nas árvores e as rãs coaxavam no leito do riacho. Anthony alcançou sua calça jeans e tirou do bolso uma das camisinhas que trouxera, e Amelia colocou-a nele. Ela se deitou de costas então, corando depois do que acabara de fazer.

— Está tudo bem? — perguntou ele, enquanto fazia pressão dentro dela, fitando-lhe o rosto, pronto para parar se ela se encolhesse ou franzisse a testa.

— Isto é incrível — sussurrou ela. A sua expressão estava tão séria, como se ele fosse não só fazer amor com ela, mas também atá-los, vinculando-os, algo parecido com a maneira como o coro cantava em *Nossa Cidade*. "*Bendito seja o laço que une nossos corações...*" Ele não era uma pessoa religiosa, mas o que estava sentindo era espiritual. Ele quis dizer algo importante, talvez citar alguma coisa, talvez a música, mas as sensações, o calor dela...

— Eu te amo — murmurou ele, numa voz rouca, o melhor que pôde.

— Eu te amo — disse ela, fitando-o.

Ela o puxou para mais perto de si, para pousar-lhe os lábios no pescoço, no ponto sensível abaixo da orelha.

Mas o toque da língua dela o fez perder o controle.

— Amelia — gemeu ele, mas não havia como parar agora. Em um momento de cegueira diferente de qualquer outro no passado, ele se soltou. Quando a visão retornou, ele estava olhando através de lágrimas para a face dela, chorosa e feliz.

— Todos, todos os minutos — disse ela.

Dirigindo de volta para casa mais tarde, Anthony deixou as janelas do carro abertas. Como fizera na noite em que vira Amelia pela primeira vez numa audição, ele cantou seu nome na melodia de "Maria", de *Amor, Sublime Amor.*[4]

4. Título no Brasil para West Side Story, musical americano de 1961, adaptado por Ernest Lehman de uma peça de teatro de 1957 da Broadway, de autoria de Arthur Laurents e encenada por Jerome Robbins, ambas adaptações livres de Romeu e Julieta, de William Shakespeare. (N.T.)

— A-me-lia, nunca vou parar de dizer A-me-lia. — Então ele riu alto. — Ridículo, cara. Você entendeu *mal.* — Virando o carro para a autoestrada, ele pronunciou de novo o nome dela: — Amelia. — Dessa vez como um suspiro.

O vento frio o envolvia, e ele sentiu como se tivesse se tornado parte do universo de uma forma que nunca sentira antes. Não era apenas o prazer do sexo — embora fosse isso. E não era apenas o prazer do amor — embora fosse isso também. Era, pensou ele, a combinação dessas duas coisas, juntamente com um sentido de atemporalidade e uma sensação de ser de algum modo minúsculo e ao mesmo tempo enorme. Como se ele, Anthony Winter, fosse uma simples centelha de energia, do modo como as estrelas pareciam ser quando vistas da Terra, embora fossem, na verdade, extremamente potentes e fortes.

Pouco mais de duas semanas depois, Amelia e os pais estavam a caminho de Bald Head Island. Anthony imaginou-a sentada no banco dos fundos do luxuoso veículo utilitário esportivo na viagem de quatro horas, a cadela, Docinho, ocupando o assento do meio, os pais na frente falando sobre os horários da balsa ou sobre os planos para o jantar com os vizinhos da ilha. Aquela viagem, ela lhe dissera quando conversaram mais cedo naquela manhã, era a antítese do que começava a entender como sua vida — ou, pelo menos, a vida que queria. Mas faria o melhor possível para aproveitar a areia e o mar. As tartarugas. Os pássaros do pântano.

— Eu sei que é um tipo de vida também. Só queria que você estivesse nela.

— Confie em mim — disse ele —, eu estaria lá se houvesse um jeito. Acontece que minha mãe não tem grana para isso. — Alugar até mesmo uma casa na cidade lá, a menor das acomodações da ilha, custaria mais de um quarto do valor da prestação da hipoteca da casa deles.

— Eu sei. Meu pai está me chamando, preciso ir. Mal posso esperar para ter 18 anos. Eu lhe mando uma mensagem de texto quando estivermos na estrada — disse ela.

Ele recebeu notícias dela cerca de uma hora depois, por mensagem de texto, como prometido. As fotos que ela batera dele estavam tão escuras que ela escreveu que conseguia vê-lo nas fotos, mas só um pouco. Mais ou menos. Mais para menos. Ela as transferira para o computador e tentara melhorá-las, mas não houve jeito. Será que ele poderia usar sua câmera, tirar umas novas de si mesmo e enviá-las para ela? Para ajudá-la a superar as oito semanas intermináveis durante as quais estariam separados?

Anthony, deitado em sua cama com um cartaz do céu noturno decorando o teto acima dele, escreveu: *Não vai ser a mesma coisa se eu fizer. Não será uma lembrança de verdade daquela noite.*

Pode chegar perto. Pose do jeito que posou para mim, escreveu ela.

Você quer exatamente o mesmo efeito?, perguntou ele, pensando de novo no que ela estava fazendo imediatamente antes de ele deitar-se. Esse pensamento causou-lhe o mesmo forte efeito, como se ela estivesse fazendo ali.

Isso é possível agora?

Se eu me lembrar do que estávamos fazendo, brincou ele.

Viu? Eu me afasto por 1 hora e vc já tá me esquecendo.

Não mesmo. Se vc pudesse me ver, saberia.

Bem que gostaria, escreveu ela.

Eu também. Falamos mais tarde...

Ele se levantou e fechou a porta do quarto, depois a trancou. O sol entrava pelo quarto e banhava sua cama; uma boa iluminação naquele momento, pensou ele, tirando a camiseta, depois os shorts e as meias. A ereção pesava, fazendo-o sentir-se um pouco ridículo quando posicionou a câmera na estante — um sentimento que, naturalmente, reduziu o peso, o que o fez sentir-se menos ridículo, mas que também diminuiu o efeito que pretendia dar à foto.

Sentou-se na beirada da cama e pensou por um momento em não se incomodar em fazer aquilo de um modo preciso — ou de fazê-lo afinal de contas. Mas não queria desapontar Amelia. Se a deixava feliz ter aquelas imagens para acompanhar as outras que fizera dele nos ensaios ou na escola, ou que foram tiradas por amigos ou por ele e encaminhadas para ela, então ele faria de qualquer maneira. Só levaria um instante para entrar no personagem, por assim dizer.

Alguns segundos de recolhimento concentrado, com os olhos fechados... Agora era questão de mudar rapidamente a câmera, ajustar o *timer,* saltar de volta na cama — deitado de costas, o joelho levantado —, e pronto. Ele verificou os resultados, bateu mais duas fotos, verificou essas; ver-se nu fazia-o lembrar-se das fotos que a mãe tirara dele quando era ainda um bebê ou um pouco maior — ele não gostava muito de andar vestido, dizia ela todas as vezes que os álbuns de fotos apareciam.

Vestiu-se de novo, tentando não se estressar sobre como preencher os 56 dias que teria pela frente. Não importava quanto tivesse se preparado para a separação por meses. O *agora* parecia muito diferente do *finalmente.* Oito semanas era tempo demais para ficarem separados. No entanto, ele poderia ser paciente, poderia ser generoso, e não invejar os pais dela por passarem aquele último verão com a filha. Ele e Amelia teriam a vida adulta inteira juntos depois de tudo.

Transferiu as fotos rapidamente para o computador e as enviou por e-mail a Amelia, depois lhe enviou uma mensagem de texto dizendo:

Veja seus e-mails. Já estou com saudade.

Sinto sua falta.

Espero que as fotos ajudem.

Elas podem me fazer sentir ainda mais sua falta...

Você vai me mandar algumas suas?

Ok. Quando puder.

Na cozinha, ele pegou uma fatia de pão e manteiga de amendoim, bolachas recheadas, uma garrafa média de refrigerante. Estava fatiando uma banana para pôr no sanduíche quando a mãe apareceu, vinda do jardim, de onde arrancara as ervas daninhas, e cheirando a mato e terra úmida.

— Vai trabalhar ou ficar em casa? — perguntou ela, abrindo a torneira para lavar as mãos.

— Trabalhar — disse ele. — Em casa, só amanhã de manhã.

— Qual é o horário hoje?

— Do meio-dia até fechar.

— Tem planos para depois?

— Não.

Como percebendo as suas respostas concisas incomuns, ela se virou e encostou-se ao balcão, examinando-o.

— Ah, os Wilkes partiram hoje para a praia, não foi?

Ele inclinou a cabeça confirmando.

— Você conhece o ditado "A ausência torna o coração mais apaixonado"?

— Acho que sim.

— Ela não vai esquecê-lo. Com a tecnologia de hoje em dia, vocês não terão a menor chance de sentir falta um do outro.

Ele pensou nas fotos que acabara de enviar e nas que esperava receber dela.

— Talvez não — disse.

6

A CURIOSIDADE DE HARLAN para com o conteúdo do laptop de Amelia o levara em primeiro lugar à sua conta de e-mail. Ele correra o olhar pelos nomes dos remetentes e pelos títulos dos assuntos, abrira alguns, lera com um leve interesse o relato de Lori, amiga de Amelia, indignada por seus pais terem-lhe tirado o telefone — por qual motivo, a mensagem não esclarecia. Harlan imaginou que fosse por uso excessivo. Lori, quando vinha visitar Amelia, nunca se calava.

Ele leu que a professora de dicção de Amelia estava transferindo a sessão da semana seguinte e incentivava Amelia a pensar bem no que cantaria na "audição de Nova York", o que supostamente tinha a ver com o acampamento que ela mencionara a ele e a Sheri — alguma coisa sobre um encontro de teatro intensivo e competitivo no interior de Nova York, sobre o que ele caçoara, dizendo ser um desperdício de seu verão, quando poderia passá-lo inteiramente em Bald Head, como sempre.

Ele leu que o Clube de Francês estava organizando uma excursão de esqui e snowboard para os Alpes suíços durante as férias de primavera e sentiu uma onda de orgulho porque poderia enviar Amelia, se ficasse claro que ela queria ir. Ela *deveria* ir, decidiu ele. Usando seu smartphone multitarefas e com os recursos que o tornavam capaz de tudo, como diziam sobre aquelas coisas, ele picou delicadamente as teclas minúsculas digitando os detalhes sobre a viagem, então enviou as informações para Sheri, para ela acompanhar.

O pensamento seguinte de Harlan foi verificar o histórico do navegador de Internet de Amelia. Parecia que ela estava pesquisando elefantes africanos, presumivelmente para a escola. Ela navegara por sacolas de couro e blusas de lã listradas no site da Banana Republic. Verificara a previsão do tempo, examinara "a moda da década de

1960" e visitara a página da programação de produções do Departamento de Teatro da escola de artes Tisch. Ele pensou que se lembrava de uma apresentação da Tisch como parte do itinerário do Grupo de Teatro de Ravenswood, durante a viagem que fariam a Nova York em poucas semanas. Tisch. Se aquele não fosse um nome afrescalhado para uma escola de teatro, ele não sabia o que era.

Essa seria a primeira vez que Sheri não acompanharia Amelia numa viagem patrocinada pela escola. Pensar na filha sozinha com aquele bando de garotos e de adultos que, o melhor que ele poderia dizer, praticamente dedicavam a vida a figurinos e maquiagem e a falar sobre o *American Idol*, não o deixava feliz. Sheri insistira, porém, que os acompanhantes eram pessoas responsáveis e recordara-lhe que Amelia fora para a cidade várias vezes antes, portanto estava familiarizada com a situação — e, Sheri dissera, com o fato de Amelia estar com quase 18 anos, seria bom para todos deixá-la ter uma experiência, senão livre dos pais completamente, pelo menos, livre de seus próprios pais. Isso era o que estava em sua mente quando ele clicou em seguida no iconezinho de imagens do computador. O ícone saltou algumas vezes, chamando-lhe a atenção, e, em seguida, o programa se abriu.

O que ele viu a princípio foram as imagens de um grupo de garotas adolescentes em brincadeiras simplórias, rindo e fazendo caretas num lugar que parecia ser um restaurante Taco Bell. A data exibida ao lado das fotos indicava que essas eram as mais recentes. Ele rolou para baixo e encontrou imagens captadas nas arquibancadas no jogo de futebol do fim de semana anterior, depois imagens de festa do pijama de alguém — algumas daquelas garotas pareciam muito mais velhas que Amelia, pensou. Ele desviou os olhos de algumas que ele diria serem muito sugestivas; as garotas agiam *assim* quando se reuniam? Mas então ele olhou novamente, pensando que seria bom saber sobre quais dos amigos de Amelia deveria talvez acautelar-se.

Ele notou, do lado esquerdo, um índice que incluía fotos "assinaladas" e clicou nessas — então recuou com violência, surpreso. Desviou o olhar e examinou o quarto ao redor dele *(armários... janelas... garrafas de azeite de oliva sobre o peitoril),* como para ter certeza de que ainda estava preso à realidade, apesar da revolução em seus intestinos. Então olhou novamente para a tela.

Havia seis imagens em plena vista (e em *plena vista,* bom Deus!) e pelo menos mais três espreitando no fundo da tela abaixo dessas. Ele arregalou os olhos. Foi bastante fácil identificar o garoto (o *homem,* fisicamente não havia dúvida nenhuma de fato). Mas como, em nome do bom Deus, Amelia conseguira aquelas imagens, e por que as guardava? Será que "assinaladas" significava que ela pretendia denunciá-lo, aquele filho da puta do Winter — talvez já o tivesse feito? Ele rezou para que fosse esse o caso.

Outra possibilidade — que ela as estivesse guardando *voluntariamente* — esvoaçou por sua mente como uma enorme mariposa escura, depois passou rapidamente de novo, nenhuma luz a ser encontrada ali.

Harlan recostou-se no assento, o cérebro de repente cheio de perguntas (*Por que ela não contara a eles? Será que Winter era algum tipo de ator pornô? Que danos aquelas fotos haviam provocado?*) e temores (*Será que aquilo provocava nela atitudes pouco saudáveis ou, que o céu os ajudasse, desejos?*) e foi sufocado por um envolvente véu negro de raiva, de indignação. Sua garotinha fora atacada de um modo que ele tinha dificuldade de definir. *Maculada,* concluiu, por aquelas fotos indecentes — sem dúvida nenhuma, elas tinham sido impingidas a ela por aquele pretenso astro de cinema, que porventura se imaginava uma dádiva divina, Anthony Winter.

Ah, Harlan entendia sujeitos como Winter — só queriam participar do clube de teatro, seduzir o máximo de garotas possível, fazê-las apaixonar-se por ele, enquanto, para Winter, elas não eram nada mais que brinquedos, alimentos para o ego. Graças a Deus, Amelia era inteligente demais para ser enganada por sua encenação. A questão era: como ela estaria lidando com esse assédio? Provavelmente, estaria com vergonha de levá-lo ao conhecimento dele e de Sheri — Harlan podia entender isso. Ou talvez, talvez ela estivesse com medo. Talvez Winter a tivesse ameaçado. Mas, mesmo que tivesse — especialmente se tivesse —, esse era exatamente o tipo de coisa que os pais precisavam saber, para que não se transformasse em algo pior.

Ele ouviu a porta atrás de si abrir-se e girou sobre si mesmo, fechando de uma vez o computador enquanto o fazia. Esperando que fosse Sheri, sua pulsação deu um salto quando viu que em vez dela era a filha.

— Oi, papai — chamou Amelia quando fechou a porta atrás de si. — Não sabia que você estaria em casa. A mamãe devia ter...

— Aquele rapaz, Winter — bufou Harlan —, você tem muito contato com ele? Será que ele a incomoda na escola?

Amelia parou de imediato na porta da cozinha. Harlan notou, quase sem querer, que a blusa dela estava desabotoada um botão abaixo do que ele pensava que ela costumava usar.

— O quê? Por quê? O que está acontecendo? — perguntou Amelia.

— Eu só preciso saber.

Manchas vermelhas floresceram no rosto e no pescoço de Amelia, e Harlan viu os músculos se contraindo em seu queixo enquanto ela considerava uma resposta. Era exatamente como ele suspeitava: ela relutava em dizer alguma coisa. Fora intimidada pelo garoto, ele tinha certeza.

— Ele, quer dizer, eu o vejo algumas vezes. Ele está em minha aula de inglês, e eu o vejo muito quando fazemos peças juntos. Ele não me incomoda, não.

Harlan respirou fundo, depois soltou o ar lentamente. Ela parecia assustada. Ainda assim, ele precisava obter respostas.

— Seu computador...

— Eu vim buscá-lo.

— Querida. — Ele se mexeu para o lado um pouco e pousou a mão sobre o computador. — Joaninha, veja, vou lhe perguntar uma coisa, e peço desculpas por invadir sua privacidade, mas, bem, sou seu pai afinal de contas.

O rosto de Amelia se avermelhara totalmente, mas ela não disse nada.

— Aquelas fotos, foi ele quem as enviou?

Amelia continuou parada ali, imóvel.

— Você pode me dizer — pediu Harlan. — Eu sei que esse tipo de coisa acontece. Alguns caras, bem, eles simplesmente não são corretos sobre as coisas e tentam levar as garotas a...

— Como você entrou em meu computador?

Ele fez uma pausa e disse:

— Eu sei que você está preocupada, sendo ele um colega de classe e tudo mais, mas não vou deixá-lo incomodá-la depois disso. Acho que foi por e-mail, certo? Você já o denunciou? Porque, se não, eu vou precisar...

— Não. Quero dizer, sim. Sim, eu o denunciei, e você não precisa fazer mais nada quanto a isso. Já, já está feito e... e eu pretendia me livrar das fotos. Depois que fiz isso. Denunciei.

— Para a escola? Para o senhor Braddock?

Ela assentiu.

— Então, acho que ele foi suspenso.

Expulsão teria sido a melhor providência — mandar o garoto para longe de Amelia, e de todas as outras garotas também. Embora isso não o impedisse de fazer o que fizera, molestá-las por e-mail. Cristo, ele poderia fazer isso *de qualquer lugar,* e com quantas garotas sua mente doentia desejasse. Esse, percebeu Harlan, era um problema maior do que ele pensava.

— Hum, não — disse Amelia. — Ele, eu acho, apenas ficou detido na escola. — Ela inclinou a cabeça. — Realmente, é na-não é uma grande coisa. Quero dizer, os garotos estão sempre enviando fotos por aí. — Ela fez uma pausa, respirou ruidosamente, então disse: — Muita gente faz isso.

— Fotos indecentes como aquelas? Isso, o que ele fez, não é como as suas amiguinhas fazendo careta para a câmera. E eu lhe *disse,* eu disse que aquele garoto estava atrás de você. Não, eu acho que precisamos assegurar que isso acabe de uma vez por todas. — Ele tirou o telefone do estojo do cinto e, pensando por um instante sobre quem seria melhor para lidar com o problema, digitou o número.

— Para quem você está ligando?

Harlan levantou a mão para silenciá-la e então, quando o atendente do Serviço de Emergência respondeu, ele deu o nome dele e disse que tinha uma situação que não podia detalhar por telefone — não era incêndio, não se tratava de lesões corporais, bastava mandar a polícia.

Amelia sentiu o mundo virar de cabeça para baixo. Ela se segurou no batente da porta para não cair, firmando-se para conseguir pensar. Com o máximo de calma que conseguiu reunir, disse:

— O que você está fazendo? Po-por que chamou a polícia? Eu lhe *disse,* não é nada. Está tudo bem. Ele não está me incomodando de maneira alguma.

O pai olhou para ela com simpatia. A gagueira — quando fora a última vez que a ouvira?

— Talvez não agora, Joaninha, mas quem é capaz de dizer o que mais ele poderá fazer se não for enquadrado? Quando a polícia chegar, diga tudo o que sabe a respeito, e eles cuidarão do resto, não se preocupe.

Ela atravessou o espaço da cozinha, tentando pensar em como deter o vazamento daquela represa antes que ela se rompesse e afogasse a todos eles. Já era ruim o bastante ele ter visto as fotos. Já era ruim o bastante ele ter invadido o computador dela para isso! Deus sabia o que mais encontrara, talvez nada, porém, uma vez que, ao que tudo indicava, estava irritado, não com raiva. Já era ruim o bastante que isso com certeza significasse que ela e Anthony teriam de relacionar-se na clandestinidade total até a formatura na primavera seguinte. Mas envolver a polícia? Sentia-se mal só de pensar nisso.

— Papai, não — disse ela, falando devagar e com calma. — Não há nenhuma razão, quero dizer, ele já teve problemas, e realmente, não quero precisar dizer a estranhos que... o que vi... Ele não vai fazer isso de novo. Foi, você sabe, foi apenas uma brincadeira.

O pai abanou a cabeça, a boca voltada para baixo, naquela atitude de chefe da casa que assumia quando tentava ensinar-lhe a distinguir o certo do errado. *Porque você sabe, Joaninha, existem normas que vale a pena respeitar*, lembrou-se de ele ter-lhe dito alguns anos antes, quando ela fingira estar doente, num domingo, para não ter de ir à igreja.

— Eu mesmo tenho agido errado — disse ele naquele dia, içando-a para fora da cama e empurrando-a para o quarto de vestir, para aprontar-se. — Sei como as coisas podem degenerar se você seguir por esse caminho.

Essa era a perspectiva dele: tivera uma vida dura ao crescer, então sabia tudo sobre o que não fazer. Amelia tentava não diminuir a formação dele e o triste fato, mantido oculto do conhecimento público, de que a mãe dele fora uma alcoólatra obstinada que morrera de cirrose ainda sofrendo com a morte do avô de Amélia. Da maneira como lhe fora contado, a mulher adorara o marido até seu último suspiro, embora ele a tivesse abandonado anos antes e sido dado como morto. ("Uau, isso é como uma música country ruim", observara Anthony certa vez, ao que Amelia respondera: "Eu acho que *alguém* precisa inspirá-las".) Amelia respeitava muito o pai por tudo que ele conquistara, respeitava de verdade. A preocupação e a mania de proteção exageradas eram como um laço que, por vezes, ameaçava impedi-la de respirar.

Naquele momento, ele disse:

— Ouça: eu não sei o que os garotos pensam hoje em dia, mas o envio de obscenidades como aquelas para uma garota inocente não é uma brincadeira. Tenho certeza de que a polícia vai lhe dizer a mesma coisa. Eu ficarei surpreso se não houver uma lei contra isso.

— Por favor — disse Amelia, tentando pedir sem parecer tão desesperada a ponto de ele suspeitar da verdade —, ligue de novo e diga que não precisam vir. Além do mais, eu *não posso* esperar. Preciso voltar para a escola. — Se ela não saísse naquele momento, Anthony ficaria se perguntando o que teria acontecido, por que ela não fora encontrá-lo no corredor antes da aula. Ela apalpou o bolso em busca do telefone, com a intenção de enviar uma mensagem de texto para ele no instante em que ficasse livre para dizer que estava atrasada, então percebeu que deixara o telefone no carro.

— Podemos falar sobre isso mais tarde, tudo bem? — Ela estendeu a mão para seu computador, mas o pai pegou-o primeiro e colocou-o debaixo do braço.

— Sei que isso aborrece você e sinto muito. Mas é algo sobre o que simplesmente não pode ser gentil e perdoar. Você é um cordeirinho inocente, querida, e sinto-me muito feliz por ser assim, mas você não entende como os homens podem ser. Talvez, talvez eu devesse ter sido um pouco mais claro a respeito disso tudo. —

Ele fez uma pausa, como se estivesse considerando o que deveria ter feito de forma diferente, em seguida acrescentou: — Ele não vai deixá-la em paz a não ser que você o obrigue, e o que me diz sobre as outras garotas? Você quer que ele ache que pode atormentá-las também?

— Ele não vai — insistiu ela.

— Isso é o que vamos garantir muito bem. Agora sossegue. Não quero ter de sair à sua procura quando a polícia chegar. — Ele foi até a geladeira. — Quer um refrigerante?

— Não.

Amelia sentou-se à mesa, as costas retas, os olhos focados nas estampas das novas esteiras de jogo americano da mãe. Marrom, laranja, ferrugem, vermelho, dourado, amarelo, pequenas contas, milhares delas. Tinha de haver algum modo de consertar aquela bagunça, alguma história que satisfizesse à polícia e deixasse claro que não havia nada ali que valesse seu tempo ou esforço. Algum modo de proteger Anthony, contornar a teimosia obstinada do pai — o traço de personalidade que o levara a tornar-se a maior franquia automotiva do Sul tendo começado como uma revenda isolada de carros usados nas proximidades de Zebulon, algo que ele nunca a deixaria esquecer. Precisava desfazer isso e depressa.

— Eles chegaram — anunciou o pai do hall de entrada.

Docinho sentou-se e deu um latido ameaçador.

— Leve-a para o porão — disse ele.

Ele esperou até que Amelia se levantasse e pegasse a cadela pela coleira, então abriu a porta da frente. Enquanto levava Docinho rosnando e aborrecida para o outro lado da cozinha, Amelia viu o pai sair para o meio das colunas do pórtico da frente e enfiar as mãos nos bolsos.

Nenhuma solução veio à mente de Amelia. O pai vira as fotos e agora as mostraria à polícia. Anthony era facilmente identificável na maioria deles — não havia como contornar isso...

Ela esperou que Docinho começasse a descer pela escada do porão, depois fechou a porta e voltou para a cozinha, parando na saleta de entrada ampla para poder ver o pórtico da frente da casa.

— Sou Harlan Wilkes. Podem entrar — disse o pai.

Dois policiais do sexo masculino, brancos, jovens, diferentes entre si principalmente pela cor do cabelo, permaneceram na varanda do lado de fora da porta, em estado de alerta, com as mãos posicionadas nas laterais do corpo. O reflexo das luzes azuis intermitentes nas paredes de pedra da entrada coberta reluzia sem parar atrás deles. O louro perguntou:

— Senhor, qual é a natureza da sua emergência?

— Preciso denunciar um tipo de agressão sexual, como acho que vocês chamariam, que aconteceu com minha filha, Amelia.

— O suspeito está presente?

— Ah, não. Não, esse garoto não se atreveria a vir aqui, mas sei como encontrá-lo. Venham, vamos para a cozinha, onde minha filha está esperando.

O policial de cabelo escuro entrou primeiro. Amelia recuou silenciosamente até a cozinha quando ele disse:

— Quando foi que ocorreu esse incidente?

Seu pai lhe disse:

— Eu, bem, eu só soube disso hoje.

— Vou até a viatura para comunicar a ocorrência — disse o outro policial ao parceiro. Amelia ouviu os ruídos da sola dura de seus sapatos sobre o mármore, evitando o tapete, ela supôs.

O pai gritou para ele:

— E poderia apagar aquelas luzes também?

Depois, ouviu-se os ruídos dos dois homens vindo em direção à cozinha. O coração de Amelia batia no dobro da velocidade, enquanto seu cérebro ficava petrificado, inútil.

— Senhorita — disse o policial de cabelo escuro, inclinando a cabeça para ela enquanto se aproximava da mesa. Ele puxou uma cadeira e sentou-se, depois tirou um bloco de anotações e uma caneta. — Amelia... Wilkes, não é? W-I-L-K-E-S?

Ela concordou com um movimento de cabeça.

— E qual é sua idade?

— Dezessete... Vou fazer 18 anos em fevereiro — acrescentou ela.

— E você mora neste endereço?

— Moro. Sim, eu moro.

— Muito bem, então — disse o policial, e olhou para ela, sua expressão tão neutra quanto ela jamais vira num homem. Ela se perguntou se ele tivera de aprender a fazer isso ou se lhe ocorrera naturalmente. — Poderia descrever o evento?

Seu pai, naquele momento de pé atrás da cadeira dela, colocou-lhe as mãos nos ombros e disse:

— Foram e-mails pornográficos.

O policial olhou para cima, depois para Amelia.

— Não exatamente — disse ela.

— Ah, sim, exatamente isso — disse o pai.

O policial apertou os lábios e correu uma mão sobre o cabelo cortado rente.

— Preciso que seja mais específica e comece desde o início.

— Não foi nada...

— Ele a ameaçou ou algo assim — disse o pai. — Ela não vai dizer, mas eu tenho certeza disso. Esse garoto...

— Senhor? Se não se importar, preciso obter o depoimento da sua filha primeiro e, depois, ouvirei o seu. Senhorita?

— Realmente não vejo o sentido disso. Estou bem. Ninguém está me incomodando. — *A não ser meu pai*, acrescentou para si mesma.

O policial assentiu.

— Eu só preciso que meu relatório seja claro. Você recebeu um e-mail, ou e-mails, contendo o quê, exatamente?

— Apenas fotos.

— De quê?

Como Amelia não respondeu de imediato, o pai colocou o computador sobre a mesa e o abriu.

— Vá em frente, querida, mostre a eles.

Amelia balançou a cabeça.

— Tudo bem, eu vou fazer isso — disse o pai, quando o policial louro entrou na sala.

Amelia agarrou-se à mesa enquanto observava o pai digitar sua senha, depois virou a cabeça, temendo o que eles estavam prestes a ver. Pobre Anthony! O que seu pai fizera já era uma terrível invasão da sua privacidade — e da de Anthony. Mas *isso*, ah, ela odiava aquilo mais por Anthony do que por si mesma, odiava seu pai para forçar o problema, por devassar a intimidade de Anthony daquela maneira, e odiava a si mesma por ter esquecido o laptop em casa naquela manhã. Estúpida. Estúpida, descuidada, que coisa mais *estúpida* de fazer.

Ela esperou, desviando os olhos, a mente girando naquele momento, em busca de um alçapão por onde escapar daquela cena bizarra. Por um momento, ninguém falou. Então seu pai limpou a garganta e disse:

— Vocês veem o que eu quero dizer.

Ela ouviu o clique suave do computador sendo fechado novamente.

— Senhorita — disse o policial —, pode identificar a pessoa nestas fotos?

Ele era tão eficiente como antes, mas parecera entediado antes de ver as fotos, ao passo que agora se dirigia a ela num tom decidido. Quase ansioso. Um gato que farejara um rato.

— Não, desculpe — disse ela, querendo salvar Anthony da indignidade, sabendo que era impossível.

Ela pôde sentir o brilho de frustração no olhar do pai, ouvir a tensão na voz dele quando respondeu por ela.

— Anthony Winter é o nome dele. Ele frequenta a escola dela, Ravenswood, e a mãe dele é professora lá. Kim Winter, acho que é.

— Obrigado. Essa é a informação correta, senhorita?

Amelia ignorou a pergunta e, em vez de responder, disse:

— Não tenho nenhuma ideia de quem as enviou. Pode ter sido qualquer um.

O pai puxou a cadeira ao lado e sentou-se de frente para ela, o desafio expresso claramente no rosto.

— Amelia. Você disse...

— Não. *Você* disse. Você presumiu. Mas, bem, eu nunca soube com certeza quem as enviou. — Ela evitou os olhos dele. — Acho que foi algum endereço de e-mail aleatório.

— Você tem o e-mail original? — perguntou o policial.

Tomando o cuidado de parecer sincera, ela disse:

— Não, desculpe, eu deletei.

— Tenho certeza de que vieram diretamente dele — disse o pai, parecendo não estar seguro se deveria ficar irritado ou perplexo com essa alteração da história. — Eu conheço o sujeito, ele está tentando se aproximar de minha filha desde o instante em que entrou na escola que ela frequenta.

O policial louro disse:

— Não se preocupe, há maneiras de rastrear as mensagens. Temos técnicos forenses que conseguem recuperar praticamente qualquer coisa, até mesmo as coisas que foram deletadas. As pessoas não percebem que tudo o que fazem em seus computadores permanece para sempre, no fundo do disco rígido. Pornografia infantil, venenos, bombas, armas, no que quer que as pessoas gastem seu tempo, tudo permanece em algum lugar.

Amelia ficou subitamente nauseada. *Tudo* permanecia? Se vasculhassem o disco rígido de seu computador, eles achariam muito mais do que essas poucas imagens — assinaladas porque ela editara aquele grupo de fotos em especial, alterando as exposições e tons das cores e sombras, recortando, ampliando, aplicando efeitos. Anthony era tão bonito, seu corpo magro tão ideal quanto as esculturas que vira em museus, tão perfeito quanto os temas das pinturas de Michelangelo. Ela guardara essas fotos, e as fotos de si mesma, e mais um monte de outras dos dois juntos — não fazendo nada indecente, mas nem sempre vestidos. Imagine se descobrissem essas? Sem contar que, enquanto navegava pelo que seus pais sempre se referiam como "conteúdo impróprio" (eles acreditavam nela quando dizia que nunca via aquilo), ela vira e deletara coisas que teria vergonha de mostrar a Anthony, que diria se isso fosse revelado por algum fanático a serviço da polícia e mostrado para Deus sabe quem.

— Então, basta levarem o computador e mandarem verificar, e depois então serão capazes de fazer uma acusação contra ele? — disse o pai aos policiais.

Ela o cobriu com as mãos.

— Vocês não podem levar meu computador, eu preciso dele para a escola.

— Para ser sincero com vocês, não sei especificamente qual poderia ser a acusação neste caso — disse o policial que estava sentado.

— Mas é um crime — disse o pai, como se estivesse instruindo o policial, ou tentando convencê-lo. — Vocês devem prender o cara.

O coração de Amelia despencou.

— *Prender?* Isso não parece, vocês sabem, um exagero? Quero dizer, são apenas fotos, não existe nenhum mal de verdade nisso. Afinal de contas, já vi pinturas de homens nus, então qual a diferença? — Ela dirigiu ao policial seus olhos arregalados, de *sinceridade,* movendo uma mecha de cabelo para trás da orelha esquerda para completar o efeito.

O policial olhou para as suas anotações.

— A promotoria é que deve fazer esse julgamento. Mais algumas perguntas, senhorita. Se não se importa. — Ele olhou para ela de novo, diretamente dessa vez, de modo que fez soar uma nota grave de medo no coração de Amelia. As suas palavras, inocentes como pareciam, confirmaram o sentimento. — Você disse que deletou o e-mail, certo, mas salvou as fotos, e num arquivo marcado como "assinalado". — Por que fez isso?

A mente dela se atrapalhou como um rato num labirinto.

— Eu…

— Como prova — disse o pai. "Sim!", pensou ela, recordando a mentira rápida que usara na primeira tentativa de impedir tudo aquilo. — Ela disse que já o denunciou à escola, mas eu não sei… — Ele se virou para Amelia. — Pediram-lhe para mostrar isso a eles?

— Eles… Bem, não, eles, eles simplesmente aceitaram minha palavra em relação a isso. — *Por favor, Deus,* rezou em silêncio, *não deixe que perguntem à escola para ter uma confirmação.*

O policial levantou-se.

— Por favor, me deem licença só um minuto, enquanto dou um telefonema. — Amelia prendeu a respiração, depois a soltou aliviada quando ele acrescentou: — Isso é algo com que não lidei até agora, por isso vou precisar ter um retorno do gabinete do promotor.

Impotente para fazer qualquer coisa a não ser esperar, Amelia cruzou os braços e apoiou-os na mesa, então se inclinou para a frente e descansou a cabeça da maneira como as crianças costumavam fazer durante os momentos de silêncio na escola. Como uma criança, ela deixou a mente vagar, passeando à toa por pensamentos agradáveis, como se fossem pedras de um riacho. Mas agora as pedras eram pedras e não havia nada a fazer a não ser rezar pedindo ajuda para tirá-las do caminho. *Por favor, Deus, me ajude; por favor, Deus, me ajude; por favor, Deus...*

— Senhor? — O policial louro estava na porta, e o pai fez-lhe sinal para entrar na cozinha. — Vamos precisar que a senhorita Wilkes entregue seu computador para posterior investigação.

As mãos de Amelia começaram a tremer, ela apertou os punhos.

— Esperem — disse ela, sabendo naquele momento que a única maneira de acabar com esse obstáculo de pedras a ser transposto seria confessar. — Esperem, isso não será necessário. Tudo bem, sim, Anthony as mandou para mim, mas... mas não é o que estão pensando.

Os olhares dos três homens estavam sobre ela naquele momento, mas tudo bem. Ela estava acostumada com os holofotes. Sabia o que era exigido dela.

Empertigando as costas e endireitando os ombros, ela ergueu o queixo e disse:

— A verdade é que eu lhe pedi que as enviasse. Foi tudo culpa minha. Foi ideia minha. Ele não fez nada.

Os policiais olharam um para o outro como a dizer: *Isso muda as coisas.*

— Ela não quer dizer isso — disse o pai. — Ele a ameaçou, a intimidou. Alguma coisa. Eu conheço minha filha. Ela não faria isso, e ela não mentiria sobre fazer isso a menos que ele conseguisse intimidá-la.

— Não — disse ela com firmeza, sentindo uma satisfação ímpar em quebrantar, ou pelo menos tentar quebrantar, a fé cega de seu pai em sua inocência. — Eu juro. Eu, nós, isso é realmente embaraçoso, tudo bem, mas eu o achei bonito e quis ver como ele era… vocês sabem. Sem roupas. Eu estava… — Ela encolheu os ombros. — Eu estava curiosa. Sinto muito. Sei que agi errado.

— Amelia. — A voz de seu pai soou cuidadosa e severa. — É óbvio que você está com medo.

— Papai — disse ela, balançando a cabeça —, eu sinto muito. Sei que você está desapontado comigo. — Ela se atreveu a olhar para o rosto dele. — Mas eu tenho quase 18 anos.

— Então, só para confirmar — disse o policial de cabelo escuro —, você está dizendo que foi esse homem…

— Rapaz — disse ela. — Ele está terminando o colegial, assim como eu.

— Esse Anthony Winter é a pessoa nas fotos, e elas foram enviados por ele, por e-mail, a seu pedido.

Ela inclinou a cabeça concordando.

— Como diria que é a natureza de seu relacionamento?

— Nós… somos amigos. Bons amigos, isso é tudo — disse ela, na esperança de que ainda pudesse salvá-los de um escândalo total, que conseguisse serenar tudo sem pôr em perigo o sistema que funcionara tão bem para eles até aquele momento.

O policial fechou o bloco de anotações e disse:

— Tudo bem, então. Parece que terminamos aqui.

Amelia correu o olhar do rosto do pai para o do outro policial, com medo de sentir-se aliviada, mas ainda esperançosa de ter salvado Anthony, mesmo que tivesse se metido no que certamente seria água fervente com seu pai.

— É só isso? Acabou?

— Acabou, sim.

— Posso ficar com meu computador?

Os dois policiais, naquele momento em pé, inclinaram a cabeça.

— Se tivermos mais alguma pergunta, entraremos em contato. Qual é o melhor número para entrar em contato com vocês?

O pai dela segurou o cotovelo do homem e levou-o para a sala da frente, dizendo:

— Vou lhe dar um de meus cartões de visita, ele tem todas as maneiras de me encontrar.

O policial louro dirigiu a Amelia um olhar avaliador, depois seguiu os outros dois homens até a porta da frente, onde Amelia pôde ouvir seu pai dizendo:

— Vou lhes dizer uma coisa, rapazes, não estou totalmente satisfeito com isso.

E depois seu interlocutor respondendo:

— O promotor tem a palavra final, senhor.

O que significava aquilo? Que Anthony ainda poderia ter problemas? Que ainda poderiam verificar seu computador?

Apesar de o laptop permanecer em seu poder, Amelia teve uma sensação devastadora de que a última palavra, a palavra que viria a caracterizar sua situação, seria uma que uma garota educada nunca pronunciaria. Ela formou-a letra por letra usando a linguagem de sinais, FO-... Então encostou a testa contra a mesa e rezou — porque rezar não poderia fazer mal, embora não tivesse certeza de que tivesse ajudado até aquele momento — para estar errada.

Um minuto depois, o pai de Amelia voltou para a cozinha esfregando o queixo pensativo enquanto caminhava. Ele parou na frente dela, do outro lado da mesa, enfiou as mãos nos bolsos e disse:

— Parece que isso é pior do que eu pensava.

— Eu lhe disse, sinto muito.

Ele pegou o computador dela.

— Ele afundou bem as garras em você, esse rapaz. Onde está seu telefone?

— Lá fora. Em meu carro.

— Eu vou buscá-lo. Vá para seu quarto.

— O quê?

— Eu disse para seu quarto. Vá andando.

— Papai, eu não sou uma criança de cinco anos de idade. Você não pode simplesmente pegar meus brinquedos e me mandar para o quarto.

As sobrancelhas arqueadas e o queixo contraído desafiaram-na a protestar mais.

— Eu acredito que posso fazer exatamente isso, e é melhor você começar a fazer. Não estou com humor para discutir com você agora. Preciso de algum tempo para pensar.

— Ah, e você só pode pensar quando eu estiver trancada em meu quarto, não é?

— Amelia. — Ele pareceu perplexo com o sarcasmo dela. — O que, em nome do bom de Deus, está acontecendo com você?

— Você estava tentando fazer com que prendessem uma pessoa inocente!

— Ele *não* é inocente, querida. Vamos parar exatamente onde estamos e retroceder um minuto.

— *Eu* sou a pessoa que causou o problema.

— Que nunca teria acontecido se ele não tivesse mexido com você. Ele é uma criatura nojenta, confie em mim, conheço o tipo.

Eles ficaram ali, sem encarar-se, Amelia pronta para ir mais fundo, e então sua mãe chegou fazendo barulho na entrada da porta dos fundos e comentando alegremente:

— Ora, oi, não esperava encontrar os dois em casa. — A alegria desapareceu rapidamente, assim que os viu. — O que há de errado?

Amelia deixou o pai contar a história de seu segredo e falar das fotos, das desculpas que ela tentara dar para ele e para a polícia, e então a absolveu completamente no final do relato. Ele disse:

— De algum modo, Winter conseguiu que ela lhe desse cobertura, mas vamos dar um jeito nessa situação para que esta Joaninha aqui possa voltar ao bom caminho.

— Mamãe — disse Amelia, levantando-se para pegar as mãos da mãe entre as suas —, não é exatamente como o papai disse. *Eu* sou a única pessoa que fez a coisa errada por vontade própria, totalmente por minha conta. Anthony não merece ficar em apuros.

— Harlan?

— Ela disse isso antes também. Amelia, está tudo bem, você pode nos contar a verdade.

— Eu estou *tentando*, mas você não quer ouvir!

— A polícia — disse a mãe, olhando para ela com preocupação —, eles consideram um assunto encerrado?

— Eles terão de interrogá-lo também — disse o pai.

— Terão mesmo? — disse Amelia, assustada. — Pensei que tivessem acabado.

Ela pensara — bem, ela esperava — que o problema poderia ainda existir por intermédio de seu pai, se levantasse o assunto com a Sra. Winter, ou talvez com a escola, já que ela e Anthony assistiam a aulas juntos.

— *Sua* parte acabou, mas eles precisam verificar o que ele tem a dizer da parte dele, antes de levarem as informações para a promotoria um desperdício de tempo, se você quer saber minha opinião.

A mãe, com uma expressão tranquilizadora que não tranquilizava Amelia de maneira alguma, disse:

— Eu acho que, se ele não fez nada de errado, eles descobrirão isso bem depressa.

— O quê? Ora, vamos lá! Você está do lado do papai?

— Eu estou dizendo, pode ser difícil dizer quais sentimentos são reais e quais são provocados pelas situações. — A mãe pareceu muito distante por um momento, mas depois se concentrou em Amelia, dizendo: — Você tem apenas 17 anos. Não é como se realmente conhecesse a própria mente quando se trata de... desse tipo de coisa.

— Sem mencionar a compreensão da motivação do rapaz — disse o pai.

— Inacreditável — disse Amelia, afastando-se dos pais. — Vocês *fariam* isso, sujeitar uma pessoa inocente a sabe lá que tipo de confusão só porque não querem acreditar que eu seja capaz de fazer tudo isso sozinha?

O pai franziu o cenho para ela.

— Você age como se esse rapaz não lhe tivesse mandado pornografia. As evidências falam por si mesmas, senhorita. Agora faça como eu disse. Vamos discutir isso com você mais tarde, depois que eu e sua mãe tivermos a oportunidade de conversar.

A mãe a olhava com olhos que pareciam ao mesmo tempo simpáticos e conhecedores.

— Harlan — disse ela, depois se aproximou dele e sussurrou algo em seu ouvido.

— Fiz, sim, e pensei nisso também.

Quando Amelia foi para cima, parou na sala de jogos para ligar para Anthony do telefone de casa, descobrindo pela ausência de sinal de discagem exatamente o que seus pais tinham previsto; o pai desligara a base do telefone, para que nenhuma das extensões funcionasse.

Então tudo bem, eles poderiam prever que ela tentaria usar o telefone, mas isso não significava que realmente a conheciam, ou mesmo que quisessem conhecê-la, e talvez nunca chegassem a conhecer de fato.

Cameron tinha o que Amelia queria: uma mãe que era uma amiga, que gostava das coisas de que ela gostava, que apoiava cem por cento os objetivos futuros de Cameron, que não usava o tempo que passava com Cameron para dirigi-la, dar ordens e educá-la. Não que as mães não devessem fazer essas coisas, mas a dela, a de Amelia, precisava fazer *só* essas coisas? A Sra. McGuiness sabia onde traçar a linha; ela não deixava Cameron beber, falar palavrões ou perder o controle. A diferença entre o relacionamento entre Cameron e a mãe dela e entre Amelia e sua própria mãe era que, quando Amelia andava com Cameron, e a Sra. McGuiness estava por perto, Cameron falava e agia exatamente da mesma maneira que fazia quando a mãe não estava. A mãe de Cameron não só apoiava e incentivava a filha, mas também *gostava* dela, visível e obviamente. A mãe de Cam a *entendia* — e o inverso parecia ser verdadeiro também.

Amelia estava com 15 anos quando foi de carro com a mãe para Greensboro, onde Amelia se apresentaria individualmente numa competição de canto. Elas haviam saído de casa no meio da tarde, Amelia fazendo uma lição de casa enquanto a mãe ouvia um audiolivro durante os 90 minutos do trajeto. No hotel em que se hospedaram, elas tiraram as roupas e os produtos de higiene pessoal das malas, e discutiram sobre qual dos dois trajes que a mãe levara seria melhor para ela usar na competição, já que estava previsto que o dia seguinte amanheceria chuvoso e frio. Amelia queria usar a saia justa cor de vinho que comprara uma semana antes na Saks, com uma blusa cinza-pérola de mangas curtas que tinham encontrado na Uniquities. A mãe, que não via problema nenhum nos dois itens — ela pagara por eles, afinal de contas —, insistia àquela altura que usasse uma blusa preta de gola alta e saia xadrez verde-escura, com meia-calça preta, um conjunto que fora perfeito seis meses antes mas que no momento parecia desesperadamente infantil para Amelia.

Elas deixaram o assunto não resolvido e passaram a discutir a canção que Amelia preparara, "What I Did for Love", do musical *A Chorus Line*, que preocupava à mãe por parecer-lhe um pouco lenta e séria, e que Amelia explicara que fora escolhida exatamente por esse motivo. Elas discutiram se ela deveria fazer um teste para a próxima produção da Ravenswood, para a qual ela tinha quase certeza de que obteria o papel principal, ou tentar um papel menos importante na próxima peça do Raleigh Little Theatre. Amelia defendera essa última, observando as linhas entre os olhos da mãe se aprofundarem até que a mãe disse:

— Amelia, seja sensata. Você é a estrela em ascensão na escola, a senhora Fitz diz isso. Eu não vejo por que você quer dar um passo para trás. Cresça onde está plantada.

— Mas o que isso acrescenta, se tudo o que eu sempre faço são peças da escola e essas competições?

— Por que precisaria acrescentar alguma coisa? Você está indo muito bem e aproveitando bastante, não é isso o que importa?

— Sim, mas, mamãe — insistiu Amelia —, e se algum dia eu pudesse me transplantar para a Broadway, por exemplo, e crescer ainda mais?

— Você sabe o que papai diz, e eu concordo: escolha algo prático.

— Mas vocês fizeram o que queriam. Por que eu não deveria?

— Não tenho muita certeza de que você quer isso. Não mesmo. As garotas sempre têm grandes sonhos, mas e depois que você crescer? Bem, vamos apenas dizer que nem sempre devemos seguir nossos primeiros impulsos. Agora vamos ver se encontramos um lugar para jantar.

Elas conseguiram informações sobre um restaurante para todos os gostos nas imediações, mas depois, no caminho, Amelia viu um restaurante japonês e pediu a sua mãe para irem lá em vez de aquele outro.

— Por favor? Nunca experimentei comida japonesa.

— O papai não gosta desse tipo de comida.

— E você, não?

— Bem, eu realmente não sei, para dizer a verdade.

— É por isso que este é o momento perfeito para ir — disse Amelia. Vendo a chance de provar seu argumento anterior, acrescentou: — É bom experimentar coisas novas.

— Às vezes é — concordou a mãe. — Mas outras vezes isso não dá em nada, a não ser em problemas, confie em mim.

Depois de estarem sentadas no restaurante, Amelia desembrulhou seus pauzinhos, dizendo:

— Vamos experimentar um pouco de sushi.

— Peixe cru? — disse a mãe em dúvida.

Amelia correu os olhos pelo cardápio.

— Veja. — Ela o virou para que a mãe pudesse ler o que estava apontando. — Não é só peixe cru. Este aqui não tem nem peixe. E você sabia que sushi faz bem para você? As mulheres japonesas têm as menores taxas de câncer de mama dentre os países desenvolvidos.

— Ora, como você sabe disso? — A mãe desembrulhou os próprios pauzinhos e colocou os sobre a mesa, onde eles começaram a rolar, lentamente, na direção da borda da mesa.

— Nós aprendemos em Saúde e Boa Forma — disse Amelia, interceptando os pauzinhos e colocando-os ao lado do prato da mãe.

Em Saúde e Boa Forma ela também aprendera que o uso de pílulas anticoncepcionais pode acarretar a formação de coágulos no sangue, ataques cardíacos e câncer de ovário, uma aula que ela e as amigas todas concordaram que fora uma tática da Srta. Jones para incutir-lhes medo. Elas foram pesquisar sobre os "contraceptivos orais" na

Internet e obtiveram as informações factuais — de que aqueles efeitos colaterais eram possíveis, sim, mas extremamente raros. Algumas das suas amigas já estavam precisando dessas informações, enquanto Amelia se perguntava se algum dia precisaria. Ainda assim, todas ficaram contentes por ter acesso à verdade sem precisarem perguntar aos pais, que não eram, em muitos casos, mais confiáveis do que a Srta. Jones.

— Salvas pela tecnologia — comentara uma das garotas mais maduras, clicando num link que a levara a um site sobre planejamento familiar.

A Srta. Jones insistia também que, apesar da Ravenswood não ser uma escola paroquial, era seu dever pessoal recordar aos alunos que o inferno era um lugar real e que ela ficaria muito triste de ver algum deles acabar ali. O que, naturalmente, provocara um monte de risadas depois da aula sobre como exatamente a Srta. Jones poderia saber quem fora para o inferno e as levara a ver, mais adiante naquela semana, na casa de Robert Sorensen, uma versão online muita granulada, muito escura, do vídeo pornô clássico *O Diabo na Carne da Srta. Jones.*

O que acontecia, perguntava-se Amelia, o que fazia os adultos serem tão conservadores em relação à sexualidade? Todas as pessoas que no momento eram adultas foram adolescentes um dia, então certamente tiveram a mesma curiosidade, as mesmas preocupações, sofreram as mesmas pressões pelas quais Amelia e seus colegas estavam passando. Uma pessoa só tinha de ler Jane Austen, ou as irmãs Brontës, ou Shakespeare, para saber que os sentimentos de amor, desejo e paixão eram tão prevalecentes entre os adolescentes na época desses autores como eram na atualidade, e haviam de ter sido quando a Srta. Jones era jovem — o que, com base na maneira como ela falava, podia muito bem ter acontecido durante o reinado da rainha Vitória ou, mais apropriadamente, na ocasião em que os puritanos estavam se estabelecendo na Nova Inglaterra, e ela simplesmente parecia jovem para a idade que tinha.

O amor não era uma força sobre a qual se pudesse legislar e impedir até depois que a pessoa completasse 18 ou 21 anos de idade. Amelia, aos 15 anos, acreditava nisso com bastante convicção, mesmo que ainda não o tivesse experimentado por si mesma. Ela acreditava nisso, mesmo tendo certeza de que nada tão incrível e maravilhoso aconteceria com ela — aos 15 anos ou em toda a adolescência e, possivelmente, ainda por muito tempo depois disso. Possivelmente nunca. Apesar de todos os seus pontos positivos, e por tudo o que era elogiada e admirada — sua aparência agradável, seu comportamento calmo e educado, suas redações bem escritas e as altas notas nos testes —, ela achava que não era merecedora. Por alguma razão que ninguém nunca fora capaz de definir, algo dentro de seu cérebro dera errado aos cinco anos, fazendo-a gaguejar, fazendo que passasse oito anos da sua vida consultando psicólogos e fonoaudiólogos, e escondendo o defeito de todos. Os garotos pareciam achar que ela era estranha; eles mantinham distância, e por que não o fariam quando havia tantas outras garotas inteligentes, bonitas e talentosas para escolher?

Aos 15 anos, ela acreditava no amor, mas sabia que não deveria procurar por ele. Em vez disso, cantava sobre ele, lia sobre ele, vivia-o indiretamente por intermédio de filmes e esperava ser considerada velha o bastante para representá-lo no palco.

— Olhe para mim — disse ela à mãe, os pauzinhos na mão. — Vou lhe mostrar como usá-los.

Amelia usou seus pauzinhos para levantar os talheres, o guardanapo, as embalagens, e depois ajudou a mãe a tentar fazer o mesmo, com um resultado cômico.

— Tudo bem, tudo bem, uma coisa de cada vez. — A mãe riu, deixando de lado os pauzinhos. — Já basta para mim o desafio de comer sushi.

As duas examinaram o cardápio.

— De que tipo você vai pedir? — perguntou a mãe.

— Eu gosto de atum. *Maki,* que é o rolinho. — Amelia pousou o cardápio. — Você sabia que Julieta tinha apenas 13 anos?

— Que Julieta? — disse a mãe. — Acho que vou experimentar este, de caranguejo com pepino. Eu lhe contei como costumávamos imitar caranguejos, meus irmãos e eu, quando eu era pequena?

Amelia inclinou a cabeça, intrigada. A mãe raramente falava da sua vida anterior a essa encarnação: mãe de Amelia, esposa de Harlan.

— Não, acho que não — disse Amelia. Ela esperou pela continuação e, como a mãe não falou nada, ela disse:

— Julieta Capuleto, de *Romeu e Julieta.*

— Ela tinha *13 anos?* Nossa, é difícil pensar que esteja certo.

A garçonete aproximou-se para anotar os pedidos. Depois que ela se afastou, Amelia disse:

— Você só conheceu o papai quando tinha 30 anos, certo?

— Sim. Ele me contratou para decorar sua primeira casa.

— E você se apaixonou por ele imediatamente.

— Não, não de imediato — disse a mãe. — Ele era um cliente, e eu levava meu trabalho muito a sério. Mas, sim, depois de algum tempo, decidimos que seria bom nos encontrarmos.

— E antes do papai? — perguntou Amelia.

— O que você quer dizer?

— Você teve algum namorado no colégio? E mais tarde, quando você estava na faculdade de design de interiores, e depois?

— É claro que tive alguns namorados, mas tenho certeza de que seu pai não gostaria que eu falasse sobre isso. — Ela acenou com a mão, desdenhosa.

Sorrindo, Amelia inclinou-se para a frente e sussurrou:

— Houve alguém especial? Está tudo bem, não vou contar para ele que você contou.

— Acho que este aqui é o molho de soja — disse a mãe, desviando o olhar e estendendo a mão para o galheteiro. Ela tocou a tampa de um frasco. — Exatamente como nos restaurantes chineses, certo? Mas de que serão estes outros molhos?

— Mamãe, por favor, conte. Ele era de High Point também ou foi depois que você se mudou para Raleigh?

— Eu disse que prefiro não falar sobre isso. Esqueça — disse ela bruscamente.

Amelia recuou, ferida.

— Por quê? Foi há muito tempo. Qual é o problema?

A mãe empurrou os molhos de volta ao seu local perto da parede.

— Pensando bem, a saia cor de vinho com a blusa cinza são provavelmente a melhor escolha para amanhã, com previsão de chuva. O preto vai parecer sombrio, você não acha?

Amelia lutou contra as lágrimas de confusão.

— Como você quiser — disse ela. — Eu só quero cantar.

7

A AULA DE INGLÊS AVANÇADO era normalmente a preferida de Anthony. Sim, porque Amelia a frequentava com ele, mas também porque essa era sua única aula em que as discussões levavam ao cerne das questões. O Sr. Edmunds, o professor, era aquela combinação certa de pessoa jovem e legal, intelectual, sem ser um fanático; ele considerava a literatura um estudo relevante e insistia que os alunos fizessem o mesmo.

A discussão desse dia girava em torno do livro *As Vantagens de Ser Invisível*,[5] um livro que Anthony achava que ia o âmago de ser um adolescente, um livro que, cumprindo fielmente o que anunciava, mergulhava fundo na questão da "passividade versus paixão". Isso o interessava porque ele via em si elementos das duas coisas — mais paixão do que passividade, ao passo que com Amelia ocorria o contrário, e talvez fosse por isso que eles se encaixavam tão bem. Ele estava ansioso para comentar o livro. No momento, porém, estava sentado com o telefone na mão, esperando — esperando, esperando — que Amelia enviasse uma mensagem de texto explicando sua ausência. Quando ele não estava olhando para o telefone, estava observando a porta.

Quando a campainha do intervalo soou, ele saltou de seu assento. O Sr. Edmunds segurou-o pelo braço quando ele passou.

— Espere um pouco.

— O que aconteceu? — perguntou Anthony, afastando-se para o lado enquanto os colegas de classe passavam afobados, alguns deles exibindo a mesma expressão de curiosidade que o Sr. Edmunds ostentava.

---

5. O livro original The Perks of Being a Wallflower é um romance de 1999 de autoria do escritor americano Stephen Chbosky, que também dirigiu a versão para o cinema em 2012. (N.T.)

— Essa é exatamente minha pergunta. Você estava muito desatento hoje. — O professor o observava com as sobrancelhas grossas arqueadas por detrás dos óculos de armação preta, mas a pergunta não expressada era: "A ausência de Amelia tem a ver com isso?". A essa Anthony não responderia. Talvez Edmunds soubesse, ou achasse que sabia, sobre o relacionamento deles mas, de qualquer modo, Anthony não o confirmaria com uma demonstração descuidada de preocupação.

— Eu sei — disse ele. — Sinto muito. Estava distraído. — Ele se virou em direção à porta.

— Posso ajudar em alguma coisa?

Anthony abanou a cabeça, já em movimento.

— Obrigado.

Do lado de fora da sala de aula, ele digitou o número de Amelia enquanto andava e enfiou-se no banheiro, onde poderia falar sem ser observado pelo corpo docente. Mais uma vez, obteve o correio de voz.

A quinta e a sexta aulas também seriam uma repetição da quarta, só que com professores que pareciam não dar-se conta de que ele tinha pouco a contribuir nesse dia. Nada melhorou mesmo depois da campainha final; ele não tinha como correr à casa de Amelia à procura dela.

Ele encontrou a mãe na sala onde ela lecionava francês na sexta aula. Ela estava apagando o quadro-negro e cantando junto com um CD de Édith Piaf que tocava no aparelho de som portátil que carregava consigo de sala em sala.

— *Non! Je ne regrette rien...*

— Ça va, *Maman?* — disse Anthony. E ela se voltou para ele e acenou. Ele fechou a porta e encostou-se nela. — Amelia esteve na aula agora?

— Não, pensei em perguntar a *você*, porque ela não esteve aqui. Pensei que você estivesse por dentro... ou talvez tivesse algo a ver com isso?

— *Non, je ne sais pas où elle est* — disse ele, tentando livrar-se da ansiedade por meio dessa prática que consistia em seu esforço de tornar-se fluente em francês. Em seus dias pré-Amelia, ele e a mãe haviam feito planos de passar o verão depois da formatura na França. Ultimamente, ele vinha tentando convencê-la a incluir

Amelia, cujo francês era muito melhor que o dele. — Será que eu tenho esse direito?

— Você não sabe onde ela está — disse a mãe, inclinando a cabeça.

— Não tenho notícias dela desde que voltou para casa para buscar o computador.

— Talvez ela tivesse um compromisso e se esqueceu de lhe dizer.

— *Peut-être* — disse ele, embora soubesse que não.

— Você trabalha hoje à noite?

— Sim, mas só depois das cinco.

— Eu tenho ioga, então acho que nos veremos mais tarde. Ah, sobrou um pouco de salada de atum, caso queira aproveitar para jantar.

— Talvez — disse ele novamente, dessa vez não em francês. — Então, tudo bem, a gente se vê. — Na porta, ele se virou e acrescentou: — Se souber de alguma coisa, você sabe, sobre Amelia, me avise.

— Tenho certeza de que há uma explicação simples e você vai rir sobre isso mais tarde. Não sei dizer quantas vezes isso tem acontecido sempre que me preocupo com você.

Ele assentiu, lembrando-se de alguns desses momentos — a maioria quando saía para praticar motocross ou saltar da ponte sobre o Lago Falls com amigos alguns anos mais velhos que ele, amigos cujas mães se encontravam, na época, na fase em que sua mãe se encontrava naquele momento. Aceitação, ou talvez resignação. Coisas ruins raramente aconteciam e Anthony e seus amigos tinham idade suficiente para controlá-las quando era o caso.

— É, acho que você está certa. — Ele acenou. — A gente se vê depois.

— *Je t'aime.*

— Eu também te amo.

Ao aproximar-se de seu velho Mini parado no estacionamento dos alunos já deserto, ele digitou o número de Cameron, esperando que a amiga de Amelia soubesse de alguma coisa. Não sabia, e também ficou preocupada. Ele digitou o número de mais três amigas e nenhuma delas sabia de nada. Ele tentou o celular de Amelia mais uma vez e dessa vez não houve chamada, e a ligação foi direto para o correio de voz.

Anthony bateu no teto do carro uma vez, depois entrou nele e foi para casa. Dirigiu com pouca consciência do que fazia; seus pensamentos continuavam girando em torno de como poderia ir à casa de Amelia antes do trabalho, para vê-la ou ter notícias dela, sem o risco de ser descoberto. Poderia fazer o que ele sempre fazia: estacionar a certa distância e depois ir andando ou correndo por entre as árvores, mas o risco de ser visto por um dos vizinhos cuja propriedade ele teria de atravessar eram muito maior durante o dia, e ele não queria que uma velhota assustada chamasse a polícia por causa de um ladrão. Ou talvez tentasse dirigir diretamente para a casa de Amelia, informando à guarda na entrada do condomínio que pretendia deixar uma lição de casa. Isso deveria funcionar como uma tentativa única. *Bom, tudo bem*, pensou ele. Faria isso. Isso, pelo menos, o levaria até lá e poderia representar a mesma encenação com a mãe dela, se acontecesse de ela estar em casa.

O que esperava era que, por algum bom motivo ainda a ser descoberto, Amelia tivesse se esquecido de dizer-lhe que ficaria em casa e tiraria um cochilo. Esperava que, depois de tocar a campainha, passado um minuto ela aparecesse na porta da frente e o cumprimentasse com um sorriso sonolento. Ele vira esse sorriso uma vez, quando ela dormira na casa de Cameron e ele chegara lá bem cedinho para acompanhá-las no café da manhã. Queria mais do que tudo ver aquele sorriso todas as manhãs e assinalou para si mesmo, mentalmente, mais uma vez, que isso poderia começar a acontecer em cerca de 210 dias a partir daquele instante.

Na sua rua, estava quase chegando em casa quando percebeu o carro da polícia de Raleigh estacionado a uns cem metros de distância. Ele encostou junto ao meio-fio e estacionou, pensando que se tratasse de mais um caso de um vizinho preocupado solicitando que aplicassem um limite de velocidade no local. As pessoas tendiam a dirigir muito rápido em ruas preferenciais como a deles, colocando em risco as crianças que brincavam com bicicletas, skates e patinetes fora de casa. Ele entrou e subiu a escada de dois em dois degraus, foi para seu quarto e ligou o computador para verificar seus e-mails. Se por algum motivo o telefone de Amelia parara de funcionar, ela poderia ter tentado entrar em contato com ele desse modo. Ele tirou o blusão azul-marinho de decote V e sentou-se à mesa que servia de escrivaninha, esperando, batendo a caneta contra a palma da mão.

— Onde você *está?*

Ele sabia que só uma sequência louca de fatos a levaria a ficar longe de qualquer tipo de telefone, mas ao mesmo tempo perto de um computador, dela ou de qualquer outra pessoa, mas, nessa altura, até mesmo a mais louca sequência de fatos merecia inspirar alguma esperança.

A esperança não durou muito tempo.

— *Merde* — disse ele, quando viu que nenhuma das novas mensagens vinha dela.

Quando a campainha tocou, um minuto depois, Anthony ainda não ligara a presença da polícia à sua vida. Esperando que fosse a avó, que muitas vezes chegava inesperadamente, ele desceu a escada e abriu a porta, dando de cara com dois policiais de camisa azul.

— Anthony Winter?

Por mais implausível que fosse, o primeiro pensamento de Anthony foi de que eles teriam vindo para dizer-lhe que Amelia fora ferida ou morta. Ele prendeu a respiração e engasgou.

— Sim?

— Gostaríamos de lhe fazer algumas perguntas. Podemos entrar?

Ele deu um passo para trás e deixou-os entrar. Os três pararam na pequena saleta de entrada por um momento e então um dos policiais pegou um bloco de anotações e disse:

— Você confirma que mora neste endereço?

Anthony assentiu.

— O que está acontecendo? É sobre Amelia? Ela está bem?

Os dois trocaram um olhar, então um deles limpou a garganta e disse:

— Nós recebemos uma queixa. O que você sabe sobre Amelia Wilkes estar na posse de uma série de fotografias em que você aparece sem, isto é, despido?

Anthony piscou uma vez e tornou a piscar.

— Desculpe?

Por essa ele não esperava, de maneira alguma, nem de longe. Cristo! Como é que a polícia poderia...?

Depois as peças começaram a encaixar-se. O computador esquecido. E talvez a mãe de Amelia não tivesse chegado atrasada afinal. Talvez ela tivesse enganado Amelia para voltar para casa, onde poderia, então, confrontá-la. E, aparentemente, o mesmo poderia ser dito dele em relação à polícia.

— A senhorita Wilkes está com as fotos e ela nos contou sobre sua origem, mas nós gostaríamos de obter seu lado da história — disse o policial.

A senhorita Wilkes está com as fotos. Seu alívio por saber que ela não estava doente ou ferida foi rapidamente se esvaindo, sendo substituído por um temor sobre o que ela devia ter passado com aquela dupla, aqueles rapazes de azul cuja expressão presunçosa dizia-lhe que eles tinham visto tudo o que ele tinha para oferecer a uma mulher, para naquele momento encontrar-se à sua porta. De maneira nenhuma dera as informações voluntariamente.

— Mesmo que seja eu, como seria possível, vocês sabem, ter algo a ver com a polícia? — disse Anthony.

O policial de cabelo escuro disse:

— Neste momento, é importante que você responda à pergunta. Você sabe como a senhorita Wilkes obteve aquelas fotos?

Embora estivesse desconfiado de que pudesse falar demais, Anthony queria desviar qualquer responsabilidade de Amelia, então disse:

— Eu simplesmente as enviei para ela, vocês sabem, por diversão. Ela não tem nada a ver com isso. Por quê?

— Então ela não o convidou a tirar e enviar as fotos?

Isso o deteve. Se ela tivesse dito a eles que lhe pedira para enviá-las, seria melhor fazer confirmar seu relato ou contradizê-la? E de qualquer modo, ele não via por que a polícia estaria envolvida — talvez como um favor a Harlan Wilkes? Será que Wilkes preparara isso, a fim de assustá-lo?

— Ela tem 17 anos, vocês sabem. Vai fazer 18 em fevereiro. A idade do consentimento, não que se trate disso, mas, vocês sabem, em que a questão sexual está em causa, é de 16 anos — disse Anthony.

O policial louro disse:

— Estamos cientes da lei, e é bom saber que você também está. Tudo o que precisamos saber é se o que a senhorita Wilkes disse corresponde à verdade. Você não está sendo acusado de nada relacionado a delito sexual, quer dizer, a relações sexuais.

— Certo. Porque, vocês sabem, não que eu esteja dizendo que nós tivemos "relações", mas se tivéssemos, ela tem idade suficiente para decidir sobre isso. — Ele enxugou o suor das mãos suadas nas calças.

— As fotos? — retrucou, o policial de cabelo escuro.

Anthony pesou a pergunta da melhor maneira possível diante dos dois policiais olhando para ele e decidiu que deveria confirmar a declaração de Amelia para que ela não pudesse ser acusada de mentir. E talvez houvesse uma maneira de diminuir o problema, fazê-la parecer inocente ao mesmo tempo.

— Bem, agora que estou pensando nisso, talvez ela tenha me pedido. Sim, acho que é como aconteceu. Acho que ela tinha a intenção de usá-las num projeto de arte, algo assim. O que ela disse?

O policial fez algumas anotações.

— Você enviou as fotos por e-mail?

Que diferença isso fazia? Ele pensou nas diversas maneiras pelas quais ela conseguira as fotos. O celular dela, o celular dele, a câmera dele, a dela, e-mail, mensagem de texto. O e-mail não parecia nem melhor nem pior do que os outros, então ele disse:

— Hum, sim. Acho que sim.

— Tudo bem. Seu relato está muito parecido com o que ouvimos da senhorita Wilkes. A partir de agora, vamos apresentar nosso relatório, mas vamos precisar que permaneça disponível esta tarde, para o caso de termos mais alguma pergunta.

— Eu preciso ir trabalhar.

Ele lhes disse onde trabalhava e informou o número de seu celular e o número de telefone do trabalho. Em seguida, eles puseram seus quepes e saíram da casa.

Anthony acompanhou-os até a varanda, viu-os entrar na viatura sem que nenhum deles dissesse palavra e observou enquanto se afastavam no veículo. Ele só podia imaginar a conversa que deveriam estar tendo no momento: um garota rica que mora numa mansão cercada por uma floresta, uma garota tão linda que nenhum deles (ele próprio incluído) poderia ambicionar ter uma chance real com ela, guarda fotografias provocantes e totalmente explícitas de um sujeito que mora numa casinha no meio de uma série de outras iguais com uma única árvore crescendo em seu lamentável gramado da frente. Garota rica e linda tem a intimidade devassada pela mãe — que sem sombra de dúvida estaria extremamente aborrecida, tendo dado queixa à polícia. Que piada devia ser para eles, fazer o jogo de pessoas como os Wilkes. Ele podia vê-los aplacando a ira de Sheri Wilkes, ao concordar em interrogá-lo e apresentar um relatório. Aplacando Harlan também — ela provavelmente o chamara para vir ajudar na crise —, com as suas perguntas, seus blocos de anotações e seus rostos graves de sim-senhora, sim-senhor. E depois virem ali interrogá-lo, o pobre FDP das fotos, que provavelmente deveria receber uma verdadeira surra do pai da garota, eles deviam estar dando boas risadas disso tudo.

Uma brisa quente agitou a grande árvore de bordo, que estava meio sombreada pela casa. Ele ergueu os olhos para a árvore e viu que as folhas superiores brilhavam como se estivessem se incendiando.

Ele ainda se encontrava lá na varanda meia hora depois, quando a viatura reapareceu, dessa vez subindo pela calçada da garagem.

— Senhor Winter — disse o policial louro assim que saiu do carro —, precisamos que nos acompanhe.

— Mas o que é isso?

As algemas eram geladas e muito mais pesadas do que Anthony imaginava, o peso e a posição puxando seus ombros para trás de maneira desconfortável e esticando os botões da sua camisa branca. Rapidamente, porém, os policiais o escoltaram para fora e o enfiaram no banco traseiro da viatura, e depois disso seu desconforto aumentou dez vezes.

— O promotor emitiu um mandado para sua prisão.

— Sob qual acusação? — disse Anthony.

A porta fechou-se com um baque, e os policiais entraram nos bancos dianteiros, sem responder.

— Isto não pode estar certo — disse-lhes por entre as barras verticais que separavam o banco traseiro do dianteiro.

Não houve resposta.

— E quanto a um cinto de segurança? — disse ele, enquanto o carro se afastava do meio-fio e alguns vizinhos curiosos os viam partir.

Não havia nada na parte de trás do carro patrulha a não ser o próprio Anthony. Não havia cintos, nem travas, nem maçanetas, nem puxadores, não havia tapetes no chão. Não havia como se segurar, a não ser desajeitadamente com os cotovelos e os pés. Havia grades nas janelas das portas, grades dividindo a parte dianteira da traseira. Não havia como libertar-se ou sair.

— Não podem me dizer alguma coisa?

O policial louro, sem sequer virar-se, disse:

— O magistrado informará tudo isso a você.

Então ele fechou um painel de plástico que separava ainda mais o compartimento da frente do de trás, presumivelmente para silenciar as explosões de indignação, raiva ou irritação do detento, ou para evitar ser cuspido.

— Magistrado? — disse Anthony, levantando a voz. O que ou quem diabos era o magistrado? Esse não era um termo usado na Inglaterra? Certo, pensou, inglês britânico para basicamente um juiz. Ele estava indo ver um *juiz*? — O que quis dizer com magistrado? — tentou novamente.

Nenhuma resposta.

— Ei! Policial! Por que é que eu vou ver um juiz?

Eles continuaram a ignorá-lo, e ele tentou chutar o assento, não que isso pudesse melhorar a situação.

— Foda-se tudo! — disse ele, afundando no assento. Um magistrado, certo, tudo bem. Que poderia dizer o quê, exatamente?

Preso, merda! Preso e daí? Se ele teria de ver um tipo de magistrado, quando deveria tentar falar com um advogado? Será que precisava mesmo de um advogado? Isso era, antes de tudo, uma grande sacanagem, tinha de ser, porque como poderia ser um crime enviar algumas fotos a pedido de uma garota de mais de 16 anos de idade?

O trajeto até o lugar para onde estava sendo levado pareceu durar horas, enquanto avançavam no fluxo de tráfego intermitente do final de tarde da Capital Boulevard. Seu celular vibrou no bolso. Ele torceu os braços ao lado do corpo, tocou a borda do bolso com os dedos, mas não conseguiu chegar a ele. *Amelia.* Tinha certeza, ou queria ter certeza, de que era Amelia tentando finalmente ligar para ele de algum modo. Será que ela sabia que ele seria levado ao tribunal? Será que era ela que estava ligando, pensando que era hora de avisá-lo?

Anthony não fazia ideia de onde ficava a delegacia e ficou surpreso quando eles seguiram pelo centro de Raleigh e depois entraram na garagem de um estacionamento que, ao brilho da tarde, era escura a ponto de sufocar.

A porta traseira se abriu, e ele saiu apressadamente.

— Onde estamos?

— Na cadeia.

O estômago de Anthony deu uma guinada.

— Vamos lá, é sério?

— Você achou que estivéssemos indo ao McDonald's? — O policial moreno riu da sua própria piada ruim, então se afastou, dizendo ao parceiro: — Encontro você mais tarde.

— E quanto a um advogado? Não tenho de falar com um advogado?

O policial louro o empurrou em direção à porta.

— Vamos por ali — disse ele, depois pôs a mão no ombro de Anthony para mostrar que o rapaz deveria ir na frente. — O magistrado irá instruí-lo.

Anthony ouviu o policial anunciá-los, provavelmente utilizando o aparelho de rádio que ele vira preso à frente da camisa dos policiais, depois a porta se abriu com um estrondo. Anthony hesitou e então entrou; a porta se fechou atrás deles com um barulho ainda mais alto.

Uma breve caminhada através do corredor mais inexpressivo e incolor que ele já vira os levou a outra porta segura, que se abriu como por mágica, então eles adentraram em uma versão mais comprida e mais doentia do espaço onde estiveram. As paredes e o piso eram pintados de um castanho-amarelado enjoativo, reforçado pelas luzes da mesma tonalidade, e não se via absolutamente nada nas paredes, não havia imagens nem cartazes, nem janelas para o exterior, *nada*, a não ser portas a intervalos. E até as portas eram do mesmo castanho-amarelado, com pequenas janelas protegidas por barras de metal entrelaçadas e amareladas.

— Vire à esquerda aqui — disse o policial.

Anthony virou à esquerda e passou por uma porta aberta, alcançando então uma sala que parecia uma caixa comprida, com oito pequenos bancos de metal aparafusados ao piso de lajotas acinzentadas sujas. Na frente da sala viam-se quatro janelas gradeadas numa parede de concreto pintado, semelhante às janelas gradeadas de uma arena romana decadente que visitara uma vez com a mãe e o tio John, quando tinha 14 anos. Eles haviam ido lá para ver uma banda de rock alternativo, mas a banda não apareceu. Para compensar a decepção, John os levou a uma das antigas praças surpreendentes de Trastevere e disse que Anthony poderia tomar quantos *gelati* quisesse. Ele tomou três copinhos de panna cotta, depois iniciou uma conversa rudimentar mas divertida com duas garotas italianas risonhas que o haviam confundido com um morador local.

O lugar atual definitivamente não era divertido.

Anthony foi orientado a esperar num banco enquanto o policial caminhou até a um guichê na extremidade esquerda da sala e entregou alguns documentos a um funcionário, um homem gordo de rosto alongado e pálpebras caídas. Ele permaneceu atento, buscando pistas acerca de que exatamente estava sendo acusado, mas o policial e o funcionário conversaram sobre resultados de futebol americano. Futebol americano! Quem, diabos, se importava se o East Carolina estava tendo uma temporada melhor que a do ano passado, ou se o quarterback do time teria uma chance no campeonato do ano seguinte?

Anthony deixou a cabeça pender e sentiu a tensão no pescoço. Aquilo era o Sistema. Ele fora engolido pelo Sistema e, no momento em que sentiu as algemas se fecharem sobre os pulsos e o colocaram para dentro da viatura, se tornou uma nulidade. Ele, uma pessoa real com uma vida real, não existia mais. Ninguém, a não ser aqueles dois homens obcecados por futebol e o policial de cabelo escuro, fazia a menor ideia de onde ele se encontrava. Amelia, sua mãe, sua avó, seus amigos, estavam todos no Mundo e ignoravam totalmente a presença dele ali, sentado, sendo digerido — lentamente, de modo que a agonia resultante com certeza deixaria uma impressão que ele carregaria consigo para o mundo vindouro, fosse ele qual fosse.

— Chegou sua vez — disse finalmente o policial, acenando para ele, como se a sala estivesse cheia de potenciais detentos. — Aproxime-se da janela e fique sobre a linha.

Anthony levantou-se. As algemas estavam lhe cortando os pulsos, e ele precisava usar o banheiro.

— Quanto tempo antes de eu...

— Fique em cima da linha — repetiu o policial.

Anthony foi até a linha, uma faixa desgastada de um metro de comprimento do que parecia ser fita adesiva.

— Quando posso dar meu telefonema?

O policial revirou os olhos e não disse nada.

O homem gordo, vestindo uma camisa cinzenta encardida — seria esse o magistrado? — estava sentado atrás da janela junto a uma mesa de metal cinza, com os olhos no papel à sua frente.

— Diga seu nome, data de nascimento e endereço.

Anthony recitou todos.

— Algum sinal distintivo? Tatuagens, piercings, cicatrizes, dentes de ouro? — disse o homem, ainda sem olhar para ele.

— Não, a menos que você conte o...

— Permaneça sobre a linha e olhe para a câmera até depois que o flash bater — disse o homem, deixando Anthony terminar sua declaração em silêncio: *A marca de nascença em meu quadril.*

Anthony fez como mandaram, olhando para a câmera montada logo acima da janela. *Foto para a ficha criminal*, concluiu, quando a câmera piscou.

— Vamos sair da sala — disse o policial, e novamente esperou que Anthony o precedesse. — Agora vá para a esquerda — continuou, e então voltaram ao corredor insípido. Estranhamente, o lugar cheirava a ozônio e pipoca, e agora ao seu próprio suor de nervosismo.

Depois entraram numa sala muito menor, onde havia uma mesa grande, atrás da qual estava um homem, que olhou para Anthony como uma reencarnação de Ichabod Crane, o personagem de *A Lenda do Cavaleiro Sem Cabeça*. Havia dois bancos curtos na frente da mesa, um dos quais estava ocupado por um homem negro, magro, cujo pescoço e braços estavam tatuados com arabescos intrincados. Um guarda de camisa preta com bíceps e peitorais salientes e correntes penduradas no cinto ficou de lado enquanto o detento era orientado a esvaziar os bolsos e entregar todos e quaisquer acessórios.

— É aqui que deixo você — disse o policial louro a Anthony, enfiando uma chave nas algemas e liberando por fim os pulsos de Anthony.

Anthony relaxou os braços ao lado do corpo e depois os puxou lentamente para a frente e para cima, alongando as omoplatas e mantendo um olho no guarda musculoso, para o caso de o sujeito confundir o alongamento com uma tentativa de agarrar a arma em seu coldre. Ele esfregou um pulso com o polegar e depois o outro, tentando suavizar as marcas vermelhas, como se isso apagasse toda a experiência surreal. Não teve sorte.

Ele suspirou e olhou em volta enquanto esperava sua vez de despojar-se de tudo. As paredes ali eram forradas com folhetos que informavam sobre certos artigos perigosos que podiam ser facilmente ocultados e sobre coisas aparentemente inócuas mas que poderiam ser usadas como armas. *Fique alerta!*, advertia um cartaz mimeografado com letras enormes, de cerca de 1980. Será que aquele cartaz se destinava à segurança de Anthony — supondo que o sujeito tatuado tivesse saído de um assalto violento, ou assassinato, e poderia atacar se tivesse a oportunidade? Essa ideia era mais reconfortante do que pensar que o aviso se dirigia ao sujeito cujo trabalho era revistar o novo detento, a exemplo do que o guarda estava fazendo com o homem tatuado. Era bem assustador pensar que os guardas precisavam de lembretes. Não sabiam como procurar pelas coisas a que eles haviam sido treinados a encontrar? A única coisa que faziam várias vezes todos os dias?

Ichabod Crane voltou sua atenção para Anthony, repetindo textualmente as orientações que dera ao homem tatuado, sem olhar em momento algum nos olhos de Anthony. Anthony esvaziou dos bolsos o pouco que carregava consigo: o telefone celular, a carteira e o amuleto de estanho do tamanho de uma moeda que Amelia lhe dera no último Dia dos Namorados. Do centro do disco fora retirado um pedaço no formato de um coração. Ela usava o coração pendurado num comprido cordão de couro preso ao pescoço.

Amelia. Pelo que ela estaria passando em casa?

Ele esvaziou a carteira: habilitação de motorista, carteira de estudante, preservativo — até que ponto isso seria incriminador? — o pedaço de um ingresso do teatro Rialto, 14 dólares em dinheiro, um recibo do Taco Bell. Sentindo-se desonrado e absurdo, ele soltou o cinto e puxou-o da cintura, então se inclinou para desamarrar e tirar os cadarços dos sapatos. Será que achavam que ele, um sujeito que não fizera nada senão tirar algumas fotos de si mesmo nu e compartilhá-las com a namorada, iria subitamente tornar-se um assassino e tentar estrangular os outros detentos com cadarços? Ou talvez que os outros presos o atacariam para tirar os cadarços e depois usá-los nos guardas. Na verdade, pensou, eles provavelmente se preocupavam com as pessoas — qual era mesmo o termo dos programas policiais? Meliantes? —, eles provavelmente se preocupavam que os meliantes se tornassem suicidas após terem sido prolongadamente expostos a um difuso ambiente castanho-amarelado, iluminado por lâmpadas fluorescentes, e se pendurassem no próprio cinto. Como é que aquelas pessoas suportavam aquele ambiente o dia inteiro, todos os dias?

Seus pertences foram inventariados numa lista datilografada, depois acondicionados numa sacola de lona.

— Revise isto — disse Crane, entregando-lhe a lista.

Anthony leu.

— Tudo bem — disse, devolvendo-a para o homem.

O guarda ordenou energicamente:

— Fique de frente para a parede.

Anthony ficou.

— Braços para cima, afaste as pernas.

Anthony fechou os olhos enquanto o guarda o apalpava de cima a baixo, desde as axilas até os tornozelos, da virilha até os tornozelos, cintura, coxas, do traseiro até os tornozelos. *Você esqueceu meus ouvidos, o nariz e a garganta*, ele teve vontade de dizer, mas calou, para o caso de o guarda levá-lo a sério.

— Agora aqui.

Ele foi levado para uma máquina de tirar impressões digitais. O guarda mandou-o relaxar o braço, depois passou sua mão e os dedos por um scanner — provavelmente para enviar as suas informações para todos os estados e para a polícia federal, provavelmente para a Interpol também, porque ele era, afinal, um criminoso acusado e todo cuidado era pouco nesses dias pós-11 de setembro.

Eles saíram da sala e continuaram pelo corredor, Anthony arrastando os pés para não perder os sapatos. Nessa altura começou a ouvir vozes de homens, alguns gritando de raiva, outros rindo alto. Depois sentiu o cheiro abafado que impregnava os corredores e salas pelos quais passava, os odores rançosos de seres humanos sujos encarcerados e comida estragada. Eles chegaram a uma encruzilhada, onde Anthony percebeu de onde os sons e os cheiros eram provenientes: ali, à direita e à esquerda, ao longo do corredor que se alargava e se estendia à frente dele, ficavam as celas.

Ele esperava barras. Em vez disso, havia salas: algumas eram cubículos, outras eram maiores — as maiores guardavam grupos de homens, ele viu enquanto passava. Cada cela tinha uma porta com uma janela gradeada, e depois uma grande janela gradeada ao lado da porta. Anthony continuou se arrastando para a frente, esperando que o guarda o dirigisse para qualquer uma delas, que passaria a ser sua residência temporária. Devia haver banheiros naquelas salas, embora ele tenha-se perguntado se, nessas condições, seria capaz de usar um.

— Ei!

Anthony saltou ao som de um homem baixinho peludo que batia no vidro de uma janela da cela imediatamente à sua esquerda.

— Gringo! Ei! Tome as chaves dele, tire-me daqui, tome as chaves dele!

— Continue andando — disse o guarda sem qualquer emoção na voz.

Como se aproximasse do final do corredor sem ter recebido ainda nenhuma ordem para parar, Anthony diminuiu a marcha e olhou por cima do ombro. O guarda apontou para uma porta logo à frente, na parede diante deles. Anthony seguiu naquela direção.

Porta adentro havia uma versão menor da primeira sala. A cela tinha apenas uma janela de acrílico, com um único furo do tamanho de uma bola de golfe.

— Fique em cima da linha — disse o guarda.

Anthony ocupou seu lugar sobre outra linha de fita adesiva desgastada, e o homem por detrás do vidro começou a falar. Anthony captou a palavra "magistrado" e depois "crime sexual grave" e "...corrompendo jovens garotas?", mas não conseguia ouvir com clareza. Aproximou-se do vidro e inclinou-se na direção dele.

O suposto magistrado recuou violentamente para trás e gritou:

— Saia de perto dessa janela!

— Mantenha-se sobre a linha! — disse o guarda, puxando o ombro de Anthony.

— Jesus! — Anthony quase caiu para trás. Ele ficou horrorizado ao sentir as lágrimas ameaçando rolar. — Desculpe! Desculpe-me, não conseguia ouvi-lo. — O coração batia contra as costelas como se o órgão, assim como ele, quisesse sair, quisesse correr rápido e para longe, sem nunca olhar para trás.

O magistrado fez uma careta e continuou, dessa vez mais alto:

— Como você não tem antecedentes, renunciarei à sua fiança, com sua promessa de ficar longe da senhorita Wilkes e apresentar-se ao tribunal como for determinado.

Ele não esperou que o rapaz prometesse coisa alguma antes de passar algumas folhas de papel enroladas através do buraco e inclinar-se indicando ao guarda que Anthony estava dispensado.

— Vamos — disse o guarda, entregando os papéis a Anthony.

Eles saíram da sala e entraram num pequeno corredor, depois seguiram para uma porta que, como a primeira, se abriu com um ruído. Anthony arrastou-se para a frente, o guarda entrou na câmara ao lado dele, e depois a porta se fechou com um estrondo. O guarda entregou-lhe a sacola com seus pertences.

— Agora pode ficar com isto — disse ele e, assim que Anthony pegou todo o conteúdo e colocou o telefone e a carteira de volta aos bolsos, a porta à sua frente se abriu para uma pequena varanda e um estacionamento vazio.

— *Sayonara* — disse o guarda, gesticulando para que Anthony seguisse em frente, para lado de fora sob o halo áspero de uma luz ofuscante de vapor sódio, e então a porta se fechou atrás dele com um estalido forte.

Anthony ficou parado ali, atordoado, os sapatos e o cinto pendurados nas mãos, a bexiga agora dolorosamente cheia. Era só isso? Uma foto para o registro policial, impressões digitais, um sermão de um doido e depois rua? Estava livre para ir embora?

Transcorreu um minuto até sua compreensão alcançar a experiência. O magistrado dissera que não haveria fiança, tudo bem, certo, ótimo. As folhas de papel — ele olhou para o cabeçalho, correndo os olhos rapidamente; parecia ser seu mandado de prisão — talvez fossem os documentos que o ajudariam a consertar a situação. Seu crime fora relacionado como algo chamado *DISSEM MTRL/EXECUTAR DANO MIN*. Que diabos isso queria dizer? Ele leu de novo, mas o emaranhado de siglas ainda não estava claro. No campo abaixo do cabeçalho lia-se O ESTADO DA CAROLINA DO NORTE VERSUS, e depois aparecia seu nome, endereço e número de telefone, sua etnia, sexo, data de nascimento, número da carteira de habilitação. Ele releu tudo várias vezes e pensou: *Sério?* O Estado contra ele? Apesar do documento nas suas mãos e da experiência pela qual acabara de passar, estava tendo dificuldade de acreditar que, depois que a polícia tomara o depoimento de Amelia e seu, depois que souberam que ela o convidara a enviar as fotos, concluíram que ele cometera um crime contra ela. O nome dela estava relacionado abaixo das informações dele, na parte inferior de um campo em que se pediam os *Nomes e Endereços de Testemunhas (Incluindo Condados e Números de Telefone)*.

Só o nome dela aparecia.

O resto do formulário consistia principalmente numa grande caixa branca na qual seu "crime(s)" era descrito em pormenores vergonhosos — e numa caixa à esquerda, ele viu que diziam que cometera "Violação do G.S. 14-190.15".

Talvez tudo aquilo não passasse de detalhes técnicos, algo semelhante a uma loja de conveniência vender cigarros a alguém com menos de 18 anos. Na parte inferior esquerda da página, uma caixa fora assinalada, indicando que o seu era um *Crime de Contravenção que Requer Comparações de Impressões Digitais* — e o que significava o fato de cada palavra estar escrita com inicial maiúscula, afinal? Seria para dar a maldita impressão de algo mais importante por si só?

Uma contravenção — isso era bom. Ainda assim, a coisa toda era falsa. O que ele fizera — o que as siglas queriam dizer exatamente — era *DANO MIN*, certo. Então, os professores deveriam ser presos por levar os alunos a museus de arte onde veriam esculturas de adultos nus. Sua mãe deveria ser presa por deixá-lo folhear seus livros de arte renascentista e condenada à prisão perpétua por levá-lo ao Louvre, quando tinha apenas 15 anos. Ele dobrou o mandado e o outro formulário — umas *CONDIÇÕES DE LIBERTAÇÃO E ORDEM DE SOLTURA* — num quadrado compacto e enfiou-o no bolso.

O ar da noite estava úmido e frio em seus braços nus, e ele estremeceu quando enfiou o cinto de volta nos passadores e depois enveredou pelas sombras para aliviar-se. Assim, pensou quando estava perto de um prédio sentindo-se envergonhado e desesperado, devia ser como os sem-teto se sentiam. Por meio de seu trabalho voluntário na Habitat, ele sabia de sujeitos que tinham sofrido muito mais do que uma noite incomum ao relento, urinando furtivamente contra uma cerca, muro ou árvore; ele tentou considerar-se uma pessoa de sorte.

Ao terminar, ele se afastou da parede e se agachou para amarrar os sapatos. A luz era tão escassa que quase não conseguia distinguir os cadarços pretos contra os ilhós pretos. Os dedos tremiam, tornando a tarefa estupidamente difícil, mas ele persistiu, empurrando o cordão através de cada orifício, certificando-se de manter as extremidades do mesmo tamanho, depois puxando o cadarços de maneira confortável e amarrando as duas pontas antes de passar para o outro sapato.

Pronto. Terminado. Ele se levantou, inspirou profundamente e expirou tudo. Tirando o celular do bolso, começou a caminhar em direção ao ruído de carros passando. Na esquina do prédio, parou para ver quem telefonara. Seu chefe, Eric.

Novamente Eric. Dois de seus amigos. Sua mãe, três vezes — ela deixara uma mensagem também, que ele esperava fosse perguntando como ele conseguira ir trabalhar sem o carro.

E era isso. Nada de Amelia, droga. Obviamente, os pais dela haviam confiscado seu telefone — para mantê-la afastada do criminoso, afinal de contas. O agressor sexual.

Ele passou por um bloco, depois por outro, e então parou um homem cinquentão corpulento de terno para perguntar para qual lado era o norte.

— Norte? — disse o homem, como se a palavra fosse desconhecida.

— É, assim, em direção à Wake Forest.

O homem fez uma pausa, avaliando o que via: um jovem presumivelmente em estado de choque mas de aparência decente de camisa de mangas compridas, calças cinza, sapatos pretos.

— Você está perdido? Posso chamar alguém para você ou...

— Não. Não, estou só... Eu tenho um telefone. — Ele o pegou e o ergueu para provar isso. — Mas obrigado.

— Está certo, bem. Hum. Acho que é por ali.

O homem apontou, e Anthony assentiu em agradecimento; então atravessou a rua na direção indicada antes que o homem o identificasse como alguém que obviamente acabara de deixar a prisão. Ou talvez fosse tarde demais. Talvez o cheiro das celas tivesse se impregnado nele. Talvez o homem pudesse sentir o incômodo, a descrença, o medo e a raiva que Anthony imaginava estar vazando de seus poros naquele momento, reconhecido como comum entre os criminosos. Talvez o sujeito pensasse que ele acabara de fugir.

Ele saiu correndo devagar, depois acelerou a corrida, seguindo ao longo das calçadas escuras, vendo poucos pedestres e ignorando os que se voltavam quando passava por eles, correndo até sentir-se mais livre, menos contaminado. Quando finalmente parou, inclinou-se para a frente, com as mãos sobre os joelhos para recuperar o fôlego, e depois, quando pensou em parecer normal novamente, telefonou para a mãe.

— Oi, sou eu. Estou no centro de Raleigh e preciso de uma carona. Você pode vir me buscar? Explico tudo quando chegar aqui.

8

KIM WINTER CHEGOU À MATERNIDADE depois de várias mulheres que conhecia e mais indecisa do que a maioria de seus amigos teria imaginado. Toda pessoa sã era indecisa em relação à maternidade ou à paternidade, mas o medo e a incerteza de Kim eram de uma natureza diferente, porque, para começar, persuadira o então marido com base em pouco mais que um capricho.

Aos 30 anos, ela estava contente o bastante com sua vida, casada havia cinco anos mas sem filhos por opção, e quando suas colegas mais jovens falavam na sala dos professores sobre o chamado relógio biológico, Kim comentava sobre os verões passados fazendo caminhadas pelas montanhas e campos do Wyoming, da Espanha, da Costa Rica, do Nepal; das suas manhãs preguiçosas de domingo com nada mais urgente para fazer do que preparar um chá e ler os jornais; do luxo do sexo sem interrupções — do sono sem interrupções, por falar nisso. Ela chegara a essa idade sem nenhuma pressa em relação à gestação, ao nascimento, a alimentar, trocar fraldas ou vestir outro ser vivo. Anda não se sentira motivada por nenhum chamado nesse sentido e, imaginando que aos 30 achava-se madura e conhecedora da vida, não esperava que tal coisa lhe acontecesse.

A sua vida era plena e satisfatória. Amava a arte, os livros e a cultura — a cultura francesa em particular — desde adolescente e transformara esse amor numa carreira docente para poder não só continuar cercada por suas paixões, mas também passá-las aos outros. Sentia um tipo de amor diferente, tolerante, em relação a Santos, que nascera na Espanha e tinha uma aparência e uma personalidade tão cativantes que ela de bom grado ignoraria a desvantagem de ter um homem desses como marido. Sua *joie de vivre* era um prazer, sim, e um bem inestimável, especialmente quando socializada; todo mundo o adorava. No entanto, essa alegria também o induzia a desencantar-se das obrigações domésticas, levando-o a gastar a maior parte de seu dinheiro em cafés e bares da moda, onde ele e os amigos se reuniam na maioria das noites — mas *isso* o levava a compensar as suas fraquezas com champanhe e favores que ela corava ao pensar em mencionar a seus amigos mais tarde. Eles passavam o tempo livre viajando, ou em museus, galerias e parques, ou dirigindo seu Saab conversível enferrujado interior adentro, encontrando antiguidades baratas ou apenas deixando o vento infundir-lhes os aromas da madressilva em floração e dos pinheiros.

Tanto quanto ela poderia dizer — e seus instintos e experiências haviam-se mostrado confiáveis até então —, o relógio biológico era um mito, algo que as mulheres afirmavam que ouviam quando precisavam de um meio de tirar o marido de cima do muro em relação a ter filhos. Santos era um filho suficiente para ela, ela não precisava de filhos de verdade. Sua vida era perfeita do jeito que era. Sim, ela vivia momentos solitários de vez em quando, uma hora vazia quando, depois de ver as cativantes pinturas de mãe e filho de Mary Cassatt, por exemplo, permitia-se refletir sobre questões como o sentido da vida, a mortalidade, e deixar pelo menos uma pequena marca atrás de si, mesmo que apenas para dizer "Estive aqui". Esses momentos eram limitados, porém, e ela não achava que deveriam superar todos os benefícios que usufruía vivendo a vida por si mesma. Era uma professora, afinal de contas; já estava dando sua contribuição.

Então, na noite de seu 31º aniversário, depois de várias garrafas de vinho compartilhadas com os melhores amigos, Kim e Santos caminhavam pelo centro comercial de Ithaca. O sol tinha quase desaparecido, o céu a oeste reluzia com um profundo rosa alaranjado que saturava as fachadas de tijolo. Eles chegaram a uma loja de móveis, onde um lavatório chamou a atenção de Kim. Ela parou, dirigindo ao móvel um olhar mais atento. Uma antiguidade; nogueira; década de 1940, adivinhou. A peça tinha uma pequena balaustrada em toda a frente: uma mesa de trocar fraldas, percebeu de repente.

— Alguém deve ter adaptado isso — disse ela, apontando.

— Hum. Eu gosto da mesa de pôquer. E, olhe, aquela ali tem um tabuleiro de xadrez esculpido no tampo. Você consegue ver a etiqueta de preço?

Ela ainda estava olhando para o lavatório. A nogueira brilhava, e ela ansiou por acariciar a madeira. Aquelas gavetas, com os puxadores de estanho em meia-lua, seriam ideais para armazenar fraldas e as onipresentes embalagens de lenços umedecidos que vira na casa de amigas e em sacos de fraldas. Imaginou um bebê gordinho como um pequeno buda, um sorriso desdentado, as mãos e os pés balançando no ar, um murmúrio, um arrulho.

— Eu quero um — disse ela.

— Sério? E poderíamos conseguir um desses conjuntos de madeira entalhada à mão. Ou de vidro? Cristal? Seria muito caro?

— O quê?

— Peças de xadrez. Ou você quis dizer que quer a mesa de pôquer?

Kim começou a rir então, tanto que precisou inclinar-se e apoiar as mãos nos joelhos para recuperar o fôlego.

— Eu não devia tê-la deixado beber tanto — disse Santos, balançando a cabeça e rindo também, como se o que quer que ela tivesse fosse contagiante.

Ela riu durante todo o caminho de volta à sua casa em estilo Tudor do final do século XVIII, uma construção peculiar que haviam comprado por uma ninharia e que tinham passado os últimos anos reformando e decorando com arte original barata e antiguidades que ela própria restaurava. Uma casa, ela costumava dizer, para gente grande.

Depois que entraram, ela depositou a bolsa e as sacolas de presentes sobre a mesa do hall de entrada e subiu a escada, Santos foi atrás dela. No alto, ela se virou na direção do menor dos três quartos, o que era menos utilizado.

— Aonde você vai? Qual é? — disse Santos, puxando-a pela mão em direção ao quarto principal.

— Só um minuto — disse ela, soltando a mão e se virando novamente para o quarto não usado. — Quero ver uma coisa.

Ele ficou atrás dela e, com a boca contra seu pescoço e as mãos deslizando da cintura dela para os seios, disse:

— Tenho algo para você ver.

— Espere um pouco.

Ela se afastou e foi para o quarto.

— Eu só quero...

O quarto continha três cadeiras que ela pretendia restaurar, algumas obras de arte feitas por antigos alunos seus que, embora não fossem de seu gosto ou realmente dignas de exibição, ela não conseguira desfazer-se, e várias caixas de azulejos espanhóis pintados à mão por primos de Santos e enviados da Espanha pela mãe dele, que parecera indiferente quando Kim explicara que os azulejos, embora encantadores, e um presente tão delicado, realmente não combinavam com a decoração.

— Então, mudaremos a decoração quando eu vier para conhecer o bebê — respondeu a mãe dele, também indiferente ao fato de que não havia nenhum bebê a caminho e nem sequer planejado.

Mas aquele lavatório... Não ficaria perfeito à esquerda das janelas? E aqueles azulejos, com seus azuis, vermelhos e dourados vibrantes, não encantariam os olhos de um bebê? Sacudindo a cabeça por causa de sua tolice, Kim foi juntar-se a Santos, que depois a distraiu completamente.

Durante três dias, Kim fez o melhor que pôde para afastar o assunto do pensamento e não o mencionou a ninguém, nem mesmo a Santos. Então imaginara que queria um bebê. Não fazia o menor sentido. Fora o vinho. No quarto dia, ao entardecer, ela entrou no quarto sem uso e permaneceu ali por mais um tempo, imaginando, será que havia alguém que construía berços de nogueira? Ela queria que o berço fosse de nogueira, com grades laterais combinando com o lavatório.

No quinto dia depois de seu aniversário, ela fez listas detalhadas dos prós e contras (os contras sendo muito mais numerosos), o que não ajudou nem um pouco a diminuir seu desejo, depois voltou para o centro comercial, encontrou a loja de móveis e comprou o lavatório. Então, *esse*, esse desejo ilógico e irracional era o que as outras mulheres sentiam, o que motivava muitas delas a "esquecer-se" de tomar a pílula ou de usar outro tipo de controle de natalidade, a percorrer as seções de roupas infantis e os corredores de alimentos para bebês muito antes de existir qualquer necessidade, a sentar-se na sala dos professores falando sobre a ovulação da mesma maneira que os homens comentavam sobre esportes. Agora ela entendia.

Um dia depois, notando que estava na verdade bem no meio do ciclo menstrual, ela fez o jantar preferido de Santos, serviu-lhe um pouco de vinho e disse-lhe que achava que era a hora de trazerem para o mundo um "novo pequeno Santos". Ela esperava uma discussão, ou no mínimo certa hesitação, mas ele disse:

— Ah, é? É isso o que você quer?

— É isso o que eu quero.

Ele deu de ombros e sorriu, como se dissesse que era impotente para resistir à mulher que amava.

— Parece divertido. Vamos partir para isso.

Engravidar demorou três meses, tempo suficiente para eles repensarem sua decisão — se é que se poderia chamar aquilo de uma decisão. Parecia-lhe mais como se o universo tivesse mudado ligeiramente, tão ligeiramente que as únicas evidências eram coisas como o magnetismo da nogueira polida brilhando à luz do sol poente, coisas que só se notavam depois de ter tomado vários copos de vinho e passado do primeiro aniversário posterior aos 30 anos. Três meses, durante os quais eles praticaram muito do que ela chamou de sexo procriativo, em que ela e Santos foram como parceiros numa atividade de degustação de vinhos. Ela sentiu-se triste ao ver esse fim quando descobriu que estava, finalmente, com a criança.

Com a criança. Essas poucas palavras viriam a definir sua vida desde o momento da confirmação até o momento *presente*, no centro de Raleigh quase 19 anos depois, quando Anthony sentou-se ao seu lado no carro e disse:

— Eis os fatos: estou com alguns problemas.

Durante a gravidez, ela mantivera uma aparência confiante, exibindo uma máscara de calma e serenidade para o bem dos colegas professores e dos amigos, mas a cada mês que passava o tamanho de seu corpo aumentava enquanto sua confiança na disposição de Santos diminuía proporcionalmente. Ele vivia sua vida como se nada tivesse mudado ou fosse mudar, como se seu ventre inchado não fosse mais que uma novidade. No entanto, ela não entrou em pânico; os maridos de outras mulheres se comportavam de modo semelhante e no final, quando era preciso, "davam a volta por cima". O mesmo aconteceria com Santos.

Mas então ele pulou fora. Como ela enfrentaria o mundo agora, abandonada no pior momento possível, como se ela, em seu estado de baleia irritadiça, tivesse afugentado o marido? Como criaria um filho sozinha? Todos os dias ao longo da semana seguinte ela pretendeu animar-se e contar aos amigos, aos pais, ao seu irmão. Todos os dias ela não tinha coragem de comer ou vestir-se ou pegar o telefone — quem sabe Santos teria mudado de ideia? Mas quando começaram as contrações suaves e ela teve certeza de que ele não voltaria, procurou a mãe para confessar-se e obter conforto, e foi tranquilizada, talvez falsamente, de que duas pessoas não dariam mais a uma criança do que Kim daria por si mesma.

Abençoada fosse sua mãe; ela saíra em seu socorro emocional tantas vezes. No carro, agora, ouvindo as palavras surpreendentes de Anthony, Kim pensou que em breve poderia precisar novamente da influência tranquilizadora da mãe.

— Quem está grávida? — disse Kim, como se a resposta não fosse óbvia. Então, novamente, ela não queria presumir.

Anthony balançou a cabeça.

— Não é isso.

— O que é então?

Ela fora buscá-lo num posto de gasolina na extremidade da Capital Boulevard, uma região da cidade onde ela normalmente não se sentiria segura em entrar. Com o que ele teria se envolvido? Drogas? Gangues? Nada disso parecia provável. Ela saberia se ele estivesse metido nessas coisas — mas não era isso o que a maioria dos pais dizia?

Ele apoiou as mãos no painel e abaixou a cabeça por um instante, depois disse:

— Eu fui preso. Mais cedo. Eles me deixaram sair sem fiança.

— O quê? — disse ela, a voz mais estridente do que esperava. — Preso? — A possibilidade não lhe ocorrera, não essa noite, nem nunca. Ela o criara para questionar a autoridade, sim, mas não para violar a lei. — O que aconteceu? Por que...

— Certo, é realmente difícil de acreditar, mas Amelia... — Ele deu um longo suspiro. — Isso é, isso é uma estupidez, tudo bem, mas o que aconteceu foi que tirei algumas fotos minhas e enviei para ela, e os pais dela devem tê-las encontrado e se assustado.

— Fotos? Como isso faria com que fosse preso?

Como ele não respondesse de imediato, ao ver a linha firme da sua boca, os lábios contraídos, os olhos arregalados e nervosos, a resposta ocorreu-lhe.

— Fotos que não são... apropriadas. É isso o que você está dizendo — perguntou a mãe.

Ele inclinou a cabeça.

— Ah, Jesus! — Ela levou a mão à boca por um instante, depois disse: — Anthony, o que você estava *pensando?*

— Seria algo apenas entre mim e ela. Não seria da conta dos pais dela.

— Não seria da conta deles? — disse ela, levantando a voz. — Você realmente não pode pensar assim.

— Ela tem quase 18 anos.

— Ela é a *filha* deles e não é exatamente uma garota de quem você esperaria ter fotos... — Ela se deteve, não querendo imaginar os detalhes. — É *claro* que eles estão aborrecidos.

— Ah, bom — disse Anthony, cruzando os braços sobre o peito. — Agora você quer defendê-los? Agora que eles me ferraram totalmente, você de repente está do lado dos pais?

— O quê?

— Onde estava toda essa... toda essa *simpatia* por eles enquanto você guardava nosso segredo?

Kim olhou para o vazio. Ah, Deus, ele estava certo. Onde estava sua simpatia? Onde estavam as suas prioridades? Mas ela sabia: elas estavam bem atadas ao seu filho, ao seu próprio coração, e tudo naquele momento já se retorcia num nó confuso.

Anthony parecia menor, sentado ali ao lado dela, os membros contraídos, os ombros curvados, o lábio inferior um pouco saliente, a postura que costumava de alguém que conheciam — mesmo que essas fotos fossem indecentes — chamando a polícia antes de qualquer outra coisa.

Em casa, Anthony foi direto para cima.

— Preciso trocar de roupa e preciso ligar para Eric — disse ele.

— É claro, mas ouça...

Ele parou na escada e se inclinou sobre o corrimão para fitá-la.

— Sim?

— Poderia ser sensato tomar um pouco de cuidado ao dizer por que não foi trabalhar. Uma intoxicação alimentar seria uma boa desculpa para não ter sido capaz de telefonar.

— Não consigo ver qual seria o grande problema, eu não fiz nada de errado, então por que não falar sobre isso?

— Querido, sei que você encara desse modo e tenho certeza de que Eric e uma porção de outras pessoas também veriam assim. Mas...

— Mas eu preciso me preocupar com o que as pessoas rígidas e de mente fechada pensarão de mim se souberem? Você é sempre a primeira a me dizer que precisamos combater a ignorância.

— E é o que fazemos. É o que fazemos. Nesse caso, porém, há muita coisa em jogo a seu respeito. Você precisa de recomendações e referências para se candidatar a bolsas de estudo, então por que dar às pessoas uma razão para recusar?

— Qualquer um que me conhece...

— Por que correr o risco? — insistiu ela, sentindo-se uma hipócrita. Como sua ideologia tornava-se tão diferente num momento que estava em jogo o futuro de seu próprio filho. — Precisamos pesar custos e benefícios.

— Tudo bem — disse ele. — Eu entendo. Mas é uma besteira completa.

— Vou telefonar aos pais de Amelia. Talvez... Eu não sei, provavelmente eles reagiram sem pensar. Talvez possamos desfazer isso e, assim, lidar com a situação toda como adultos. Quero dizer, se vocês dois levam realmente a sério seus planos...

— Levamos. Você sabe que levamos.

— Então os Wilkes merecem a oportunidade de participar, você não acha?

Quando disse essas palavras, ela não pôde deixar de notar a ironia de que só *agora* estivesse manifestando esse ideal elevado, quando teria sido muito melhor para todos se tivesse adotado essa posição desde o início. Devia ter insistido que não continuassem a agir pelas costas dos Wilkes. Como era irônico que só agora, quando seu filho, seu único filho, estava enfrentando problemas, ela questionasse se os jovens terem mantido o segredo foi a escolha certa. Pensando nisso, ela se sentiu diminuída.

Anthony voltou, descendo alguns degraus.

— Se pensássemos que eles aceitariam, teríamos contado desde o começo. Veja você como eles são.

— Eles tiveram um choque, querido, e eu não estou tomando partido ao dizer isso. Isso é um fato. Encontrar fotos como aquelas não é a maneira ideal de ficar sabendo sobre o relacionamento de um rapaz com sua filha. Dê-lhes uma chance. Tenho certeza de que eles serão mais racionais agora que já passou algum tempo.

— Ah, é mesmo? Então, por que ela não está atendendo o telefone? Eu sei por quê, e você também.

— Seja paciente. Os pais podem ser lentos em relação a esse tipo de coisa.

— Eles são frios em relação a tudo. — Ele pegou a papelada da prisão do bolso. — Vou ver como estou ferrado. — Depois se dirigiu para o quarto, presumivelmente para pesquisar sobre o crime na Internet.

Kim pôs água para ferver para o chá de camomila e sentou-se à mesa da cozinha, onde estava atribuindo notas de francês antes do telefonema de Anthony. O que dizer aos pais de Amelia? Eles haviam se conhecido — tendo se encontrado duas vezes até o momento —, o que deveria facilitar um pouco mais as coisas. Embora talvez não, uma vez que claramente haviam optado por não entrar em contato com ela quando a tempestade desabou. E, supunha, não era como se os filhos tivessem seis anos de idade e, durante um encontro para brincar juntos, tivessem quebrado uma lâmpada ou algo assim e depois escondido as provas. Amelia, a filhinha deles, tinha fotos de um rapaz nu — tivessem elas sido mandadas por iniciativa dele ou a pedido precipitou, embora, deixe-me enfatizar, não esteja feliz com isso também, nem um pouco.

— Claro que não. Quando nossos filhos guardam segredos...

— Mas ele tem as suas razões, eu o apoio.

Kim engoliu a resposta que teria gostado de dar, uma observação sobre pensar por si mesma, e em vez disso falou:

— Por que não nos encontramos amanhã em algum momento e conversamos sobre tudo isso? As crianças podem explicar seus planos e...

— Planos?

— Bem, o que pretendem, para depois da formatura...

— Senhora Winter, mesmo que eu esteja inclinada a concordar, você não conhece meu marido. No que diz respeito a ele, seu filho está bem... deixe-me dizer que seria melhor... — Ela ressaltou o *melhor* de uma maneira que Kim sabia que significava *necessário* — seu filho não ter qualquer contato com nossa filha no futuro.

— Você já conversou com Amelia sobre isso? Sabe que ela e Anthony estão, bem, estão apaixonados. — A sua risada envergonhada soou mais como um soluço. — Eu sei que eles são jovens, mas os vemos juntos...

— Há quanto tempo você sabe sobre isso? — perguntou Sheri Wilkes.

Ah, inferno!, pensou Kim, levando a mão à boca.

— Senhora Wilkes, meu filho e eu, nós somos muito próximos. Eu o criei sozinha; meu ex-marido nunca se envolveu. Falamos sobre tudo o que o afeta. E eu sinto muito que eu não... sinto muito que você não soubesse nada sobre eles até agora. Mas a verdade em questão é que, independentemente de como você ou eu ou seu marido nos sentimos em relação a isso tudo, eles são um par de adultos jovens muito maduros e muito determinados, e estão planejando um futuro juntos. Eu acho que devemos tentar respeitar isso.

Sheri Wilkes suspirou.

— Isso tudo pode ser como você diz. Meu marido, porém, é de opinião que seu filho tem exercido uma influência indevida sobre Amelia. Ela não tem muita experiência com os garotos.

encostos das cadeiras que fabricavam. O avô se orgulhava da sua mente aberta: se você trabalhasse duro e se desse bem, não importava quem eram seus parentes nem como você começou. Para ele, o pai de Amelia era um herói, alguém que aparentemente resgatara a mãe da solitária vida de solteira que estava levando.

— Ela tem sorte por você tê-la escolhido — dizia o avô às vezes, batendo nas costas do genro.

Que mulher de sorte era aquela que se achava sentada ali naquele momento. Amelia preferia a mãe que às vezes encontrava no sábado de manhã descansando no solário com o jornal do dia espalhado no chão em volta da sua espreguiçadeira de lona verde. A mulher de robe, despenteada e com a aparência relaxada que sabia que não tinha nenhuma tarefa imediata pela frente, nenhuma audiência, nenhuma necessidade iminente de comparecer a um evento do clube das mulheres ou de arrecadação de fundos para a Ravenswood, ou a uma atividade de alguma instituição de caridade ou a um café da manhã na igreja. Em algum lugar por trás da maquiagem perfeita, da blusa de seda e das calças de lã de camelo coloridas que Amelia via diante dela naquele momento estava aquela mãe de sábado, a mulher que Amelia queria conhecer melhor. Porque, até mesmo aos sábados, sua mãe era cuidadosa com as palavras, comedida, como se ela também tivesse um dia de lutar contra a gagueira — embora Amelia soubesse que não era o caso.

Seu pai bateu as mãos uma vez e se levantou.

— Bom dia, Joaninha.

— O que está acontecendo? — perguntou Amelia, segurando os tênis de corrida contra o peito como se fossem um escudo.

— A mamãe nos preparou um café da manhã, não foi uma boa ideia dela? Pensamos que poderíamos aproveitar enquanto comemos juntos para conversar um pouco. Ontem à noite, bem, eu estava contrariado, pura e simplesmente. Pensei que talvez a gente pudesse tentar conversar de novo.

— Vou buscar mais um pouco de suco — disse a mãe, pondo-se de pé.

— Não, obrigada. Eu realmente preciso ir andando para não me atrasar para a escola.

— Você não poderia ignorar a corrida esta manhã? — perguntou-lhe o pai.

Ele parecia tão simpático e atencioso que ela relaxou um pouco em relação a ele. Quem sabe não tinha reconsiderado as suas ações e estava disposto a resolver as coisas com Anthony afinal de contas.

— Posso encurtá-la — disse ela.

A mãe, ao passar por ela, reduziu o passo ligeiramente, pousando a mão de leve no ombro de Amelia antes de seguir em frente.

— Vou pegar o suco — disse ela.

Amelia depositou os tênis sobre o tapete e sentou-se na cadeira mais próxima do piano, um Steinway Parlor Grand, que a governanta mantinha polido como se sua vida dependesse de os hóspedes serem capazes de ver o próprio reflexo na superfície preta reluzente. Seu pai sentou-se com os cotovelos nos joelhos e as mãos cruzadas à sua frente, a maneira como sempre fazia quando assistia ao futebol. Ela esperou que ele dissesse alguma coisa, mas aparentemente ele estava esperando pelo retorno da mãe.

— Aqui vamos nós — disse a mãe, entregando-lhe um copo de suco de laranja. Em seguida, pegou um pratinho de porcelana, pôs um biscoito nele e o passou ao pai de Amelia.

— Obrigado, querida — disse ele. — Isto deve estar uma delícia.

— Amelia?

— Não, mamãe, eu não estou com fome, obrigada.

O sorriso de sua mãe murchou. Amelia sentiu a garganta apertada. Eles faziam tanto por ela, e ela os decepcionava, desrespeitava ao agir pelas costas deles. Mesmo naquele momento, eles não sabiam até que ponto a coisa era ruim, que ela escondera deles muito mais que meras fotografias.

Amelia levantou os pés e encaixou-os embaixo de si.

— Talvez aceite um biscoito — disse ela.

— Harlan, passe para ela.

A casa estava em silêncio, salvo pelo tique-taque do relógio de pêndulo na sala da frente. O som distante de gansos grasnando em voo aproximou-se, depois se tornou mais alto e por fim se distanciou, e ainda ninguém dissera nada.

— O que sua mãe e eu queremos saber em primeiro lugar — disse o pai finalmente — é a história correta sobre o jovem Winter.

— A história correta?

— Você me disse uma coisa, depois disse outra à polícia, e o que precisamos saber é a verdade. Por que você está protegendo o rapaz? Nenhum de nós acredita que você seja do tipo que pede fotos de um rapaz nu apenas por esporte.

— Por que não? Porque eu tiro notas boas? Porque volto sempre para casa nos horários estabelecidos? — Ela pronunciou as perguntas em voz suave, mansa. — Sou praticamente um adulto, vocês sabem.

— Toda criança da sua idade pensa assim — disse o pai. — Mas não, não é por suas notas, nem por seu bom comportamento...

— E isso é bom, e nós apreciamos muito — acrescentou a mãe.

— É que nós sabemos o tipo de pessoa que você é — concluiu o pai.

Apesar dos pensamentos de Amelia em contrário na noite anterior, eles a conheciam bem, pelo menos o bastante para saber que ela não era do tipo que pediria fotos daquele tipo a qualquer amigo e muito menos de alguém que tivesse acabado de conhecer, o que, ela sabia, outras garotas da escola haviam feito.

— Então eu devo pensar que você nunca pediu a ele para enviá-las, afinal continuou o pai. — O que significa que você está escondendo a verdade, e nós precisamos saber por quê.

Amelia tirou uma meia e começou a cutucar uma unha do pé.

— Vocês estão certos: e tenho escondido a verdade. Mas — acrescentou Amelia, levantando os olhos para os pais — eu também fiz o que disse. Pedi que ele me mandasse as fotos. Só que não pelas razões que mencionei.

O seu pai abaixou o prato.

— Ora, qual é...

— Eu vou explicar — disse ela, respirando fundo. Finalmente, ali estava sua oportunidade de contar tudo. — Ele é... Tudo bem, então, nos conhecemos no ano passado na escola, quando fizemos *Como Gostais*. Lembram-se, ele era o Orlando? E eu o achei muito talentoso e atraente, e ele pensou o mesmo sobre mim, e assim, começamos a sair.

— "Sair" — disse o pai, imitando seu tom de voz. — Você começou a "sair" com um rapaz sem falar conosco.

Amelia encolheu os ombros de leve como se dissesse: *O que mais eu poderia fazer?*

— Vocês estão sempre falando sobre o tipo certo de cara para mim, mas o que vocês querem não é o que eu quero. Eu sabia que rejeitariam Anthony mesmo sem conhecê-lo, e isso, a maneira como reagiram, a maneira como o estão acusando e ignorando o que eu continuo dizendo. Isso comprova.

Nenhum dos pais respondeu de imediato. Eles olhavam para ela, olhavam um para o outro. A mãe pegou um fiapo invisível da frente da blusa. Amelia se perguntou se eles não haviam se drogado com tranquilizantes.

— O que mais? — perguntou o pai.

— Bem, isso é praticamente a história inteira.

— Aquelas fotos, no entanto... Ele as mandou para você. E o que você disse, sobre pedir que ele mandasse, isso é simplesmente bondade sua, tentando protegê-lo.

Amelia sentiu uma onda de calor subir acima da gola da camiseta.

— Não... Quer dizer, é complicado. Eu tirei algumas, ele tirou outras, não sou mais criança, papai. Dentro de mais sete meses serei dona de minha vontade.

— Foi assim que ele colocou? Porque estar na faculdade não é ser dono da própria vontade. Não quando é o talão de cheques de seu pai que faz isso acontecer.

— E é por isso que você não vai pagar minha faculdade — disse Amelia. — E eu não vou para a Duke, vou para a NYU, isto é, se eu entrar.

O pai franziu a testa e disse:

— Como é que é?

— New York University, em Nova York. Anthony se inscreveu lá também.

A mãe estava com os olhos arregalados quando disse:

— Você se inscreveu na Universidade de Nova York?

Amelia desviou o olhar. Ela e a mãe tinham preparado juntas as suas inscrições nas universidades de Duke, Carolina do Norte, Wake Forest e Davidson, seu "plano B". Elas haviam visitado todos os campi juntas na primavera anterior.

O pai tampouco parecia relaxado.

— E quem você imagina que *vai* pagar? Ele é que não será, isso com absoluta certeza, a menos que tenha um pai em algum lugar com os bolsos cheios.

— Vamos conseguir ajuda financeira e nos candidatar a bolsas de estudo, e vamos trabalhar também, talvez não na Broadway no início, mas existem muitos outros trabalhos pagos no teatro e, vocês sabem, empregos comuns também.

— E viver onde? — perguntou sua mãe.

— Num apartamento fora do campus... A escola tem uma secretaria que cuida da moradia de alunos fora do campus, e provavelmente dividiríamos um espaço com alguns outros alunos, para torná-lo mais acessível.

— Então é isso que vocês dois vêm planejando, não é? — disse o pai.

Amelia assentiu.

— E o que há de errado com Duke? Ah, deixe-me adivinhar, ele não pode entrar.

O tom sarcástico do pai colocou Amelia em guarda.

— Ele não se candidatou — disse ela, tentando não morder a isca. — Duke é uma boa universidade, estou certa disso, mas eles não têm cursos de teatro e, vocês sabem, não fica em Nova York. Tenho certeza de que Anthony poderia entrar na Duke se se candidatasse. As suas notas são tão boas quanto as minhas. Mas ele sempre quis ir para a NYU — continuou com firmeza, como se mostrando-se calma fosse acalmar os pais. — Ele quer ser dramaturgo e diretor, e ele é um ator incrível. Mas enfim, vocês o viram; eu não preciso lhes dizer.

— Ah, sim, sem dúvida nenhuma, ele é definitivamente um bom ator.

— Harlan — disse a mãe —, esse tom é mesmo necessário?

Ele franziu o cenho para ela.

— Estou fazendo o possível aqui, mas isso é, bem, isso é... — Ele se levantou, depositou o prato sobre a mesa do café, passou as mãos pelo cabelo, e disse a Amelia: — A sua mãe e eu conversamos muito ontem à noite, porque é nosso dever como pais responsáveis certificar-nos de que você não vire à esquerda quando deveria virar à direita. Discutimos tudo em mínimos detalhes, por isso sabemos, eu especialmente sei, para onde você deve e não deve ir.

— Isso tem a ver com minha especialização em administração e negócios? — disse Amelia, rezando para retomar a velha discussão, deixando Anthony de lado. — Porque, não importa para onde eu acabe indo, isso eu não vou fazer. Eu adoro *teatro*. Adoro *música*, dança e interpretação. Vocês seguiram as suas paixões, vocês dois seguiram; como podem dizer que eu não deveria fazer o mesmo?

— Ninguém está dizendo que não — disse o pai, começando a andar de um lado para o outro. — Mas essa ânsia por ser artista não é *vida*, Amelia. É claro, parece tudo bonito e brilhante quando você se senta lá em Nova York assistindo às peças, mas quanto ao resto deles, os que não são astros, como você acha que vivem?

— Como pessoas normais, em apartamentos. E tudo bem, eles não vivem assim — ela apontou a sala e a casa com um movimento amplo do braço —, mas e daí? A maioria das pessoas não vive assim.

O seu pai parou de andar e olhou para ela.

— Você não é "a maioria das pessoas", Amelia. Você acha que eu fiz o que fiz para *mim?* É para você e para sua mãe. Você não quer viver como "a maioria das pessoas". Acredite em mim... Eu cresci num trailer que já era velho quando meus pais nasceram. Você quer cantar, dançar e atuar? Tudo bem, maravilha. Faça isso como um hobby, um passatempo. Arranje uma profissão de verdade, como sua mãe fez, e eu garanto que encontrará um homem fantástico em que possa confiar e a quem possa admirar, e que lhe dará tudo o que você e seus filhos precisarem quando chegar a hora.

— Eu não quero um homem para cuidar de mim, e eu não quero filhos, e eu confio em Anthony e o admiro — disse ela com seriedade. — Ele me entende. Ele ama o que eu amo. E é a *ele* que eu amo.

— Isso não é amor — disse o pai, fazendo um gesto de desdém com a mão. — Alguém que enche seus ouvidos com o que você quer ouvir é um vigarista. Nós estamos fazendo um favor em mantê-la longe dele.

— Manter-me longe dele? O que quer dizer com isso? — Ela o enfrentou.

O pai estendeu a mão para a mãe, mas a mãe balançou a cabeça e disse:

— Isto não tem a ver comigo. Você diz a ela.

— Tudo bem, ótimo, eu vou fazer o papel de mau: nós vamos tirar você da escola por enquanto e também todo o resto, e o que tem a ver com computador, telefone, relações sociais, tudo isso será limitado e/ou supervisionado. E não haverá mais teatro, nem dança, nem aulas de dicção. Isso será feito no momento. Você precisa se concentrar e tudo isso não passa de uma distração.

Amelia sabia que sua boca estava aberta, mas sentia-se impotente para fechá-la. Eles não poderiam estar falando sério. Isso tinha de ser uma brincadeira ou uma espécie de tática perversa para assustá-la.

— Pode ser bom para você dar uma pausa em todas as pressões — disse a mãe, com a voz soando baixinho na sala de teto alto.

— Mamãe, eu não posso sair da escola.

— Você terá um professor particular, vamos fazer como se estivesse ferida ou doente ou tivesse de trabalhar, como Elise. — A colega de classe de Amelia, Elise Vawter, era uma modelo de alta-costura, que vivia viajando entre Paris, Milão ou Buenos Aires para ser vestida e fotografada. A maioria das garotas a odiava. Havia tantas maneiras de não encaixar-se. — Você ainda se formaria por Ravenswood — acrescentou a mãe.

— Minha viagem para Nova York está próxima...

— Esqueça isso — disse o pai.

— Eu *preciso* ir, tenho um compromisso na NYU. Para entrar, é preciso f-fazer um t-teste.

— Não precisa. Sem chance, Amelia — disse ele.

— Vocês não podem me dizer o-onde vou fazer faculdade — disse Amelia, perdendo a luta para manter a calma.

— Eu posso impedi-la de cometer um erro gigantesco e é isso o que aquela escola seria. Vamos levá-la para ver alguém — disse o pai — e discutir sobre tudo isso.

— Ver alguém?

— Um médico.

Amelia se levantou.

— Não, senhor, eu n-não vou ver nenhum médico. Eu não estou doente, de qualquer maneira, e não estou nem contrariada, nem ansiosa ou qualquer coisa, até agora. — Ela fez uma pausa, aborrecida com a gagueira e lutando contra a pressão em seu peito que estava lhe roubando o fôlego. — Acho que a única coisa que vou d-dizer a esse médico é como estou contrariada com o que vocês estão fazendo comigo, e com Anthony.

— Não esperamos que você concorde conosco, Joaninha. Você não está pensando claramente, essa é a questão.

Amelia fechou os olhos por um segundo, reunindo calma, depois os abriu novamente.

— Anthony Winter é um ser humano incrível. Eu não fui coagida, nem por ele nem por qualquer outra pessoa. Vocês só querem pensar assim, mas adivinhem? Eu não sou a garotinha perfeita e inocente que querem me forçar a ser.

— Assunto encerrado.

Amelia, furiosa, começou a calçar os sapatos, mas o pai prosseguiu:

— Espere aí. Você não vai correr esta manhã, a não ser que use a esteira rolante lá embaixo. Por enquanto, você precisa estar onde sua mãe ou eu possamos vê-la.

— Você não deve estar falando sério — disse ela, as lágrimas brotando de seus olhos. Ela tinha uma rota regular pelas trilhas tranquilas nas montanhas que cercavam a vizinhança. O prazer de correr tinha a ver tanto com a paisagem quanto com o exercício. — Você não confia em mim para ir *correr?*

— Obviamente, você está escondendo coisas de nós, por isso é melhor limitarmos as suas oportunidades de se meter em problemas.

— Harlan, não vamos ser...

— Eu p-preciso correr — disse Amelia, incapaz de conter as lágrimas, sua fortaleza desmoronando sob esse insulto adicional. — Eu *preciso.* Se não fizer isso, eu vou...

— Querida — disse a mãe, passando o braço em volta dela. — Vamos todos nos acalmar. Vai ficar tudo bem...

— Não vai, não — disse Amelia, afastando-se e retirando-se da sala, em direção ao hall de entrada. — Anthony é meu melhor amigo. Tudo o que eu quiser fazer de minha vida inclui a presença dele. Por que vocês querem estragar tudo dessa maneira?

— Estragar? — disse o pai, indignado, seguindo-a. — Meu dever, nosso dever, é protegê-la; o que, a partir de agora, significa protegê-la de você mesma *e também* dele, até você voltar a ver as coisas direito outra vez. Estava tudo bem e no bom caminho até você conhecer esse rapaz. Antes de conhecê-lo, nós sabíamos quem você era.

— Minha vida começou quando eu o conheci — disse ela, antes de virar-se e atravessar a sala em direção à grande escadaria sinuosa daquela casa ridícula que se tornara sua prisão.

Se você fizesse uma pesquisa entre os amigos mais próximos de Amelia, pedindo para preencher o espaço em branco na afirmação: "Amelia Wilkes é muitas coisas, mas o que mais se destaca nela é ________", as respostas variariam, mas seriam todas sinônimos de *determinada*. Amelia fora um bebê que, com as barras altas de seu berço de carvalho impedindo-a de alcançar sua querida girafa de pelúcia, amontoava os travesseiros, o edredom e os animais menos queridos e subia em todos eles para passar uma perna sobre a grade. Ela fora uma aluna da primeira série que fizera circular uma petição para conseguir que a escola acrescentasse uma segunda fonte de água no parque (os meninos muitas vezes ameaçavam as meninas, mandando-as para o fim da fila, em especial Amelia, então uma garotinha que não falava muito). Em reação à advertência do professor de dança de que precisaria dar um jeito de controlar as curvas que começavam a acentuar-se em seu corpo, ela começara a correr e, aos 13 anos, estabelecera um novo recorde de tempo da escola, vindo a ficar em terceiro lugar na competição estadual. Aos 16 anos, Amelia arrecadou mais dinheiro do que qualquer outra estudante do ensino médio da Carolina do Norte numa campanha por mudanças, ganhando uma viagem para Washington, D.C., e menções em todos os jornais distribuídos no metrô da Carolina do Norte. Ela se dedicava com afinco aos estudos, cada conquista por mérito era uma defesa contra a baixa autoestima.

O fato de os pais virem nela um grande potencial não era nenhuma surpresa, e, pensando objetivamente a respeito, Amelia gostava da confiança deles. Ela valorizava seu apoio. Mas o envolvimento deles vinha acompanhado de um preço: seu pai achava que, por ter-lhe proporcionado uma existência, tinha o direito de direcionar todo seu histórico de vida.

Considerando o modo como ele reagira às fotos, Amelia tentava naquele momento não odiá-lo completamente. Normalmente, ele não a controlava o tempo todo. Não era um vilão. Não era grosso. As suas opiniões rígidas em relação ao seu namoro tinham sido bem fáceis de contornar — ele não fizera antes o que agora insistia que tinha de fazer. Ela não o odiaria por reagir dessa maneira e não odiaria a mãe por acompanhá-lo. Ela apenas encontraria uma maneira de contornar esse novo muro alto e fortemente vigiado até o momento em que eles não pudessem mais prendê-la ali dentro.

Em seu quarto, ela trocou a roupa de corrida por um jeans e uma camiseta justa, com um blusão preto com capuz, depois parou na frente do espelho de corpo inteiro que fora da mãe da sua mãe, com estrutura de nogueira polida e esculpida à mão, e escovou o cabelo, tentando ver-se do modo como os pais a viam. Será que parecia obediente? Inocente? Ajuizada? Ingênua? Será que eles ainda a viam como a menina de seis anos correndo descalça pela arrebentação, como em seu retrato que pendia acima do sofá da sala de música? Fez uma careta para o reflexo. Deveria continuar a ser aquela garota? E se, em vez disso, se tornasse A Garota que Fugiu?

Por mais atraente que fosse, a ideia não era realmente uma tentação. Precisava terminar o ensino médio ou não haveria como entrar para a NYU. Não teria acesso a professores de alto nível. Não teria conexões em Nova York para trabalhar na Broadway, nem nada aconteceria de maneira fácil e natural como se ela e Anthony mergulhassem de corpo e alma na cultura do teatro da escola. Por mais que sonhasse com o estrelato, em ser a estrela da Broadway, ela sabia que teria pela frente muito esforço e nem um pouco de boa sorte — mas Thomas Jefferson dissera que o trabalho duro atraía a boa sorte, e ela acreditava nisso de todo o coração. O trabalho duro era apenas ter de aceitar tudo o que os pais jogassem em cima dela nos próximos sete meses. Mas isso não queria dizer que teria de gostar.

Afastou-se do espelho e estirou-se de bruços sobre a cama, sentindo-se vazia e injustiçada. Isso, pensou ela, não era muito diferente de como a jovem futura rainha

Vitória devia ter-se sentido, fortemente superprotegida, para assegurar que viveria para assumir o trono quando o tio morresse. Deitada, Amelia deixou a imaginação correr solta, pensando em vestidos de veludo e tafetá de seda, em espartilhos e rendas, e em interpretar Vitória um dia no palco, ou Elizabeth — ou Medeia, que não hesitaria em punir aqueles que a houvessem ofendido. Amelia deixou a vingança dominá-la, mas sem o papel de um personagem vingativo para guardar esse sentimento, que se dissipou tão rapidamente quanto se manifestara. Ela simplesmente não era o tipo.

O telefone tocou às oito horas, e alguns segundos depois sua mãe gritou:

— Amelia, Cameron está ao telefone. Você quer falar com ela?

Amelia abriu a porta e saiu para o patamar que dava para a sala de estar.

— Posso? — perguntou com deliberado sarcasmo. Isso, ela conseguia.

— Venha para a cozinha — disse-lhe a mãe, depois falou para Cameron: — Ela vai atender em um segundo.

Quando Amelia pegou o telefone, disse:

— Oi, Cameron, desculpe, eu tive de percorrer todo o caminho até aqui embaixo.

— Você está bem? Anthony me contou o que está acontecendo. Ele está muito chateado, como você pode imaginar.

Amelia quis pedir detalhes, mas a mãe estava por perto.

— Teria ligado para você ontem se pudesse.

— Diga a ela que você está com mononucleose infecciosa. Isso é o que a escola vai dizer a todos — disse a mãe.

— Eu preciso dizer que estou com mononucleose infecciosa — disse ela, virando-se de costas para a mãe. — Mas, na verdade, estou em prisão domiciliar.

— Amelia. — A mãe pegou o telefone. — Ela está brincando, Cameron. Eu sinto muito, mas agora ela precisa voltar para a cama e descansar um pouco. Ligue mais tarde, tudo bem?

— Venha me visitar — disse Amelia ao telefone por sobre o ombro da mãe.

— Tenha um bom dia, Cameron — disse a mãe e desligou o telefone. Ela fuzilou Amelia com o olhar.

— Ela já sabe, e, seja como for, o que vocês esperam? — disse Amelia, lançando à mãe o mesmo olhar que recebera dela. — Vocês querem que eu fique simplesmente quieta e aceite tudo, mas não foi assim que me criaram e não é assim que eu sou.

— Eu espero que você coopere conosco — disse a mãe, parecendo magoada. — Será muito mais fácil se você fizer isso.

— Mais fácil para vocês, com certeza, mas seria errado. Mamãe, me diga, como é que você pode pensar que eu sou inteligente e capaz em todas as outras coisas de minha vida, mas quando se trata de Anthony, de repente eu me torno uma imbecil?

— Eu não acho isso. O que eu sei é que as emoções podem inebriar o bom senso. Apaixonar-se pela pessoa errada pode arruinar sua vida.

— Ter certo tipo de pais pode arruinar sua vida.

— Agir de má-fé pode arruinar sua vida — disse a mãe, incisiva.

— É claro, se o que se esconde de uma pessoa é perigoso. — Com o olhar, Amelia desafiou a mãe a discutir a questão. Como isso não acontecesse, ela suavizou o tom. — Apaixonar-se pelo cara certo pode tornar a vida incrível e maravilhosa, não é? Como é que você e o papai imaginam que podem saber o que é certo para mim? Nunca passaram um momento com Anthony. Não sabem nada sobre ele.

A mãe balançou a cabeça.

— Nós não o conhecemos, é verdade. Mas está bastante claro que ele é do tipo que levará você para onde você não deve ir, não acha?

— Eu diria que você e papai estão exagerando — disse ela. — Por favor, mamãe. Eu sei que você não concorda com o papai em tudo isso. Ligue para quem quer que precise para deixarem Anthony em paz.

A mãe desviou os olhos.

— O que foi? — perguntou Amelia. — O que está acontecendo?

— Mesmo que eu quisesse ir contra a vontade dele, não há nada que eu possa fazer. Anthony foi preso ontem.

Amelia olhou fixamente para ela.

— Não pode ser. Cameron teria contado.

— Imagino que ela teria contado se vocês tivessem conversado mais. Olhe, eu não pude fazer nada mesmo naquele momento; era tarde demais. A melhor coisa é aceitar que está tudo acabado e feito. Ele não é a pessoa certa para você, eu garanto.

Que coisa mais irreal, um desvario. Amelia viu o que invocara, alimentara e guardara consigo por 12 maravilhosos meses dissolver-se como um castelo de areia na investida de uma maré crescente.

10

A CAMPANHA DE HARLAN para devolver seu mundo à ordem começou com uma lista, que ele redigiu em letras de forma miúdas numa folha de papel timbrado da Wilkes S.A. Fez isso em sua escrivaninha na Wilkes Honda, sua loja mais importante, enquanto do outro lado das janelas do escritório os consultores de vendas, como eram chamados, atendiam os clientes e falavam das características e da qualidade superior dos automóveis Honda, os melhores da sua categoria. Não incomodava a Harlan nem um pouco que a três quilômetros de distância outros funcionários estivessem fazendo o mesmo com veículos Toyota e a oito quilômetros com Volkswagen. Você diz ao comprador o que ele quer ouvir — isso é o que vende carros.

Ele desejou que a persuasão positiva fosse tão fácil com filhas adolescentes. Em primeiro lugar, o fato de Amelia imaginar-se apaixonada era ridículo para Harlan. Ele já teve 17 anos um dia — certo, 40 anos antes —, e sabia muito bem que os sentimentos que ela estava nutrindo por aquele sujeito manhoso, Winter, não eram diferentes dos que a adorável criaturinha que era Tanya Hill sentira por ele nessa idade. Tanya estivera totalmente disposta a entregar-lhe o coração e tudo mais que ele quisesse, mas aquele amor acabou por revelar-se tão irreal quanto uma nota de 3 dólares.

Ele queria dar a Amelia mais crédito do que atribuía a Tanya. Em todos os sentidos, Amelia era uma jovem superior, graças aos cuidados que ele e Sheri lhe dedicaram o tempo todo. Ele estava razoavelmente seguro de que, quando se tratasse de chegar às vias de fato com Anthony Winter, ela teria muito mais juízo do que Tanya tivera. O problema era que nenhuma garota dessa idade podia ser confiável no que dizia respeito a conhecer a própria mente ou o coração — em especial o coração. E se não fossem detidas a tempo, da maneira como fizera com Tanya na época, elas poderiam nunca criar juízo. Aos 17 anos, elas poderiam casar-se com o diabo de fala mansa cujo Dodge D-17 Especial 1940 envenenado fora conquistado num jogo de pôquer nos fundos de um bar, que o fazia parecer um figurão irresistível em vez do oportunista imprudente que ele realmente era. Disso, eles poderiam ter uma criança que, bonito como ele, não se encaixaria suficientemente bem na lista de atrações depois do trabalho (festas, bares, cerveja, passeios, festas, cerveja, passeios, bares) para receber sua atenção. Uma mulher dessas poderia tornar-se cega ao bom senso por toda a vida e morrer de cirrose com o nome do pilantra nos lábios.

Não. Era preciso deter o trem antes mesmo que ele saísse da estação.

A lista de Harlan para deter o trem começava com o nome de William Braddock. Depois de Braddock, vinham as quatro emissoras de televisão locais e depois os jornais *N&O* e *Wake Weekly*. Com o mesmo zelo que o levara a conquistar o predomínio nos negócios e o respeito não apenas de seus pares, mas também da comunidade como um todo, ele localizou os nomes e números de telefone de todos os diretores de colégios públicos de Raleigh, Wake Forest, Cary e Garner. Conscientizar os educadores do perigo que o jovem Winter representava, pensou ele, era simplesmente a coisa certa a fazer. O avô de Harlan gostava de dizer: "Só depois de lançar uma luz sobre a cobra é que se pode realmente dizer com que espécie se está lidando". Harlan seria a luz para toda a comunidade. Desse modo, ele não só deteria Winter no meio do bote, mas também provavelmente forçaria algumas outras cobras por perto a voltarem para o buraco, para o bem, esperava ele.

— William Braddock, por favor — disse Harlan, estendendo a mão para fechar a persiana de dentro do escritório. — É Harlan Wilkes. — Quando Braddock entrou na linha, ele disse: — Obrigado por me atender. Eu queria apenas acertar umas coisas com você esta manhã.

— Não há problema — disse Braddock. — Estou esperando que depois de uma noite bem dormida tenha mudado alguma coisa em sua maneira de pensar. Como eu disse ontem à noite, dada a natureza do problema, manter Amelia em sua rotina seria realmente a melhor coisa para ela.

— Hum. Bem, tenho certeza de que as suas intenções são boas e você, é claro, é um especialista nessa área, no que diz respeito aos garotos. Mas, e não quero ofendê-lo com isso, você não é pai, e especialmente não é o pai de Amelia. Então terá de deixar "o que é melhor" comigo e com minha esposa.

— Ah — disse Braddock, e houve um curto silêncio na linha. Ele tossiu, e então disse: — Então, se você ainda não mudou de ideia, o que posso fazer por você esta manhã?

— Considerando que o promotor achou por bem prender Winter, eu gostaria de sugerir que você expulsasse o rapaz, como proteção para as outras garotas. Sei que a mãe dele é uma professora aí, mas isso não deve importar, além do mais, você não perderia receita com a saída dele. E já que toquei no assunto: você precisa descobrir como isso aconteceu sob a guarda dela. Winter é o filho dela, e Amelia era aluna dela, o que, a meu ver, significa que ela é duplamente responsável.

— Senhor Wilkes, sua preocupação é admirável, e eu a aprecio. Já comecei a analisar o assunto e lhe asseguro: medidas adequadas serão tomadas assim que a situação for inteiramente conhecida.

— Por que esperar? A cada minuto que ele passa aí, você está colocando em risco todas as garotas sob sua responsabilidade.

— Kim Winter é uma boa professora e uma profissional valorizada aqui — disse Braddock —, mas não importa quem seja a Senhora Winter, o processo legal devido exige que eu submeta o assunto a uma investigação completa e minuciosa. Falarei tanto com a Senhora Winter quanto com Anthony em detalhes, bem como falarei com o conselho consultivo, e as devidas providências serão tomadas.

Harlan suspirou. Homens como William Braddock eram muito presos a "consultoria" e "processo". O homem precisava ter alguma coragem e simplesmente tomar uma decisão executiva e seguir em frente com as coisas.

— Mantenha-me informado — disse Harlan, depois preparou-se para telefonar para o próximo diretor sem fazer uma pausa.

Essas chamadas eram de informações, advertências. Nem todo mundo em sua lista estava disponível para atender à sua ligação. Nos casos em que o diretor não estava, ele pedia para falar com um dos diretores adjuntos. Falava anonimamente, como "um pai preocupado" que, para proteger a identidade da filha, recusava-se a revelar a sua própria.

— Mas eu prometo, isso não é brincadeira. A prisão está no registro público — dizia ele e fornecia todos os detalhes para ajudá-los a encontrar o registro da prisão do Condado de Wake, presumindo que eles, assim como Braddock, teriam de pesar, avaliar e discutir antes de tomar medidas para proteger seus alunos.

O método que usou com os noticiários foi semelhante. Mas ali, tudo o que precisava fazer era colocar os cães na direção do registro de prisão e mencionar que o garoto envolvido frequentava "uma das escolas particulares mais importantes" e sabia que sairiam correndo em busca da história como Docinho costumava sair atrás do gato do vizinho quando ele se aproximava para provocá-la.

Ele estava prestes a contatar os jornais quando a esposa ligou.

— Já decidiu se vai jogar golfe hoje? — perguntou ela, parecendo cansada.

Nenhum dos dois dormira muito na noite anterior e tinham se levantado por precaução às 4h15 da manhã. Sheri foi para o chuveiro, e Harlan, vendo-a ali, esguia e firme como só muitas mulheres com metade de seus 49 anos, tirou a roupa que ele acabara de vestir e entrou no chuveiro com ela. Precisou usar de certa persuasão para fazê-la acompanhar seu interesse, mas prevaleceu. Aos 58 de idade, ele ainda era mais do que capaz de fazer amor em pé no chuveiro — o que não era tão fácil como parecia nos filmes. O próprio fato dessa conquista provocava-lhe um pequeno acesso de orgulho viril, e por que não? Ele conhecia homens uma década mais jovens que recorriam ao estímulo do Viagra e para firmarem-se precisavam ajoelhar-se ou mudar a posição dos quadris.

Depois, Sheri pegou seu roupão e envolveu-o em torno de si mesma sem enxugar-se.

— Está com frio? — perguntou Harlan, ainda de pé na vasta extensão ladrilhada do chuveiro, que era, ele medira, maior do que toda a cozinha do trailer em que crescera.

Havia dois chuveiros e uma dúzia de bicos de pulverização dispostos ao longo das paredes de modo que, se quisesse, poderia tomar um banho parecido com o proporcionado por um furacão de setembro.

— Hum — disse ela, evasiva, e começou a pressionar o cabelo com uma toalha de mão.

— Porque está um pouco tarde para o recato.

Ele riu. Ela não. Ele não insistiu. As mulheres eram extremamente complicadas.

Naquele momento, ao telefone do escritório, ele disse:

— Sabe, acho que vou ficar por aqui e terminar alguns negócios. Na verdade, não estou muito disposto a jogar golfe. Acho que esgotei minha energia esportiva esta manhã.

— Encontrei uma professora particular — disse Sheri. — Ela vai se informar com os professores de Amelia e virá aqui três horas por dia, de segunda a quinta-feira até as férias escolares de inverno. Não sei o que faremos em seguida.

Harlan recostou-se na cadeira.

— Ela não precisará de uma professora particular durante as férias.

— Quero dizer sobre ela ficar em casa por cerca de três semanas sem nada para fazer. Francamente, Harlan, isso é o mínimo. Realmente não sei o que faremos com ela em casa durante a tarde e a noite todos os dias, e todo o fim de semana.

— O que você fazia quando era pequena? Faça exatamente isso.

— Encontros para o chá, diversões em grupo e compras no supermercado? — disse Sheri. — Acho que isso não vai funcionar muito bem na idade dela.

— Eu não quis dizer literalmente. Você é ótima nessa coisa de mãe, é o que quero dizer. A proximidade será boa para vocês, não acha? Vou procurar preencher as lacunas que puder — acrescentou, imaginando-se saindo para passear com Amelia no novo GranCabrio; deixaria ela ficar ao volante e sentir o gosto daquilo que um carro realmente bom proporciona ao motorista; e ela também poderia acompanhá-lo no campo de golfe. Não conseguia lembrar-se da última vez que ela jogara golfe com ele. — E quanto a isto? — acrescentou quando lhe ocorreu outra ideia. — Vamos sair de férias levando seus pais com a gente para o México por uma semana mais ou menos.

— Talvez — disse ela, e sua voz se tornou mais grave. — Você não pode imaginar como ela está hoje. Eu lhe contei que o Winter foi preso, e ela me olhou como se eu tivesse dito que tinha acabado de atropelar o cachorro.

Harlan balançou a cabeça. O fato de Amelia poder ser reduzida àquele estado por causa de alguém, e especialmente por alguém com tão pouco valor de verdade, o fez imaginar no que ele errara — e, mais propriamente, o que Winter dissera, o que fizera para prendê-la. Alguma besteira poética decerto. Amelia, doce como era, provavelmente era vulnerável a isso. Ele deveria ter previsto essa possibilidade. Amelia não se apaixonaria pelo tipo de bandido que encantara a mãe dele. Para ela, teria de ser um artista com QI elevado, que pudesse facilmente identificar uma presa como Amelia, atraí-la e hipnotizá-la com os seus olhos luminosos.

— Tenho certeza de que será difícil para vocês duas — disse ele. — Talvez levá-la para almoçar. Ir até aquele salão que você tanto gosta para fazer as unhas. Quero lhe agradecer, a propósito, por suspender todos os seus compromissos enquanto resolvemos esta situação. Eu faria o mesmo se pudesse.

— Você faria isso? — disse ela sem rodeios. — Nós nos vemos no jantar.

Assim que terminou essa chamada, ele voltou ao telefone. A mulher com que falou no jornal ouviu polidamente, pediu-lhe três vezes para identificar-se, então disse-lhe que informaria ao repórter adequado, mas não fez promessas quanto a uma reportagem.

— Francamente, não estou certa de que isso seja interessante — disse ela.

— Você queria alguém como ele *assediando sua* filha?

— Se eu tivesse uma filha, não quereria que ela fosse assediada, não. Mas, sinceramente, Senhor Quem Quer Que Seja, não posso dizer se o comportamento que você me descreveu é mesmo assédio.

— O promotor acha que sim.

— O promotor acha que deveria ser obrigatória rezar nas escolas públicas.

— Bem, o que há de errado com isso?

— Muito obrigada por seu telefonema — disse ela.

11

PARA ANTHONY, NA TERÇA-FEIRA a escola ainda era a escola e não o circo de rumores em que em breve se converteria. Exceto pela pergunta ocasional de um amigo acerca de Amelia ter contraído mononucleose infecciosa ou se ele, Anthony, ouvira falar disso, ninguém se comportou diferente do normal. A notícia não circulara. Ninguém olhava para ele, ainda, como se tivesse desenvolvido um terceiro olho na testa. Ninguém o evitava nos corredores. Os professores não o viam como digno de piedade, ou objeto de escárnio, e o Sr. Rickman ainda não o tratava como se ele fosse um flagelo e a escola necessitasse desesperadamente de um desinfetante.

A ausência de Amelia, porém, foi uma mancha no dia.

Faltavam quatro minutos para encerrar-se a terceira aula quando Anthony ouviu o ruído do interfone da sala, depois a voz da secretária, dizendo:

— Senhor Rickman, por favor, dispense Anthony Winter para que vá à sala do senhor Braddock.

— Aí, Winter — entoaram os colegas, enquanto Rickman levantava uma sobrancelha e acenava na direção dele.

Embora a ansiedade o fizesse querer correr — não para a sala de Braddock necessariamente, mas para algum lugar, qualquer lugar —, Anthony obrigou-se a andar no ritmo normal pelo corredor até a escada, depois para as salas da administração.

A secretária de Braddock evitou olhar para ele quando disse:

— Entre, ele está esperando por você.

Ele segurou a maçaneta e a girou, esperando nada de bom quando abriu a porta. Um sermão, provavelmente. Conselhos, se tivesse mais sorte.

— O senhor me chamou? — disse ele, como se a visita fosse mais o pedido de um roteiro com algumas piadas para um anúncio matinal, ou para atuar como cicerone junto a um futuro estudante de Nova York.

— Oi, Anthony — disse Braddock. Ele estava sentado no canto da mesa, uma perna da calça arregaçada o bastante para que Anthony pudesse ver o cano de uma meia em tons sobrepostos de marrom. — Semana difícil, hein?

— Já tive melhores.

— Sente-se. Vamos falar um pouco sobre você e Amelia Wilkes.

Anthony sentou no lugar indicado, uma das quatro cadeiras de braços com estofamento de couro.

— O que você quer saber? — perguntou Anthony.

— Você foi acusado de fornecer a ela material impróprio. Eu falei com sua mãe; ela disse que você mandou as imagens a pedido de Amelia. Estou curioso para saber por que Amelia faria isso.

— Minha mãe lhe contou que tenho saído com Amelia desde o ano passado?

Braddock apertou os lábios.

— Ela acabou de mencionar que você vinha saindo, em segredo, sim.

Anthony esfregou os braços polidos da cadeira.

— Então.

— Então?

— O que acontece entre mim e Amelia é particular, certo? Seria... falta de cavalheirismo dizer mais.

— Embora eu admire seu senso de honra, o fato é que não posso tomar decisões embasadas se não tiver informações. — Ele juntou as mãos na frente do corpo.

Anthony considerou o que poderia dizer que satisfizesse Braddock.

— É o seguinte: ela gosta de minha aparência, e eu não me importo que ela tenha fotos minhas. Muito simples. As gerações mais velhas são muito presas à nudez.

— Eu acho que talvez a honestidade seja o maior problema aqui.

— Você acha que, se os pais dela soubessem que estávamos namorando, não teriam chamado a polícia? Eu duvido. Se Amelia achasse que agiriam de maneira racional em relação a isso, ela teria contado a eles desde o início.

Braddock tirou os óculos e esfregou os olhos. Ele parecia mais jovem sem eles, pensou Anthony. Menos como um diretor e mais como um cara que poderia aparecer na cozinha de Anthony alguma manhã de domingo em camiseta e calças de pijama, sentado à mesa com sua mãe — algo que em todos os 18 anos nunca ocorrera a Anthony. Não que ele pensasse muito sobre isso, mas imaginava que a mãe devia ter tido intimidade com alguns caras ao longo dos anos e não o deixara saber. Talvez ela e Braddock mantivessem esse tipo de segredo agora. Nem todo segredo era prejudicial ou vergonhoso; às vezes, os segredos eram práticos. Necessários.

Braddock recolocou os óculos.

— Eu quis conversar sobre isso com você pessoalmente porque acho que é justo dar-lhe uma dianteira. O fato é que estou com um pai que no momento está querendo ver sangue e que, acredito, se tornará vingativo, se não encontrar satisfação em algum lugar.

— O senhor Wilkes — disse Anthony.

— Sim. Ele está convencido de que você é um perigo...

— Qual é! — protestou Anthony. — Um *perigo?* Eu não estuprei ninguém. Eu não bati em ninguém.

— Eu sei, tudo bem, mas, para seu bem, talvez fosse melhor para nós tomarmos medidas com relação à preocupação do senhor Wilkes e manter você fora do caminho do mal. Tenho uma reunião com minha equipe de assessoria na tarde de quinta-feira...

— Que medidas?

— O mais provável seria a suspensão da escola e das atividades extracurriculares, até depois da sua aparição no tribunal.

— Não vejo que sentido há em me suspender. Minha situação não tem nada a ver com a escola e, além do mais, Amelia nem está aqui. Então você não estaria nos impedindo de ter contato.

— O senhor Wilkes acredita que você é um perigo para as garotas em geral. E apesar de meus sentimentos pessoais — disse Braddock, com bastante ênfase no "pessoais" para que Anthony entendesse o subtexto —, é possível que eu seja obrigado a tomar medidas para que...

— Assim que seu rabo é coberto — disparou Anthony. — Não... Eu vou lhe dar um motivo real para me suspender.

Braddock olhou-o sem expressão.

— Saberei mais na quinta-feira e darei um telefonema para você e para sua mãe depois, para que saibam como as coisas correram. Agora pode ir, vá almoçar — disse ele — e fique por lá.

— Ah, nossa, muito obrigado, senhor Braddock. Sinto-me imensamente melhor.

— Anthony...

— Salve seu rabo — disse ele.

Limpando as mãos nas pernas das calças, ele se levantou calmamente, deixou a sala e se dirigiu ao estacionamento dos alunos.

Quando chegou ao carro, ele subiu no capô e, ali, reclinado contra o para-brisa, os olhos fechados, sentiu o calor do sol. Não estava realmente com raiva de Braddock, apenas com raiva em geral. Lembrou-se de uma fala da peça *Henrique VI*, uma produção de verão de que participara dois anos antes, e recitou em voz alta:

— "O homem suporta o que lhe impõe o Fado; nadar contra a maré, fora escusado."

Como se isso ajudasse muito.

Embora Anthony pudesse ser considerado um ator bastante bom no palco, desempenhar um papel todos os dias — um papel que ele não queria, para o qual não se candidatara — desgastava-o até que, às três horas, ele quase não se importava que o resto da tarde e uma parte da sua noite fosse tomados por consultas jurídicas. Eles tiveram de escolher um advogado, e rápido, ou ele iria ao tribunal na manhã da quarta-feira seguinte com pouca ideia sobre o que aconteceria ou como ele deveria lidar com a situação. O tribunal tinha um site na Internet, e ele encontrara a página de perguntas mais frequentes sobre o que esperar, mas que era voltado para as pessoas que tinham sido presas por dirigir alcoolizadas ou acima do limite de velocidade ou por outros delitos em que, caso o réu se declarasse culpado, a pena poderia ser convertida em multa e em pontos perdidos na carteira de habilitação, em vez de tempo de prisão.

O site presumia que a maioria dos réus compareceria sem advogado. Ele não tinha a menor ideia de como representar a si mesmo, ou mesmo se teria a chance de explicar ao juiz o que realmente se passara, e se tivesse, não sabia se este lhe daria alguma atenção. O pai de Amelia provavelmente jogava pôquer com todos os juízes. Ele certamente vendia seus carros e decerto contribuíra com dinheiro para uma porção de campanhas políticas. Sem um advogado para cuidar de seus interesses, Anthony seria tão vulnerável quanto uma orquídea numa nevasca, para usar uma das expressões de seu avô. Ele sentia que o avô não estivesse por perto para emprestar sua sabedoria no caso.

A mãe de Anthony encontrou-o em casa. Ele trocara de roupa, não para um shorts e camiseta, que geralmente escolhia depois de tirar o uniforme da escola, mas para as calças cáqui com vinco e a camiseta polo que ela lhe comprara na noite anterior e deixara sobre a cama. A combinação da roupa com a razão para usá-la poderiam fazer dele um candidato tanto a universitário quanto a criminoso a um só tempo. Shakespeare, pensou ele, teria se divertido muito com a ambiguidade da situação.

— Você está com uma ótima aparência — disse a mãe, tentando sorrir; os sulcos entre seus olhos eram mais eloquentes do que as suas palavras ou seu tom.

— Assim como você — disse ele francamente.

Ela usava uma roupa preta e branca tradicional: calças sob medida, blusa branca, casaco preto com nervuras, argolas de prata simples nas orelhas. Uma mulher confiante, não do tipo cujo filho poderia precisar de um advogado criminal.

A maneira como os nós dos dedos tornavam-se brancos enquanto segurava firmemente o caderninho em que anotara os nomes, endereços, números de telefone e horários dos compromissos, no entanto, contava uma história diferente. Ele queria dizer-lhe para relaxar, e o teria feito, se a culpa não pesasse tanto em seu íntimo. Do jeito que as coisas estavam, depois de ela ter tentado falar com os Wilkes, consultado advogados, comprado as roupas novas que ele estava usando, precisado recorrer à interferência de Braddock, tudo por sua causa, ele se sentia, para dizer o mínimo, um filho decepcionante e indigno.

— Vamos ter de aproveitar de nossa aparência e jantar em algum lugar agradável depois que acabarmos — disse ela.

Essa afirmação, que soava tão razoável quando ela a fez, se tornaria mais uma piada triste enquanto passavam por tudo.

O primeiro dos advogados que consultaram era sócio de um escritório de advocacia composto por quatro nomes tão comuns que o nome da empresa poderia parecer uma piada. Os doutores Jones, Johnson, Peterson e Brown tinham escritórios tão indefiníveis quanto seus nomes, e Brady Johnson, na sala de reuniões vestindo um terno cinza-escuro com uma camisa cinza-claro e uma gravata com um fundo azul tão claro que era quase branco, era igualmente insosso. Seu rosto era redondo e liso e, embora ele não parecesse tão grande no geral, seu queixo fundia-se ao pescoço, sem deixar sequer uma linha de separação. A sua voz, quando falou, era monótona.

— Você é Andy? — disse ele, estendendo a mão por cima da mesa de mogno falso.

— Anthony.

— Certo.

Eles apertaram as mãos, depois Johnson endireitou o paletó, desabotoou-o e sentou-se à cabeceira da mesa.

— Esta é minha mãe, Kim Winter.

Johnson inclinou a cabeça para ela.

— Situação lamentável — disse ele, olhando para o bloco de anotações que trouxera consigo. — Conte-me o que aconteceu.

Anthony fez um breve resumo, dizendo que Amelia era sua namorada e lhe pedira para enviar as fotos — embora não tenha dito quando nem por quê e nem as tenha descrito, a não ser para dizer que estava despido. O advogado fez anotações enquanto ouvia, e então disse:

— Você está com seu mandado de prisão?

Anthony olhou para a mãe, ela abanou a cabeça.

— Ninguém me disse para trazê-lo. Dei todos os detalhes à mulher que atendeu à minha ligação e marcou a reunião.

Johnson correu os olhos pelo bloco de anotações novamente, depois levantou a página de cima, para não encontrar nada escrito embaixo. Cruzou as mãos sobre o bloco.

— Qual é o estatuto a que o vincularam?

— Eu, quer dizer, qual é a acusação? — perguntou Anthony.

— A acusação, sim.

— É como "disseminação prejudicial a uma menor" ou algo assim.

Johnson ergueu as sobrancelhas, como se dissesse: "Que tipo de imbecil não sabe de que é acusado?". Ele disse, com paciência exagerada:

— O problema com esse tipo de acusação é que alguns casos são crimes e alguns são contravenções. Sem saber exatamente qual é o seu, o conselho que lhe darei hoje não será muito específico.

— É uma contravenção — disse Anthony.

— Você tem certeza disso?

— É, quer dizer, era isso o que estava escrito no mandado, e eu pesquisei, portanto...

— Tudo bem, então, vamos trabalhar com isso. Para representá-lo numa contravenção, a taxa inicial é de 2.500 dólares. Quando você deve se apresentar?

Anthony assustou-se com a quantia que Johnson acabara de citar. Dois mil e quinhentos dólares. Dois *mil*. Mais quinhentos. Demorou um instante para que se desse conta da pergunta e então disse:

— No tribunal?

— Sim — disse Johnson, com um meio sorriso, ou talvez fosse um sorriso.

— Na próxima quarta-feira, às nove da manhã — disse Anthony.

— É normal que seja tão depressa? — acrescentou a mãe. — Não seria preciso tempo para, digamos, elaborar uma defesa, se preparar para o que for preciso?

— Senhora — ele consultou o bloco, sufocando um bocejo — Winter, trata-se de uma contravenção, e não obstante, não é como se houvesse um julgamento.

— Não estou dizendo que haveria. Mas o que vai acontecer lá? — perguntou ela.

— Um conversa com o promotor. Nós nos reunimos nessa manhã no tribunal, decidimos o que faz sentido, concordamos sobre as condições; meu trabalho consiste em fazer que Anthony receba a menor punição possível. São apenas alguns minutos e depois vocês estão fora.

Anthony ouriçou-se.

— *Menor punição possível?* Por que eu deveria ser punido afinal? A acusação é uma porcaria.

— Ouça, como eu disse, essa é apenas uma ideia geral. Se guardou o que eu disse — falou ele, fazendo parecer que morrer de tédio seria mais interessante para ele —, precisaria rever a acusação, obter uma declaração sua, consultar a jurisprudência sobre o caso e partir daí. — Ele rodou a cadeira para longe da mesa, levantou-se e ofereceu a mão novamente. — Tenho outro compromisso, por isso, obrigado por terem vindo. Informem-nos o que decidiram. Estamos ansiosos para começar a trabalhar para você — disse ele enquanto Anthony segurava sua mão com relutância. — Angie lhes mostrará a saída.

Nem Anthony nem sua mãe falaram até entrarem no carro.

— O que você achou?

— Eu queria dar um chute nele.

— Ele não inspira confiança, não é? — disse a mãe.

Anthony balançou a cabeça.

— E é um monte de dinheiro só para ter uma conversa com o promotor por cinco minutos.

— É. Mas nós realmente não temos uma escolha, não é? De qualquer modo, tenho algum dinheiro guardado. Nós vamos conseguir.

— Eu não vou deixar você pagar.

— Guarde seu dinheiro para a faculdade — disse ela.

— A faculdade, certo — disse ele, olhando pela janela. — A NYU vai querer colocar meu requerimento no topo da pilha.

A reunião com o segundo advogado foi uma reprise da primeira, a não ser por esse homem, Stevenson Hadley, parecer ter metade da idade de Brady Johnson, duas vezes mais gordura e ser umas de dez vezes mais rico (a acreditar-se em seu terno brilhante, na gravata de seda e nos quatro anéis que usava). A sua taxa era de 4 mil, disse-lhes, olhando por cima das suas anotações, como se para ver se os dissuadira, possivelmente liberando-se para algo mais interessante. Como nem Anthony nem a mãe protestassem, o advogado acrescentou que estava razoavelmente certo de que ele próprio seria capaz de comparecer à audiência marcada de Anthony, embora fosse possível que algo acontecesse e ele tivesse de enviar um sócio.

— Informem Stacy sobre o que decidirem — disse ele, levantando-se. — Agora tenho um compromisso, portanto terei de deixá-los.

— O que somos *nós*, então? — disse Anthony assim que Hadley se retirou para outra sala de reuniões.

— Uma encheção — respondeu a mãe. — Vamos embora.

Do outro lado do centro da cidade, eles pararam num estacionamento público vazio enquanto o sol descia atrás dos edifícios ao redor. Atravessaram uma rua vazia de seu tráfego anterior e entraram no escritório do terceiro advogado, Mariana Davis, sem muitas esperanças.

Por trás da porta de vidro havia uma escrivaninha, à qual encontrava-se uma mulher com a pele mais escura que Anthony já vira. Seus olhos e dentes se destacaram vividamente quando ela sorriu ao cumprimentá-los.

— Vocês são os Winter? — perguntou ela.

Um enorme gato listrado estava acomodado na borda da escrivaninha, a cauda pairando de lado e batendo contra a madeira. Anthony acariciou-o enquanto a mãe respondia:

— Sim. Estamos um pouco adiantados.

— Isso é bom. Sentem-se. Mariana estará livre em breve.

A sala de espera era agradável e bem iluminada, orientada como estava ao lado de uma janela com vista para a rua. Um trio de vasos de plantas de folhas largas estavam centralizados na janela, acima dos quais se via um letreiro branco e alto, de trás para diante do ponto de vista de Anthony, que dizia: *Davis & Associados, Advogados. Integridade, Comprometimento, Resultados.*

Certo, pensou ele, sentando-se numa poltrona simples, mas nova. Ótimo slogan, mas será que deveria realmente acreditar nele? Mais exato seria: *Indiferença, Condescendência, Relutância*, se o que tinham visto até o momento nesse dia representasse os advogados criminalistas — e todos estariam felizes em aliviar sua carteira enquanto você decidia qual era a verdade.

A mãe sentou-se ao lado dele.

— Nada mal — disse ela. — As plantas são um toque agradável.

Cada um escolheu uma revista entre uma dúzia mais ou menos disposta em leque numa mesa de canto. Cinco minutos se passaram, então dez e, depois de esperarem 20 minutos, Anthony atirou sua *Newsweek* sobre a mesa e disse:

— E se eu economizar para nós uma boa bolada e representar a mim mesmo?

— Ah, não, meu filho, você não deve fazer isso.

Anthony ergueu os olhos. Uma mulher negra e alta numa saia marrom listrada e blusa azul enrugada encontrava-se na porta da sala de espera. Seu cabelo era comprido e escuro, puxado para trás num rabo de cavalo simples e pueril, mas seus olhos eram bem profissionais.

— O promotor os comeria no café da manhã. Eu sou Mariana Davis — Era Mariana Davis. Ela ofereceu a mão, e Anthony levantou-se para apertá-la. — Venha comigo e veremos se conseguiremos tirá-lo da encrenca em que se meteu.

A sala de reuniões da Davis & Associados parecia tão espaçosa quanto as outras duas que haviam visitado. Anthony imaginou quantas pessoas tinham-se sentado naquela sala suando figurativa e literalmente, exatamente como ele estava fazendo agora.

— Você trouxe seu mandado de prisão? — perguntou a advogada.

— Não, mas trata-se de uma contravenção, a data para me apresentar no tribunal é quarta-feira e a acusação, acredito, é de "divulgar materiais impróprios para uma menor".

— Bem — disse a Dra. Davis, sentando-se. — O que será que me faz pensar que você já passou por isso uma ou duas vezes até este momento?

— Todo mundo faz as mesmas perguntas. Estou apenas tentando ganhar tempo — respondeu Anthony.

— Ótimo. Tudo bem, então, eis o que sei: a acusação, Estatuto 14-190.15 da Carolina do Norte, Disseminar material impróprio para menores, trata-se de uma contravenção de Classe 1, que em determinadas circunstâncias é punível com pena de prisão. O promotor realmente teve de ir fundo para chegar a isso — disse ela. — Quem, perdoem minha linguagem, o sacaneou?

Anthony sorriu levemente.

— Conhece Harlan Wilkes?

— Wilkes, da Wilkes BMW *et cetera?*

— O próprio.

— Hum. Então talvez isso explique tudo — disse ela. Com um olhar interrogativo, ela considerou os detalhes. — Porque o noticiário local das cinco horas fez a reportagem, apenas alguns minutos antes de vocês chegarem aqui. Você parece mais velho na foto da ficha policial.

— Iluminação ruim — murmurou ele, lutando contra a sensação de afundamento do estômago.

— A foto dele saiu no *noticiário?* — perguntou a mãe. — Como isso é possível?

— Está tudo nos registros públicos, senhora Winter, e a acusação é incomum e provocante, portanto, mesmo que Wilkes não esteja por trás da cobertura, a acusação se destacaria entre a habitual lista de infrações por excesso de velocidade e direção sob efeito de álcool, assaltos sem importância e evasão do comparecimento ao tribunal. Sendo a reportagem principal, no entanto...

— O que disseram? — disse a mãe, fazendo a pergunta que não tinha certeza se queria ver respondida. Quanto menos detalhes conhecesse, menos real a coisa pareceria.

— Disseram que ele tinha sido preso por supostamente fornecer material pornográfico, sobre si mesmo, para uma garota menor de idade de uma importante escola particular. Basicamente — disse ela, avaliando Anthony com um olhar que ele considerou que não perdia muita coisa —, eles o fizeram parecer uma pessoa desonesta ou imoral.

— Como isso pode ser justo? — disse ele e, enquanto falava, seu telefone tocou. O mostrador exibia um número desconhecido. Ele deixou a chamada sem resposta.

— Não é justo — disse Davis. — Mas nossa mídia ganha muito mais condenando o acusado logo de saída, você nunca percebeu? O caso dos jogadores de lacrosse da Universidade Duke é um bom exemplo disso.[6]

— O que podemos fazer para refutar as acusações? — perguntou a mãe.

O telefone de Anthony tocou novamente, dessa vez com uma mensagem de texto. *Noticiário do Canal 11: Queremos seu lado da história*, ele leu. *Conhece bem a garota?*

— Como eles conseguiram meu número? — disse ele, deixando o telefone cair sobre a mesa de reuniões. — O jornal está me mandando uma *mensagem de texto.*

— Desde já, não diga nada, e eu quero dizer absolutamente *nada,* a ninguém... aos policiais, aos jornalistas, a seus vizinhos, a seus colegas de trabalho — disse a Dra. Davis. E você me contrata.

Anthony odiou o sofrimento que estava sendo gravado, pouco a pouco, no rosto da sua mãe a cada reunião naquele dia, a cada pequena bomba de fumaça de pessoas, palavras e eventos desanimadores que explodia ao seu redor.

— Pelo que os outros disseram, acho que seu trabalho é fazer com eu receba uma punição mínima, mas qual seria a pena total? Você sabe, se eu for condenado? — perguntou Anthony.

— Você já foi preso antes, por qualquer coisa?

Ele balançou a cabeça.

— Então, algum tipo de provação, serviços à comunidade com certeza, e esse seria o pior resultado, mas, como esse é considerado um crime sexual, você pode ser fichado como delinquente sexual mesmo contra sua vontade.

— Um *delinquente sexual?* — A mãe dele estava quase fora do assento. — Você não pode estar falando sério!

---

6. Refere-se a um processo criminal de 2006, em Durham, Carolina do Norte, com base em uma falsa acusação de estupro contra três integrantes da equipe de lacrosse — esporte semelhante ao hóquei — da Universidade de Duke. A comprovação da falsidade da acusação levou à exoneração do principal promotor de justiça do caso. (N.T.)

A Dra. Davis levantou uma das mãos.

— Estou, mas sua reação é exatamente correta. É por isso que meu objetivo seria derrubar as acusações.

— Tudo bem: você está contratada — disse Anthony.

— Eu não sou barata — acrescentou a Dra. Davis. — Minha taxa é de 5 mil dólares por delitos graves como este.

— O que me faz presumir que irá ganhar a causa — disse a mãe ardentemente —, com base na situação que acabou de montar.

— Não posso garantir nenhum resultado em particular, nenhum advogado pode, por isso, se ouviu o contrário, não acredite. O promotor do município é o que nos referimos como de "o procurador das vítimas", e as regras processuais duplicam as dificuldades para os advogados de defesa. Não poderei sequer ver o relatório da polícia antes da audiência. Mas eu me preocupo profundamente com a justiça e em dar conselhos eficazes, e terei o maior prazer em lhes mostrar os depoimentos de meus últimos clientes nesse sentido.

Anthony examinou o rosto dela com atenção. Aquela não era uma conversa fiada — ou, se fosse, ela era tão convincente que realmente não importava. Se algum dos advogados com os quais tinham-se reunido naquele dia poderia restabelecer a normalidade da sua vida, essa era Mariana Davis.

— Você está contratada — disse ele novamente.

Poderia haver outros advogados como ela, que talvez cobrassem menos — mas poderiam também cobrar mais, e por quantas mais dessas consultas ele e a mãe teriam de passar até saber que haviam encontrado o advogado certo?

— Apenas me diga o que preciso fazer.

— Bem, para começar, sua mãe deu uma boa ideia da situação quando marcou esta reunião, e eu tenho algumas anotações sobre o caso, mas por que não me conta tudo desde o princípio. Como conseguiu ficar do lado errado em relação a Harlan Wilkes?

Anthony correu as mãos pelo cabelo e imaginou, contra a vontade, o noticiário e a foto de sua ficha criminal, naquele momento a história sensacional da noite para todos aqueles pais preparando o jantar para as suas famílias, todos os aposentados que gostavam de saber das novidades antes de todo mundo, pessoas que mantinham o rádio sintonizado na 101.5 e ouviam o noticiário local ao vivo. Desfazer essa confusão seria uma provação ainda maior do que imaginara.

— Eu acabei ficando do lado errado em relação a ele porque me apaixonei por sua filha — disse ele.

— Isso — disse a advogada — vai ser uma coisa bem difícil de consertar.

12

UM INCÊNDIO COMEÇA PEQUENO — um cigarro caído, folhas ou lixo que alguém queimou, a queda de um raio sobre uma árvore vulnerável — e depois se espalha em todas as direções possíveis, tornando-se tão quente que nada menos que uma torrente, produzida pelo homem ou não, é capaz de extingui-lo. Para propagar-se, ele precisa de apenas de condições favoráveis e combustível disponível para alimentá-lo, crescendo sem consciência, desconsiderando a vida silvestre, construções, orações.

Kim, tendo derramado café em si mesma quando estava prestes a sair de casa, chegou atrasada na quinta-feira de manhã. O estacionamento da faculdade estava repleto e tranquilo quando ela chegou, mas viu que ainda havia alunos do lado de fora do prédio, saboreando os últimos minutos de tempo livre antes de ocupar-se das atividades escolares. Seus pensamentos já se voltavam todos para o trabalho, para os testes que deixara de corrigir e atribuir nota na noite anterior, para os planos sobre o que faria em cada uma das classes que ensinava — coisas que haviam sido planejadas anteriormente, mas a que ela, por causa da prisão de Anthony, não pudera dedicar-se como deveria. Felizmente, seu dia começava no Estúdio de Arte, uma atividade mais de supervisão que de ensino. Ela só precisava coordenar os trabalhos e depois que isso terminasse deixava os alunos dedicarem-se às tarefas.

Ela passou por um grupo de adolescentes que cochichavam e entrou, indo diretamente para a sala da primeira aula. O fogo que com o tempo ameaçaria consumir tudo o que sempre valorizara na vida ainda estava pequeno, ainda em grande parte contido, e sua propagação a princípio era-lhe invisível. Ela seguiu apressada pelos corredores, os pensamentos no relógio, sem a menor noção do calor do fogo, ainda inconsciente de que a notícia da prisão de Anthony já passava de aluno para aluno, de professor para secretária e dessa para o funcionário da manutenção, para o amigo, parente, vizinho, pais, com a velocidade de um sussurro de lado, de um site de notícias encaminhado, uma mensagem de texto, uma risada ou expressão de desprezo ou a pergunta preocupada: "Você soube?", acompanhando um cafezinho numa cafeteria da rua.

Jim Rickman foi o primeiro do corpo docente a abordar Kim diretamente. Ele a deteve à entrada da sala em que ela daria aula no caminho de sua própria sala. Ele era um homem imponente. Alto, com a compleição de um jogador de futebol e os olhos encavados e incisivos de um falcão sob as finas sobrancelhas escuras. Kim não gostava dele. Os alunos não gostavam dele. Ninguém gostava dele, dissera-lhe William, mas ele era incrivelmente bom no ensino de matemática avançada para o pequeno mas importante grupo de alunos que pretendia ingressar nos ferozmente competitivos cursos de engenharia. Kim entendia a política por trás da manutenção de professores como Rickman na equipe. Eles eram uma garantia de qualidade e valor aos pais que, se o filho frequentasse Ravenswood do jardim de infância ao colegial, investiam mais de 200 mil dólares na educação dos filhos (e estariam se preparando para repetir a despesa na faculdade).

Rickman inclinou a cabeça para ela e disse:

— Kim. Soube que nosso jovem Anthony se meteu em encrenca.

Ela se lembrou da recomendação de Mariana Davis para não dizer nada a ninguém e, até o momento, as únicas pessoas com quem comentara sobre o problema foram sua mãe e a amiga Rose Ellen, ambas de confiança, sem dúvida nenhuma. Já Rickman era exatamente o contrário disso.

O problema era que não dizer nada não era tão fácil quando se era colocado na berlinda. Ele e outros esperariam uma resposta verdadeira. Seu impulso foi dizer que não podia comentar o assunto — mas isso poderia fazer a situação parecer mais grave do que era. O que ela queria era defender o filho.

— Foi um mal-entendido — disse ela.

Rickman fitou-a impassível, mas gracejou:

— Claro que foi. Pode contar com minha simpatia.

Depois foi a vez de Audrey Evans, uma mulher alta e de ombros largos, ex-campeã olímpica de natação, que lecionava Educação Moral e Cívica e muitas vezes era uma aliada de Kim quando a conversa na sala dos professores se transformava em discussão, como às vezes acontecia. Audrey acenou para Kim e entrou na sala de aula.

— Vi a notícia — disse ela, enquanto Kim colocava seu suéter no encosto da cadeira. — É verdade?

Kim abriu uma gaveta da mesa e deixou cair a bolsa para o interior dela.

— Não é o que você pensa — disse ela, mas às suas palavras trêmulas faltava a convicção de que precisavam para retardar a propagação do fogo.

— Então o que é? — perguntou Audrey.

Kim quis dizer a ela. Que mal poderia fazer? Audrey certamente seria uma aliada. Não houve tempo, no entanto.

— Um mal-entendido. Vou ter de explicar-lhe mais tarde.

Os alunos da sua primeira aula de estúdio de arte não queriam falar de outra coisa enquanto trabalhavam, apesar de ela dizer que não poderia falar sobre o assunto, o que era verdade, e que não havia nada a dizer, o que era menos do que isso, diante do que os alunos pareciam estar sentindo o cheiro de fumaça no ar. Em história da arte, a segunda aula, foi a mesma coisa — com limitações, no entanto, porque, ao contrário do estúdio, havia pouco tempo para entregar-se à conversa. Na terceira aula, francês I, ela insistiu que, se alguém quisesse perguntar sobre o assunto, teria de fazê-lo *en français*. Para os poucos que conseguiram, ela respondeu do mesmo jeito e, embora esses alunos iniciantes não tivessem o vocabulário para entender o que estava sendo dito, certamente entenderam o tom em cada palavra ambivalente. Kim se preocupou com o fato de todos terem deixado a aula com a curiosidade aguçada em vez de saciada.

Kim estava saindo da sala de aula quando avistou Anthony e alguns de seus amigos enquanto eles saíam para o almoço. Ele parecia crispado, como se também tivesse passado a manhã abafando e golpeando as chamas. Ela quis levá-lo para casa, preparar-lhe uma tigela de sopa de letrinhas, depois ler uma história feliz e colocá-lo na cama para um cochilo, uma rotina que funcionara muito bem quando ele tinha três anos.

Ele disse aos amigos para esperarem e atravessou o corredor até onde ela estava.

— Rickman lhe disse alguma coisa? — perguntou ele.

— Eu o vi antes e tudo o que ele disse foi que viu que você teve um problema. Por quê?

— Ele é um idiota. Ele ficou me chamando na sala de aula, mesmo depois que eu lhe disse que eu não tinha feito a lição de casa ontem à noite.

— Não fez nada?

A voz de um garoto ouviu-se ao fim do corredor:

— Ei, Winter, quando vai sair na revista *Playgirl?*

A esse seguiu-se outro, que gritou:

— Sim, e quando o calendário vai ser publicado? Minha irmã quer um exemplar.

Anthony fez uma pausa, recompondo-se, depois se virou para eles e gritou:

— Ótimo. Por que não perguntam à minha *mãe?*

E, enquanto ele apontava para Kim, ela viu os garotos que o perturbavam, nenhum deles seus alunos. Eles evitaram o olhar dela e passaram apressados, empurrando uns aos outros e rindo enquanto desciam a escada.

— Quem eram esses garotos?

— Idiotas — disse Anthony, voltando-se para ela. — De qualquer modo, não, eu não fiz lição nenhuma. Estava muito ocupado ignorando os telefonemas e as mensagens de texto de praticamente todo mundo de Raleigh. Então, só um aviso: você provavelmente vai ouvir os comentários de Rickman e Edmunds.

— Tudo bem — disse ela, a voz soando cansada até mesmo a seus ouvidos. — Eu acho que, pensei que você poderia considerar a lição de casa como uma distração.

Ele já estava se afastando dela, sinalizando para os amigos que estava chegando.

— Certo, eu gostaria que fosse fácil assim.

Anthony aprendera a ler sobre os joelhos do avô. Nos dias de pouco movimento na livraria, o avô, Phil, puxava um livro das pilhas de exemplares antecipados que os editores lhe enviavam e sentava-se numa poltrona para ler, e Anthony, que adorava o avô, pegava um dos livros que Kim mandara em sua bagagem do dia que passaria com os avós e sentava-se no chão à frente dele, aparentemente tão absorto quanto Phil. Kim muitas vezes os encontrava assim quando regressava do colégio em que lecionava, em Ithaca. Anthony sentava-se de frente para a entrada da loja, como Phil fazia, e debruçava-se sobre as páginas — inicialmente de seus livros infantis de páginas grossas de papel-cartão —, exibindo o mesmo ar concentrado que o avô demonstrava, com os cachos que ela ainda não tinha coragem de cortar pendurados diante dos olhos. Periodicamente, ele segurava o livro, que Kim lera para ele dezenas de vezes, e indicava uma palavra ou imagem.

— Os hipopótamos são interessantes — dizia ele em sua vozinha estridente de quatro anos de idade. — Sabe, eles passam muito tempo debaixo da água.

— É mesmo? — observava o avô, inclinando o próprio livro contra o peito e olhando para Anthony por cima dos óculos de leitura.

— Ah, sim. E eles são *herbissauros*.

— Herbívoros — corrigia Kim, fazendo um esforço para conter um sorriso.

— Herbívoros — repetia Anthony. — Como a mamãe.

Ou, mais precisamente, como Kim tentara ser; a experiência vegetariana, por mais bem-intencionada que fosse, ruíra na primeira vez que sentira o cheiro de bacon frito nas imediações. Daí por diante, tentara manter um equilíbrio de *onivoridade* — outro dos termos de Anthony —, que levava a um de seus pratos sulistas preferidos: o Carolina Classic, um hambúrguer coberto de pimentão e salada de repolho, uma verdadeira ofensa aos herbívoros humanos, sem dúvida nenhuma.

Aos 15 anos, Anthony e as suas conversas tornaram-se um pouco mais sofisticados do que na época da pré-escola. Antes de ir para a ioga num sábado frio, Kim deixara Anthony na loja dos pais em Raleigh, uma versão ampliada da loja de Ithaca, um misto de livraria com uma pequena galeria anexa. Anthony gostava de passar os fins de semana lá — ele levava a lição de casa e acampava num dos sofás, tendo tempo para conversar com os frequentadores e sair com os amiguinhos quando apareciam. Logo ele teria idade suficiente para ir dirigindo sozinho, e em pouco tempo o pai dela começaria a sentir-se mal e, muito, muito rapidamente o mundo dos Winter se desestabilizaria, se abalaria e se racharia ao meio. Mas aquele sábado em especial sobrevivia na lembrança de Kim como uma espécie de exemplo perfeito de como e quem seu pai e seu filho haviam sido.

Quando ela regressou da ioga, sua mãe fez-lhe sinal de dentro da galeria, um salão comprido e estreito, dividido ao meio e cheio de obras de arte originais de todos os tipos iluminadas por luzes dirigidas. As melhores obras da própria Kim — pequenos quadros a óleo de naturezas-mortas ao estilo impressionista — eram oferecidas para venda ao lado de fotos, colagens, aquarelas e esculturas feitas por artistas locais e amigos dela. Para ela, a pintura era uma ocupação semelhante às de outras mulheres que faziam blusas de tricô ou arranjos florais, uma paixão sem muita importância que a acalmava e agradava, um registro tangível da sua existência.

Kim não era um talento notável. As suas habilidades não se transferiam bem para telas maiores. Ela sabia disso e se contentava com o que tinha, o que para ela fazia a diferença entre contentamento e descontentamento. A sua identidade nessa altura se limitava em ser uma professora de adolescentes e mãe divorciada. Não queria ser uma artista profissional, e isso estava ótimo para ela.

O truque para "ótimo", é claro, era ter experiência e contato suficientes com as coisas para ser capaz de identificar os limites exteriores de alguém. Com Anthony, cujos interesses haviam sido, num primeiro momento, tão variados e ilimitados, ela estivera sempre muito ocupada durante as férias de verão — indo de zoológicos a museus, de parques a galerias, de praias a montanhas, de campos de algodão a campos de milho, de oficinas de oleiros, ferreiros e joalheiros a escavações arqueológicas, de mercados do produtor a parques de skate e ciclovias e concertos de todo tipo. A treinos, partidas e torneios de futebol. E a livrarias e bibliotecas. Não havia um dia em que a mesa de cabeceira dele não estivesse abarrotada de livros. Suas leituras incluíam tudo, desde histórias em quadrinhos de super-heróis a livros de H. G. Wells e Michael Crichton a obras do Bardo, como ele se referia a William Shakespeare, de

Marlowe e de Wordsworth. Às vezes, ele esgotava Kim, frustrando-a com seus interesses caprichosos e as despesas que por vezes os acompanhavam. Ela sabia, porém, que o desgaste causado pelo esforço para satisfazê-lo não era realmente culpa dele. O fato era que ela tinha dificuldade de dizer não, pois uma família com pai e mãe poderia ter lidado facilmente com essa criança, e ela por nada no mundo o deixaria sofrer pelos erros cometidos por seus pais.

O fato era que ela se sentia orgulhosa dele. Se Anthony tinha limites exteriores, certamente não os alcançara ainda.

— Quero que você ouça isso — disse a mãe dela naquele dia frio, balançando a cabeça na direção de vozes graves provenientes do lado do prédio em que ficava a livraria. — Seu pai está conversando com ele sobre filosofia literária, entre outras coisas.

Kim desenrolou o cachecol e desabotoou o casaco, escutando.

— Aristóteles diz que é uma falha de julgamento, e não uma falha de caráter, que define o herói trágico. — Esse era Anthony.

— Julgamento, sim — dizia o pai dela —, mas decorrente da falha de caráter. Pense em Édipo, ou em Shylock.

— Pense em Julieta.

— Ela não é um *herói*...

— Heroína, a mesma coisa — disse-lhe Anthony. — A questão é que ela não deveria ter concordado com o plano de Romeu, certo? Era muito arriscado. Ela fez um mau julgamento. Seu amor por Romeu tornou-a imprudente.

Kim aproximou-se da ampla porta que dava para a livraria enquanto seu pai dizia:

— Imprudência: falha de caráter.

Então ela os viu, seu querido pai e seu pupilo ansioso, sentados um em frente ao outro numa das mesas de xadrez no centro da loja. Anthony parecia um homem em quase todos os sentidos. Como era possível, ela se perguntou, que isso tivesse acontecido com o menino cheirando a leite que ela carregara no colo, embalara e alimentara? Uma estranha mistura de felicidade e tristeza brotou em seu peito, junto com um desejo de congelar no tempo aquele momento exato. As coisas que ele estava discutindo eram apenas vagamente familiares a ela, mas o prazer que sentia com a capacidade dele de discuti-las em primeiro lugar foi o mesmo sentido por todas as mães que testemunham as realizações de seus filhos, não diferente de quando o filho dá um passe perfeito no futebol ou recebe um dez numa prova difícil de matemática, ou supera uma fobia, ou disseca, com graça e precisão, um feto de porco na aula de biologia, com o objetivo de um dia tornar-se um cirurgião.

— Mas Julieta não era uma pessoa imprudente — argumentou Anthony. — Acontece que o plano era o único meio que ela conseguia vislumbrar para eles ficarem juntos. Isso é devoção, não é uma falha.

— Lady Macbeth era devotada também, você se recorda, e não há dúvida de que o erro que cometeu foi fatal. Seu homem Shakespeare parecia incapaz de decidir se Aristóteles estava certo.

Anthony riu.

— Não importa. De qualquer modo, Shakespeare era incrivelmente genial. Ele criou as suas próprias regras.

— Sim, ele fez isso, e veja o que aconteceu — disse o pai dela com um sorriso.

— Certo — concordou Kim, aproximando-se deles. — Imagine ser capaz de fazer uma diferença dessas na vida das pessoas. — E, ao dizer isso, ela estava pensando no futuro de seu filho e nas coisas maravilhosas que certamente deveria reservar para ele. Por que mais seria ele tão talentoso e com toda aquela inteligência e emoção, senão porque se tornaria alguém que teria importância no mundo? De que maneira, porém, ela nunca poderia ter imaginado.

13

ANTHONY ACORDOU COM A CAMPAINHA da porta tocando às 10h18 de sexta-feira. Orientando-se (*Sexta-feira, suspenso, mamãe na escola*), ele se levantou, pegou uma camisa, ajeitou a cueca e foi até a janela. Só conseguia ver o para-choque e a luz traseira direita de um carro branco que estacionara completamente sobre a entrada de veículos.

Ele não estava esperando por ninguém. Seus amigos estavam todos na escola, onde, graças à suspensão determinada por William Braddock por "preocupação com você, Anthony, até que tudo isso se resolva", ele não tinha mais permissão de entrar. Num sentido, estava tudo bem com ele. No final da quarta-feira, ele se achava mais do que pronto para sair e não voltar. Então sofreu durante toda a quinta-feira também, porque teria sido uma covardia permanecer em casa. O dia inteiro, fora alvo de olhares e perguntas que não podia responder, senão dizendo: "É mentira, confie em mim", mas nem todo mundo confiava nele. Ele era o cara que enviava secretamente pornografia para garotas menores de idade, um verdadeiro parasita. Com exceção de Cameron e outras poucas garotas de seu círculo, as garotas da escola o evitavam e os professores agiam como se ele vivesse rondando a pré-escola local à procura de vítimas para fotografar ou raptar. A não ser pela marca indelével que restaria em seu histórico escolar, a decisão de Braddock de suspendê-lo era um favor.

O carro do lado de fora, obviamente, não era de uma empresa de encomendas expressas. Era possível que o entregador dirigisse um carro branco e estivesse entregando um pacote que não caberia na caixa de correio. Se assim fosse, tocar a campainha seria apenas uma cortesia, e a qualquer momento ele ouviria o mensageiro retornar ao carro e veria o veículo dar marcha a ré e sair.

A campainha soou novamente. Então era algo que precisava ser assinado. Isso era o que ele esperava quando caminhou até o corredor, desceu a escada e abriu a porta. O que encontrou em vez disso foi uma dupla de aparência sombria de homens de meia-idade, um com uma camisa branca abotoada e calças cinza, o outro com uma camisa de uniforme cáqui, gravata preta e calças pretas. O primeiro segurava uma folha de papel.

— É o senhor Anthony Winter?

— Por quê? — perguntou Anthony, então, pensando melhor sobre sua atitude, disse: — Sim. Por quê?

— Eu sou o investigador Ronald Winship, do gabinete do xerife do Condado de Wake. Este é o policial Morales. Tenho aqui um mandado de busca para encontrar e retirar da propriedade todos os itens relacionados.

Ele entregou o mandado a Anthony. Era semelhante ao seu mandado de prisão, um formulário padrão policial com espaços para preencher que, nesse caso, dava permissão para buscar e retirar sob custódia uma lista de coisas que fez Anthony arregalar os olhos enquanto lia: computador pessoal laptop, computador pessoal desktop, todos os aparelhos de armazenamento de dados portáteis, aparelhos de armazenamento de mídia portáteis, qualquer celular pessoal ou de uso comercial que tivesse câmera e/ou capacidade de exibir imagens, todos e quaisquer aparelhos de armazenamento de dados portáteis de telefonia celular e qualquer tipo de câmera, digital ou outros, e aparelhos de armazenamento de dados portáteis aplicáveis que ele ou sua mãe pudessem possuir, juntamente com os cabos necessários para ligar os aparelhos.

— Esperem um pouco. O que é isto? — perguntou ele, embora tivesse uma boa ideia da resposta.

A questão era: ele não previra a chegada da polícia em busca de seu computador, muito menos de qualquer outro equipamento. Preocupara-se apenas que sua mãe quisesse verificar, então deslocara algumas coisas do computador para uma unidade de gravação portátil e outras protegidas por senha. O que seria um bom subterfúgio em circunstâncias normais. O que era "normal", no entanto, não se aplicava mais.

— Um mandado de busca e apreensão dos itens como está declarado. Por favor, afaste-se e nos permita entrar.

Anthony ficou na porta enquanto tentava pensar numa maneira de detê-los.

— Eu devo, então, supostamente entregar-lhes todas as minhas coisas?

Winship inclinou a cabeça e fez uma observação sobre o mandado.

— Exatamente. Preferimos que entregue tudo de boa vontade, mas estamos autorizados a fazê-lo por todos os meios necessários.

Anthony viu o policial levar a mão à cintura, onde um único coldre escuro guardava uma pistola e as algemas com que estava familiarizado demais. Todos os meios necessários. Ele não conseguia acreditar que pudessem realmente atirar nele mas, que diabo, talvez fossem capazes disso. Ou talvez o levassem de volta à prisão para outra conversa com o magistrado.

— Olhem, eu não quis dizer que *não*... Então, sim, certo, acho que vocês devem, há, entrar. — Ele se afastou da porta para que pudessem entrar.

— Vou começar por aqui — disse Winship.

— Talvez eu devesse telefonar para meu advogado primeiro? — disse Anthony.

— É claro, telefone — disse o policial —, mas isto é um *mandado*. Seu consentimento não importa aqui. Podemos detê-lo durante a busca, se necessário.

Ele se lembrou da sensação do metal frio contra os ossos do pulso.

— Não há necessidade. Eu vou só, minhas coisas, elas estão lá em cima, então vou buscá-las...

— O policial Morales irá acompanhá-lo — disse Winship.

— Ah. Certo, tudo bem.

Anthony subiu a escada à frente do policial em direção ao seu quarto, desejando ter-se vestido antes de ir até a porta. Uma rápida olhada confirmou que seu telefone não estava à vista, como pensava. Estaria debaixo do lençol ou do travesseiro, ainda à espera de Amelia ter acesso a algum telefone para ligar para ele. O pouco que ouvira falar dela desde segunda-feira fora unicamente por intermédio de Cameron, que lhe falou da história forjada dos Wilkes alegando que Amelia estava com mononucleose infecciosa. Àquela altura, é claro, graças aos abutres que haviam relatado sua prisão, todos sabiam que ficara preso sob a acusação de pornografia e, embora a maioria não relacionasse os problemas legais dele à ausência de Amelia, seus amigos mais próximos já o tinham feito. A tarefa de Cameron no momento era abafar as coisas para que Amelia ficasse a salvo dos lobos que vinham mordendo seus calcanhares a semana toda. Além de mantê-lo a par de como Amelia estava passando e informar Amelia de que ele estava bem.

— Por que o mandado foi expedido? — perguntou ele, pegando as suas calças jeans do chão onde deixara e vestindo-as. Não que vestir as calças fizesse alguma diferença de verdade; a violação aconteceria de qualquer maneira.

— São necessárias informações adicionais referentes à sua prisão no início desta semana.

— Como o quê?

— Como informações adicionais.

— Quando vou pegar minhas coisas de volta? — disse Anthony, estendendo a mão para a gaveta de cima da escrivaninha.

— Devagar! — gritou o policial, para surpresa dele. Por cima do ombro, Anthony viu o homem de pé com a mão na arma.

Anthony afastou-se para que o policial pudesse ver claramente as suas mãos enquanto abria a gaveta. Enquanto abria bem de-va-gar. As suas mãos tremiam.

— Eu não... quer dizer, não se preocupe, eu nem sequer possuo uma arma. Nem mesmo uma arma de chumbinho. Eu já joguei paintball, mas vendi o marcador no eBay algum tempo atrás. — A câmera achava-se bem em cima de onde sempre estivera, sem uso, por meses; era Amelia que a usava. Ele a tirou da gaveta e a entregou. — O cartão de memória está dentro dela.

Morales abriu a porta de acesso à bateria da câmera e, sim, a memória estava lá, depois a fechou.

— O iPod também — disse ele, indicando com um movimento de cabeça.

— Por que você precisa disso? — perguntou Anthony, o medo rastejando por dentro dele, preenchendo-o, revirando seu estômago e intestinos.

Eles não encontrariam fotos dele ali; encontrariam as fotos de Amelia. Imagens belas, incríveis, do final do verão, obtidas dentro de um celeiro abandonado, imagens que não eram para ser vistas por mais ninguém. A sua senha não seria nenhum impedimento para os técnicos encarregados de recuperar ou remover os dados.

— *Todos* os aparelhos eletrônicos de armazenamento de mídia. Não tente alterar os dados — disse Morales, a mão estendida.

Anthony os tirou da sua mesa de cabeceira e deu ao policial. Morales desconectou os fones de ouvido.

— Pode ficar com eles. Onde está o cabo de força?

— Aqui, ligado a meu computador — disse Anthony, indo para sua mesa e desconectando o cabo do iPod. — Este é um desktop, obviamente, então...

— Eu só preciso da CPU — disse o policial. — Não tente ligá-lo. Desligue a alimentação, periféricos e pen drives... é do que vou precisar levar lá para baixo.

— Quando vou pegar minhas coisas de volta? — perguntou Anthony de novo, enquanto desconectava todos os cabos da parte detrás do computador.

As suas mãos estavam suadas, e ele não conseguia impedi-las de tremer. Se eles encontrassem tudo o que estava armazenado em seu computador, em seu iPod e em seu telefone, seus problemas poderiam estar apenas começando. Eles o haviam prendido com uma acusação que ele nunca soubera que existia, por isso não havia como dizer o que mais poderia enfrentar. Pior ainda, se o pai de Amelia recebesse o relatório, iria prendê-la ou mandá-la para fora do país. O pai pediria uma ordem de restrição que proibiria Anthony de aproximar-se dela. Ele sairia atrás de Anthony com tesouras de poda e uma corda para enforcá-lo.

— Porque, você sabe, tudo o que eu faço, lição de casa, e-mails, conferir o noticiário, o tempo, quero dizer, minha vida está toda aí — disse ele.

Além de mais fotos, e-mails e as coisas que escrevera sobre ela que eram intensamente privadas. Imagine se Wilkes se apoderasse do soneto em que ele falava do sabor de salmoura do mar dela ou da inclinação suave das suas coxas? Imagine se ele lesse a passagem do diário do dia em que cabularam as aulas da tarde e fizeram amor três vezes na floresta perto do Lago Falls? Os detalhes — posições, tentativas de gestos que não tinham experimentado antes — não eram adequados aos olhos de nenhum pai, e muito menos um pai que considerava a filha não só inexperiente, mas também casta.

— Quando a investigação for concluída e o caso resolvido, você poderá buscar tudo de volta — disse o policial.

Anthony terminou de desengatar os cabos e virou a CPU de lado.

— Quanto tempo isso leva normalmente?

Morales fez uma pausa e então perguntou:

— Você está empregado?

— Estou. Trabalho em meio período, ainda não terminei o colegial.

O policial não perguntou por que ele não estava na escola aquela manhã, talvez a resposta fosse evidente. O que ele disse foi:

— Você pode querer pensar em investir em novos equipamentos.

— Está falando sério? Isso tudo? Como pode ser legal? — Anthony olhou para o policial, cujo rosto redondo e suave não revelava nenhuma opinião. — De qualquer maneira — disse ele —, já contei à polícia o que aconteceu. Ela também já contou, e nossos depoimentos bateram, a polícia me disse isso. Não vejo por que isso tudo é necessário. — Ele nunca devia tê-los deixado entrar. Mas que escolha tinha? Um pavor azedo subiu-lhe pela garganta, e ele pensou que poderia estar doente.

— Leve isso e vá à minha frente lá para baixo — disse Morales, num tom que lembrou a Anthony qual deles estava de posse de uma arma e da autoridade para usá-la.

Anthony engoliu em seco e obedeceu.

Na sala de estar, Winship aguardava com diversos sacos vazios nas mãos, de tamanhos variados. O policial entregou-lhe a câmera, e Winship escolheu um dos sacos, cada um dos quais era claramente assinalado com a palavra *Prova* em letras garrafais, e largou a câmera dentro dele. Ele usou uma caneta para escrever sobre o saco, depois o colocou sobre a mesinha de centro e pegou um rolo de fita.

— Coloque isto aqui — disse ele a Anthony, então lacrou rapidamente com a fita adesiva as unidades de disco antes de enfiar um saco de provas por cima da CPU e depois segurar o saco, no qual escreveu, como fizera antes.

Eles repassaram a rotina com a unidade de pen drive.

— Seu telefone, filho, onde está? — disse Winship.

— Perdi.

— É mesmo?

— Procurei por ele em todos os lugares. Não sei o que aconteceu com ele — disse Anthony.

— Sente-se então. O policial Morales vai lhe fazer companhia enquanto eu tento resolver esse problema.

— Ele não está aqui — disse Anthony. — Tenho certeza de que o perdi no shopping. Liguei para o número, mas ninguém respondeu ainda. Provavelmente foi roubado.

Winship acenou para Morales, que colocou a mão no ombro de Anthony e empurrou-o levemente, uma sugestão, um incentivo, para que se sentasse.

Ele se sentou e ouviu desconsolado enquanto o investigador andava por seu quarto bem acima deles. Seu pulso estava acelerado, fazendo a cabeça latejar. Morales estava com as pernas abertas, as mãos cruzadas atrás das costas, observando Anthony, sem dizer nada, à espera do que Anthony suspeitava que ele que sabia estar prestes a acontecer.

— Eureca! — gritou Winship.

Morales sorriu para Anthony.

— Boa tentativa — disse ele.

Quando eles finalmente foram embora, Anthony caminhou da porta da frente para a detrás, da sala para a cozinha, os pés percorrendo uma linha reta, porque seus pensamentos não seguiam em linha reta. Fora estuprado e roubado, era assim que se sentia, no meio de uma farsa — e ele não podia chamar a polícia e relatar os crimes. Ele sabia que deveria contar à sua mãe, mas não queria telefonar naquele momento e atrapalhar o dia dela. Não podia telefonar para Amelia. Deveria, ele imaginava, telefonar para Mariana Davis, para que pelo menos ela soubesse que ele fora ferrado uma vez mais. E para perguntar sobre o que poderia fazer para proteger Amelia. Talvez Davis fosse capaz de conseguir uma liminar ou algo assim, o que quer que fosse, para impedir que a polícia investigasse mais. Será que eles não precisavam de um *motivo válido* para fazer isso? Ele tinha certos direitos, não tinha? Se tivesse um maldito computador, poderia pesquisar isso.

O cartão de visita da advogada estava preso à porta da geladeira. Anthony pegou o telefone de casa e ligou para o número dela. Quando a assistente transferiu a ligação, ele disse:

— A polícia acabou de vir aqui com um mandado de busca e levou praticamente todos os aparelhos eletrônicos, menos o televisor, e eu preciso saber se você pode detê-los e, se não puder, preciso saber se o que encontrarem em meus equipamentos poderá chegar ao conhecimento de Harlan Wilkes.

— Tudo bem, em primeiro lugar, tome fôlego. Você está respirando, bem e profundamente?

Ele fez o que ela dizia, sentindo um pouco da ansiedade escapar enquanto expirava.

— Sim, estou respirando.

— Muito bem. Nesta altura, se eles já conseguiram um mandado, não é provável que eu possa detê-los. Conte-me o que eles vão encontrar — disse Davis, e depois que ele contou, ela respondeu: — Hum. Isso é lamentável. É melhor você se preparar. O Wilkes pode tornar-se o menor de seus problemas.

— Se você está se referindo a um estupro, então a) tudo foi consensual, e b) eu pensei que isso só se aplicasse a pessoas com menos de 16 anos — disse ele.

— Ah, não, é inteiramente legal vocês dois terem relações sexuais. Não quero ser alarmista, tudo bem, por isso não vou prever nada especificamente. Mas se o promotor tiver uma pá e uma lanterna para escarafunchar nos estatutos, ele poderá desenterrar algumas acusações feias contra você. Eu trabalhei no Condado de Wake durante seis anos e posso lhe dizer: Gibson Liles, ele é o promotor, tem uma veia moral que faria um pregador querer adotá-lo.

Anthony encolheu-se, pensando naquele tipo de homem em sua mesa com as fotos, e-mails e detalhes de seu diário espalhados diante dele como um banquete. Ele se encolheu ainda mais ao pensar em Liles telefonando para Harlan Wilkes —

eles provavelmente já eram amigos — para comentar com ele sobre o caminho pelo qual sua filha estava enveredando.

— Estou preocupado com Amelia. Ela já está sob lei marcial em casa.

— A sua lealdade e preocupação são admiráveis, mas nada práticas. Temos de nos concentrar em você neste momento.

— Não sou eu contra ela.

— Será.

SEGUNDO ATO

O que é essa coisa que fabrica nossos sonhos
e depois se afasta de nós?

QUENN

14

KIM WINTER PAROU DENTRO DE SEU CLOSET, um pequeno aposento que o dono anterior da casa equipara com painéis de cedro, e respirou fundo. O aroma penetrante sempre lhe lembrava sua casa em Ithaca e, naquela noite, uma época mais simples. Em Ithaca, nunca sentira essa ansiedade quando se preparava para um encontro — porque, em Ithaca, nunca namorara um homem que não devia namorar com ela, e que realmente não deveria, naquele momento, encontrar-se com ela romanticamente quando o filho dela, um aluno sob sua responsabilidade dele, estava tendo um desentendimento com o pai de outro de seus alunos, e com a Justiça.

Loucura, isso que era aquilo. Ela sabia disso. William também sabia. E, no entanto, ele esperara lá no estúdio de arte naquela manhã depois da saída dos alunos, observando enquanto ela fazia o que era sua terceira passagem numa tela de dez por dez centímetros na qual estava pintando um rouxinol, e disse:

— Eu adoraria ver você mais tarde.

Ela empurrou o cabelo rebelde do rosto usando as costas da mão e olhou para ele de forma crítica.

— Não pode ser verdade.

— Sim, é verdade. Ainda está brava comigo?

Ela estivera. Por uma semana o evitara na escola, mas evitara todo mundo menos seus alunos, amaldiçoando intimamente a atitude rigorosa dos integrantes do conselho consultivo da Ravenswood, que recomendara por unanimidade que Anthony fosse mantido suspenso até ser inocentado — *se* isso acontecesse —, e amaldiçoara William por ceder à decisão. Ela lhe perguntou então:

— E se ele não for inocentado?

— Uma coisa de cada vez, certo? — respondeu ele.

Uma coisa de cada vez. Quem, alguma vez na vida, tinha esse luxo?

No entanto, no momento em que ele a encontrou no estúdio da escola trabalhando no rouxinol, sua raiva se dissipara. Ela tivera tempo de pensar sobre o assunto, de conversar com sua mãe, de falar com Rose Ellen, que dissera:

— E eu que pensei que a gravidez inesperada da namorada de Mark fosse estressante. Mas, escute, a confusão em torno de Anthony não é culpa de William, certo? Se nossos filhos mantivessem o zíper fechado, eles não *teriam* esses problemas.

Kim tinha de concordar. E, considerando a situação, ele estava certo em suspender Anthony. Ela deixou o pincel de lado e disse a William:

— Não, eu não estou brava. Eu compreendo e, realmente, ele está melhor em casa.

— Então, passarei para pegá-la — disse ele, seus olhos tão sinceros, tão *azuis* por trás dos óculos de aro de metal.

Kim sentiu uma vibração no estômago. O que causava essa sensação de borboletas — o que causava isso *fisicamente?* E por que William tinha de provocá-la com tamanha facilidade? Ela realmente devia ser sensata, resistir.

— Encontro você no local — disse ela.

— Ainda não escolhi um local.

Ela sorriu.

— Escolha.

Naquele momento, Kim estava no armário de calcinha e sutiã, incapaz de decidir-se entre usar uma saia, um vestido ou calças compridas. Eles iam a um pequeno bistrô intimista, onde se ouvia um trio de jazz que tocava ali nas noites de sexta-feira. Se aquela noite tivesse acontecido duas semanas antes, ela se sentiria animada, ansiosa de um modo totalmente diferente. Na presente situação, o vazio em seu estômago e a maneira como se controlava de dentes cerrados eram como se estivesse se preparando para a avaliação de um péssimo desempenho (que nunca tivera, mas sempre, sempre temera). Queria encontrar-se com William, na verdade estava ansiosa para encontrar-se com ele, e ainda assim não havia como negar que o momento era incrivelmente ruim.

Essa avaliação de um péssimo desempenho por certo viria, apesar de relacionar-se ao papel de mãe e não ao trabalho, e provavelmente não por parte de William. Viria de outras mulheres cujos filhos tinham conseguido ou evitar ou fugir do confronto com a Autoridade Moral. William estaria mais preocupado com a manutenção da ordem na Ravenswood, estando ele próprio sujeito a julgamento. Como, a Autoridade por certo perguntaria — já começara a perguntar, se fosse para dar crédito aos rumores —, ele poderia ter permitido um ambiente tal como o que propiciara comportamento como o de Anthony? Esse comportamento era esperado na escola *pública;* em que o dinheiro das mensalidades estaria sendo gasto, se não numa experiência educacional que fosse em todos os sentidos superior?

Se escolhesse o vestido que idealmente vestiria para esse tipo de restaurante — por exemplo, aquele colante sem mangas de seda bordada cor de ameixa que comprara na Itália por quase nada —, será que William estaria mais propenso a deixar de lado as próprias ansiedades a respeito da situação de Anthony, ou será que pensaria que ela estaria tentando distraí-lo ou influenciá-lo? E, bem, não estava mesmo? E ao convidá-la para aquela noite (independentemente do que ela pudesse usar), não estaria ele, basicamente, dizendo que queria que ela o distraísse e influenciasse?

Ela gemeu. Por que isso tinha de ser tão miseravelmente complicado? Olhando para o celular, que descansava sobre uma pilha de camisetas dobradas, ela estendeu a mão para o aparelho. Quão mais fácil tornaria as coisas se simplesmente cancelasse o encontro. Nada de vestido, nada de tensão. Ela poderia ficar em casa, preparar para si mesma um sundae de chocolate com macadâmia. Começar aquele novo romance de Elizabeth Berg que a mãe acabara de ler. Ela poderia passar roupa, ou fazer qualquer coisa.

— Ah, apenas resolva isso — disse ela, devolvendo o telefone ao lugar onde estava.

Escolheu o vestido cor de ameixa e um cardigã preto delicado, e o bracelete de prata gravado que os pais haviam lhe dado quando Anthony nasceu.

— Para lembrá-la de que você ainda é você — dissera-lhe a mãe, prendendo-o em torno do pulso de Kim.

Ao longo dos anos, Kim descobrira que sempre escolhia esse bracelete quando precisava dessa lembrança. Era tão fácil, muito mais fácil do que imaginava quando partira em viagem, perder-se nas obrigações da maternidade e não perceber que desaparecera. Aquela noite, ela queria ser Kim Winter, artista amadora, amante da cultura francesa, amante do mar, das florestas, do cheiro persistente de chuva nas folhas caídas. Queria recuperar Kim Winter, amante.

Saiu do closet e parou na porta do quarto de Anthony para dizer que estava saindo. Encontrou-o deitado na cama, os pés apoiados na cabeceira, lendo um livro fino que segurava numa das mãos com a capa dobrada para trás. Na outra mão, estava o amuleto que Amelia lhe dera. Ele o virava de um lado e do outro, e passava de dedo em dedo com a destreza de um ilusionista.

— O que é que você está lendo? — perguntou ela.

— Poemas de Shakespeare. "O Estupro de Lucrécia", "Queixa de um Amante", coisas assim. — Ele colocou o livro sobre o peito.

— Pensei que tivesse sido escalado para trabalhar esta noite.

— Eric me deu a noite de folga.

— Por quê?

Isso parecia contrário à índole do dono e gerente do local de trabalho de Anthony, um homem meticuloso, sóbrio e solteiro, cuja existência toda centrava-se na música e em sua produção e reprodução, e no funcionamento da sua loja. Ela não conseguia lembrar-se de uma única vez durante o ano em que Anthony estava trabalhando lá em que Eric tivesse alterado a escala de trabalho de modo que aparentasse generosidade.

— Deu na telha dele — disse Anthony, muito casualmente.

— Tente de novo.

— Tudo bem, eu sei. — Ele deteve o amuleto e fechou a mão em torno dele. — Ele me pediu para ficar fora no momento. Acha que talvez eu seja ruim para os negócios. Seja como for — disse Anthony, não dando à mãe chance de protestar contra o que certamente não poderia ser verdade —, você está fantástica. Aproveite a noite, o que quer dizer: não fale sobre mim — disse ele ironicamente. — Tire a noite de folga.

Kim forçou um sorriso.

— Obrigada. Vou tentar. Você deve fazer o mesmo. Talvez encontrar algo mais para cima para ler.

— Para cima. Taí um conceito novo. — Ele baixou os pés da cabeceira e virou para o lado, apoiando a cabeça na mão. — Mas, ei, eu não quero aplacar minha ira.

— Talvez devesse sair também. Tem algum plano?

Ele deu de ombros.

— Talvez.

Os onze dias de separação, durante os quais Cameron McGuiness fora sua única ligação com Amelia, haviam sido um esforço e um teste de resistência diferente de tudo que o futebol já exigira dele. A seu crédito, ele passara a maior parte do tempo trabalhando na peça que estava escrevendo para o projeto de conclusão de curso, começando de novo, redigindo-a à mão num caderno. Ele não comentava muito sobre isso com ela. Mas ela sabia, com certeza, que não era uma comédia.

— Teve notícias de Amelia?

— Como se isso pudesse acontecer — disse ele.

— Por Cameron, quero dizer.

— Nada de novo — disse ele, mas desviou o olhar.

Ela foi até ele e o beijou na têmpora.

— Fique bem.

— Como pode imaginar que não ficaria? — disse ele.

Ela desejou ter algum meio de consolá-lo. E, já que estava desejando, desejou ter podido fazer um trabalho melhor do ponto de vista materno no que dizia respeito ao amor e ao sexo adolescente e aos recursos explosivos da eletrônica. Ou que tivesse sido mais capaz de policiar a si mesmo e a Amelia. Desejou que tivesse escolhido uma garota que não precisasse enganar os pais.

— Não pretendo voltar tarde. Mas, se você for a algum lugar, deixe-me um bilhete e tranque bem a casa.

— Não é o que sempre faço? — disse ele, retomando a posição em que ela o encontrara.

— Sim, é. Você faz — disse ela, como um pedido de desculpas e um reconhecimento. — Não é que isso me importe. Só estou um pouco dispersa, sabe?

— Eu que sei — disse ele, acenando um boa-noite.

Lá fora, Kim fechou a blusa e abotoou o botão de cima, depois saiu da casa e embrenhou-se num mundo banhado pelo crepúsculo. Permaneceu na varanda tempo suficiente para sentir o aroma mentolado da erva-cidreira em seus canteiros de flores, para admirar o intenso azul que se aprofundava no céu e a varredura de dois morcegos cruzando seus caminhos sob a iluminação pública, onde os insetos ainda fervilhavam em novembro. Anthony ficara encantado com isso no primeiro ano que haviam passado na Carolina do Norte. Kim ficara encantada com a razão para isso: os dias quentes que, na maioria dos anos, continuavam até dezembro. Uma mulher de 20 e poucos anos passou correndo com um grande cão ao lado, a coleira tilintando, e depois a noite ficou tranquila novamente, interrompida apenas pelo ruído dos saltos não tão sensatos de Kim tocando a calçada enquanto caminhava até o carro.

Enquanto dirigia para fora do bairro, Kim tentou livrar-se do estresse — não era algo fácil, apesar do vestido, da pulseira e dos sapatos. Precisaria livrar-se de uma porção de coisas. Ela se arrastara ao longo dos dias que se seguiram à sua descida ao mundo da defesa criminal com raiva dos Wilkes, furiosa com as emissoras de televisão e com o modo como enquadravam a situação, enojada com a reportagem publicada na primeira página do *Wake Weekly* na quinta-feira de manhã e pronta para despachar cada repórter que ligava para sua casa ou para a escola ou telefonara ou enviara mensagens de texto para Anthony. Mesmo que Harlan Wilkes fosse o estímulo, como Mariana Davis sugerira, por que será que estavam fazendo tanto por tão pouco?

O pior, porém, fora o animado repórter da televisão que fora à casa deles à procura de Anthony na segunda-feira à tarde, enquanto o furgão da emissora identificado em cores vivas permanecia provocativamente estacionado junto ao meio-fio. Um jovem magro, de cabelo escuro penteado com gel, foi até a porta.

— Olá, Anthony está casa? — perguntou, como se o estivesse convidando para sair e divertir-se.

Ele estava em casa. Por causa da suspensão, ele estava em casa e melancólico. Ele mandava mensagens de texto para Kim várias vezes ao dia, desabafando, fazendo com que ela ficasse, cada vez mais, aborrecida *por* ele e aborrecida *com* ele. Ele precisava acalmar-se e manter uma perspectiva positiva, não se queixar de William, ou de Harlan Wilkes, ou da mídia voraz e da história obscena que estavam construindo a partir das parcas informações de que dispunham. O jornal estampara em letras garrafais: HOMEM DE RALEIGH PRESO POR ASSEDIAR ALUNA DO COLEGIAL.

— Não, ele não está aqui — disse Kim ao repórter.

— Eu gostaria de falar com ele sobre...

— Ele não está em casa, eu disse.

O homem olhou para o carro de Anthony, que estava estacionado junto ao meio-fio em frente à casa.

— Você é a mãe dele? Posso lhe fazer algumas perguntas? — disse ele.

Se Kim possuísse garras, teria dilacerado o rosto do repórter. Ela se forçou a manter a voz calma e uniforme.

— Não, você não pode.

— Nenhuma declaração? As pessoas gostariam de saber o lado de Anthony da história.

— O lado *dele*? Elas nem sequer conhecem... — Ela quase dissera o nome de Amelia antes de lembrar-se que a identidade dela era protegida por causa da idade. Não que essa prática precisasse ser observada pela mãe do acusado, mas Kim não estava disposta a complicar a situação, dando a Wilkes mais uma razão para desprezar Anthony. — Elas nem sequer sabem realmente o lado *da garota* — disse ela —, por isso não importa muito se não souberem o dele também.

Se ela desse um exemplo de sensatez, ainda poderia haver uma possibilidade (mínima, é claro) de os Wilkes relaxarem sua posição e os dois jovens poderem retomar seu relacionamento. Eles bem que poderiam ser capazes de um dia olhar para trás para essa semana e, se não rissem a respeito, pelo menos sorrissem com tristeza e abanassem a cabeça. Essa, eles todos poderiam dizer, foi uma situação *bem* louca, mas tudo está bem quando acaba bem!

Kim, com isso em mente, disse ao repórter:

— Trata-se realmente de um mal-entendido. Um engano.

— É mesmo? — perguntou o repórter, ansioso, fazendo Kim arrepender-se de ter dito algo. — Por que isso? O que aconteceu?

— Mariana Davis terá prazer em responder às suas perguntas — dissera Kim.

Ela fechou a porta e se virou para encontrar Anthony observando-a de onde se encontrava, sentado no alto da escada, os braços em torno de si, a boca bem fechada, uma raiva contida nos olhos.

Naquele momento, ela parou o carro num estacionamento em frente ao restaurante, desejando poder relaxar, desejando que a presença de Anthony no tribunal dois dias antes tivesse sido o fim das coisas. Em vez disso, eles compareceram às nove horas, juntamente com muitos outros cidadãos infelizes (alguns dos quais carecendo terrivelmente de um banho) e esperaram ansiosamente para ver Mariana Davis. Quando ela chegou, 40 minutos depois, uma dentre os 12 advogados que zanzavam pela sala, tendo sussurrado consultas com os clientes e uns com os outros, eles a observaram encontrar-se com um homem vestido de preto perto da bancada do juiz, falando-lhe em voz baixa enquanto os outros réus permaneciam diante do magistrado e eram processados, e depois ela acenou-lhes para que se dirigissem à saída. Do lado de fora das pesadas portas duplas da sala 3-C, a Dra. Davis disse:

— Tivemos a audiência adiada. Ele afirmou que não está com a documentação pronta, mas acho que estão ganhando tempo à espera dos resultados da busca e apreensão.

Busca e apreensão. Nunca, jamais Kim imaginaria que esse termo se ligasse à sua vida. E as palavras *defesa criminal* — que *esse* fosse o termo para o serviço que Mariana Davis estava prestando a Anthony fazia o estômago de Kim revirar-se muito mais do que em todos os trâmites para desfazer-se do dinheiro que fora destinado a levá-los à França no verão seguinte e ajudar Anthony a pagar a faculdade. O termo parecia errado para um serviço que existia em apoio a outro termo, "inocência presumida".

Muito embora Anthony não fosse, de fato, inocente, não se considerando literalmente a lei. Como a advogada explicara, Anthony fornecera à polícia todas as informações de que a promotoria necessitava para condená-lo pela acusação. Quando Kim lhe perguntou se o depoimento dele era admissível, uma vez que os policiais não tinham primeiro lido seus direitos, Mariana Davis disse:

— A polícia pode fazer qualquer pergunta que quiser quando investiga uma queixa. — Ela olhou para Anthony e continuou: — Nunca, jamais diga nada à polícia, a menos que tenha sido você quem a chamou.

A defesa, então, não era para provar a inocência de Anthony, mas para convencer o assistente da promotoria de que fora designado para o caso de que a própria acusação era, nessa situação, mal aplicada e absurda.

Chegando ao restaurante, Kim entrou e viu William sentado ao bar, rindo e conversando com o barman. Ela tirou a blusa e pendurou-a no braço, observando-o por um instante. Ele tinha a sempiterna boa aparência de um homem que fora um menino criado na praia. O cabelo curto, louro, um pouco bagunçado, guardava reflexos dourados do verão (ele era ainda, dissera-lhe, um surfista). Usava um casaco esporte de camurça sobre uma camisa social branca aberta no colarinho e elegantes óculos novos que o faziam parecer mais inteligente e mais sexy do que o de arames moldados simples que usava na escola. Tinha a idade dela, 49 anos, divorciado havia cinco, sem filhos. Era bondoso e inteligente, e engenhoso. Parada ali em seu vestido de seda cor de ameixa, uma das mãos torcendo o bracelete, ela quis tanto quanto qualquer coisa que já quisera antes de *tê-lo, ser* sua.

Então ele a viu e acenou para ela, levantando-se e enfiando as mãos nos bolsos, enquanto a observava atravessar o salão. O gesto inteligente seria correr para o lado contrário, pensou ela, caminhando na direção dele de qualquer maneira, como se seu bom senso e sua sensibilidade estivessem completamente desconectados. Ela não queria complicações nem hesitações. Mas o caminho do amor nunca era suave. Na verdade, era por vezes catastrófico. Ele compensava o risco, ela confirmou para si mesma.

— Oi — disse ele, pousando a mão no ombro dela. — Você está fantástica.

Que calor o toque dele infundia em todo o seu corpo! *Ridículo,* pensou ela, então disse:

— Você está com uma aparência muito boa.

Eles pediram bebidas e conversaram, primeiramente sobre os temas fáceis. O bom tempo que fazia na região, o trio de jazz e o grande charme do baixo como instrumento. Caranguejo com alcachofras, caranguejo sem. Só depois que estavam cada um em seu segundo copo de vinho foi que William perguntou sobre Anthony.

— Está tudo bem com ele? A advogada que você contratou, qual é estratégia dela? — perguntou ele.

Kim sentiu uma agulhada de irritação, de impaciência. Não com William, cuja preocupação valorizava, mas com Anthony, pela bagunça que criara em toda a sua vida, e na de William. Anthony sabia que tipo de homem Harlan Wilkes era; *por que* não pensara sobre as possíveis consequências antes de enviar as fotos a Amelia?

— Ela está visando a absolvição total. Pediu a Anthony para redigir uma narrativa detalhada para ela, o que ele fez, e ela o enviou a um psicólogo que irá avaliar seu potencial de desvio sexual... desvio! Como se metade dos adolescentes em todo o mundo não estivessem fazendo esse tipo de coisa! Sinto muito — ela se interrompeu —, eu me disse que hoje a noite não seria sobre Anthony. *Ele* disse para eu me certificar de que não seria.

— A culpa é minha. Mas olhe, se não conversarmos sobre isso, o assunto vai ficar pairando em torno de nós como "a coisa sobre a qual não estamos falando", você não acha?

Segurando a taça de vinho contra a luz, Kim girou seu conteúdo, observando o líquido vermelho-sangue escorrer pelo bojo de vidro.

— Eu acho, sim. Então, nós remarcamos seu "comparecimento" ao tribunal para a terça-feira da semana que vem, e a advogada resolverá as coisas com o promotor em seguida. Assim esperamos. Achei que chamavam de audiência, mas acho que não. É engraçado, achamos que sabemos muito sobre o sistema dos tribunais, com todos aqueles programas de televisão e livros, certo? Mas, no momento em que temos de navegar ali, é como se estivéssemos nadando debaixo da água no escuro.

— Eu fiz isso — disse William. — É terrivelmente assustador.

Kim colocou o copo no balcão do bar e se virou para ele.

— Obrigada — disse com sinceridade. Então, sentindo o momento inspirar um comportamento que, se estivessem sozinhos, poderia ter levado a uma expressão mais pessoal de seu apreço, ela tocou a pulseira e disse: — A lei, o estatuto com base no qual o acusaram, destina-se a velhos predadores assustadores e coisa que o valha. Sujeitos desagradáveis que tentam seduzir, embora Deus saiba como podem ser atraentes... ou garotas corrompidas. Não é algo que deveria se aplicar a garotos como Anthony.

— Concordo, e é por isso que sinto tanto ter alguma coisa a ver com a campanha anti-Anthony. O ponto de vista da diretoria é de que Ravenswood tem um predador sexual acusado nas suas fileiras. Não tive escolha senão suspendê-lo; os pais esperam que eu proteja as filhas deles.

— Então faria bem em suspender Cy D'Angelo e Mike Hartsfield, acho que esse dois já nasceram com cara de safados. E não tenho dúvida de que estão sempre dando em cima de qualquer garota que pareça mesmo remotamente disposta a lhes dedicar alguma atenção.

— Sim, bem, esses dois conseguiram não ser pegos fazendo algo contra a política da escola, e muito menos contra a lei.

— Ele está sofrendo, William. Levaram o computador, a câmera, o iPod, o telefone... E ele não me ligou depois disso. Ficou quieto em casa, curtindo a depressão.

— Eu faria o mesmo. O que será que estão procurando?

— A advogada acha que querem ver se há mais garotas envolvidas, o que é ridículo.

— Então não vão encontrar nada e isso vai ajudar a provar seu caso.

— Talvez. Mas, nesse meio tempo, ele está praticamente sem nenhum contato com Amelia, foi envergonhado publicamente, os outros garotos adorando acabar com ele, o patrão não o quer por perto. Será que ele merece tudo isso? O pior é que a prisão e a suspensão farão a NYU pensar duas vezes quanto à sua admissão, se ele conseguir chegar até lá. William, isso é tudo o que ele sempre quis.

— Vou ligar para eles na segunda-feira e explicar a situação, está bem?

— Vai mesmo? Isso seria ótimo, obrigada. Obrigada — repetiu ela, pegando a mão dele.

Ele apertou a mão dela entre as suas, depois virou a palma para cima e traçou uma linha com o dedo indicador.

— Tempos difíceis, levando à renovação, está tudo aí.

— Detalhes, por favor.

— Para isso, receio que precisarei de minha bola de cristal — disse ele, soltando a mão dela com um aperto. — Mas posso dizer que é bom que a acusação seja relativamente pequena e, qualquer que seja o resultado, tudo será resolvido em breve.

— Vou beber a isso.

William levantou o copo e tocou no dela.

— E então...

— Então?

Ele sorriu, uma espécie de meio sorriso sensual que a fazia sentir-se com metade da sua idade e totalmente feminina.

— Eu não sei — disse ele, inclinando-se para ela, então chegou mais perto e depois esfregou os lábios levemente nos dela. — Mas, por Deus, nós vamos descobrir isso.

Anthony andava de um lado para outro no quarto. Já haviam se passado 11 dias sem que eles tivessem um contato direto.

Onze.

Dias.

Infelizes.

Onze dias que mais pareciam anos, sem ouvir a voz de Amelia, sem vê-la, sem tocá-la, sem ler uma mensagem de texto ou um e-mail dela. Estava surpreso que tivesse sobrevivido.

Ansiedade. Agitação. Mudanças de humor. Insônia. Depressão. Pesadelos. Tudo isso era explicável por seu confronto com a lei, era verdade, mas também eram explicações para os sintomas de abstinência — fizera uma apresentação sobre a dependência e abstinência na aula de química. Ele era viciado em Amelia, do mesmo jeito que era viciado em ar. O único antídoto era o contato direto com ela.

A pergunta era: será que ela ainda sentia o mesmo por ele? Suponha que os pais dela a tivessem convencido de que a versão da mídia sobre ele espelhava seu verdadeiro eu? Suponha que ela tivesse usado esses 11 dias para reavaliar o que pretendia na vida, para mudar de ideia? Ele não queria acreditar que ela deixara de amá-lo, ou mesmo que pudesse fazê-lo, apenas por terem sido separados assim completamente. Deus sabia que ele estava tão louco por ela como nunca estivera. Era a separação, o apagão, que fazia seus medos crescerem como cogumelos depois de uma chuva forte. Eles desafiavam a lógica, mas então o mesmo acontecia com o amor. Ele tentou consolar-se com isso.

Quando o telefone finalmente tocou, ele o atendeu sem sair da cama.

— E então? — perguntou ele.

— Consegui — disse Cameron.

— Oito horas?

— Esteja lá.

15

SEXTA-FEIRA NA CASA DOS WILKES significava bolo de carne. Amelia empurrara uma fatia em torno de seu prato, dando mais atenção para a vagem, sabendo que, se não comesse alguma coisa, os pais acrescentariam isso à lista de coisas que precisava fazer melhor, ou diferente, ou parar de fazer — como parar de discutir com a professora particular, uma mulher exigente e azeda que ensinara em escolas públicas antes de um acidente de carro deixar seu rosto parcialmente desfigurado. Aparentemente, a mulher tentara voltar ao trabalho, mas os alunos haviam sido tão cruéis que ela entrara com pedido de incapacitação e começara a ministrar aulas particulares em seu lugar. Ela contou tudo isso a Amelia num tom acusatório, como se Amelia fosse a culpada por toda a situação. Amelia não lhe negava o direito ter uma atitude ruim, simplesmente queria que a mulher reconhecesse que ela, Amelia, também tinha o mesmo direito.

Isso foi o que Amelia dissera à conselheira, em sua segunda sessão, na quarta-feira à tarde. A mulher dissera que a atitude dela variava de triste, revoltada, brava a desanimada, o que fez a conselheira partir para um longo interrogatório para determinar se Amelia estaria clinicamente deprimida. Ela teria pensamentos de mutilar-se, quem sabe? De suicídio vingativo? Será que abrigava algum pensamento violento em relação a si mesma ou aos pais?

— Não — respondeu Amelia uma e outra vez. — Não. Eu quero minha vida de volta, só isso.

Depois de comer duas garfadas do bolo de carne, ela pegou seu prato e o levou da sala de jantar para a cozinha, quando o telefone tocou. Ela o agarrou antes que qualquer um dos pais tivesse tempo de reagir.

— Alô?

Da sala de jantar o pai gritou:

— É melhor que não seja Winter.

— Oi, prisioneira. — Era Cameron. — Então, eles estão, finalmente, deixando você atender o telefone?

— Não exatamente, *Cam* — enfatizou Amelia, para que o pai ouvisse, e ficou surpresa ao perceber que ouvir a voz de Cameron a deixara com os olhos marejados. Limpou a garganta e fungou. — Tive sorte, só isso.

— *Má* sorte é o que você tem, mas isso está prestes a mudar, pelo menos um pouco. Você não vai a lugar algum, não é? Porque estou chegando aí e estou levando uma surpresa.

— Bem, nós estávamos falando em ir ver um filme. — A mãe achava que ela precisava sair na sexta-feira à noite, para ter algum sentido de normalidade, como se ir ao cinema com os pais fosse normal. — Mas eu posso não ir — disse ela —, se você precisar de minha, hum, ajuda. De que se trata?

— Eles estão ouvindo, não estão?

— Ahã. Acabamos de terminar o jantar. — Ela podia ouvir a mãe recolher pratos e talheres para levar para a cozinha.

— Certo, tudo bem, providenciei a entrega de um contrabando — Cameron disse de forma dramática. — E eu quero dizer uma coisa *seriamente* proibida.

O coração de Amelia deu um salto. A coisa mais proibida que ela conhecia era Anthony.

— A que horas? — disse ela.

— Vou chegar aí em 20 minutos mais ou menos e depois inteirá-la do resto do plano, certo?

— Certo.

— Mas, escute, ele passou por uma pauleira danada na semana passada — disse Cameron. — Não sei o que você soube...

— Nada. Neca. Tenho aula com uma professora particular aqui durante metade do dia, depois saímos para fazer algumas tarefas e comer fora, depois voltamos para casa e então leio muito.

Era um cativeiro estranho, pensou Amelia. Ela passava grande parte do tempo — quando tivera tanto tempo livre? — involuntariamente fazendo nada. Ela se dava conta disso quando deveria estar fazendo algum trabalho da escola ou quando estava sentada num quarto ensolarado com um livro no colo. A sua mente vagava, muitas vezes em pensamentos sobre Anthony, mas em outras coisas também. Lembranças da infância. Perguntas sobre o futuro que ela sabia ser inútil fazer, uma vez que os pais também pareciam estar emboscados com ela nesse submundo, como se eles todos tivessem seguido por uma trilha através de um gramado de três metros de altura e chegado a uma clareira, apenas para virar-se e descobrir que a grama se fechara ao seu redor. Não havia nenhuma maneira de dizer qual o caminho a seguir, e eles não poderiam voltar pelo caminho do qual tinham vindo e por isso estavam esperando por algum sinal, algum acontecimento, que lhes indicasse para onde ir.

— Bem, para começar, a prisão dele deu nos noticiários. Televisão, jornais e Internet. Então Braddock o suspendeu porque seu pai telefonou e teve um piti. Disse que Anthony era perigoso para todas nós, garotas inocentes, como se alguém no colégio fosse inocente, não é? Amber Hartfield talvez, com seu violino e toda aquela acne. Enfim, seu pai disse isso também aos noticiários. Eles o mencionaram como "o pai da vítima", sem citar nomes. E ah, cara, na escola...

— Ai, meu Deus — disse Amelia, horrorizada com as ações de seu pai. Foi tudo o que pôde fazer para não fuzilá-lo com o olhar quando ele acompanhou a mãe para a cozinha. Ela deu as costas para eles, indo para a despensa como se tivesse planejado ir pegar uns biscoitos caninos para Docinho. — Na escola? — insistiu ela, tentando não pensar em seu pai naquele momento ou no que poderia dizer a ele em sua raiva. E então ele a mandaria para o quarto novamente e proibiria a visita de Cameron. Não a Cameron equivalia a não a Anthony.

— Muitos garotos estão falando horrores sobre Anthony como se soubessem desde sempre que ele era um pervertido e parecendo felizes por ele estar em apuros, e algumas das garotas estão dizendo que ele as *cantou para fazer sexo,* ou alegando serem vítimas anônimas, só para chamar a atenção.

— Quem está fazendo isso? — disse Amelia.

Docinho a seguiu até a despensa e sentou-se em expectativa. Amelia encontrou a caixa de biscoitos e tirou dois deles de dentro.

— Camilla Duffy, por exemplo. Isso não é surpresa, não é? Nossa turma sabe o que realmente está acontecendo, e ninguém está dizendo nada, eu fiz todas elas jurarem por suas vidas. Oficialmente, você ainda tem mononucleose infecciosa, mas está ficando cada vez melhor e espera voltar depois do feriado de Ação de Graças. Anthony deve poder voltar depois que o caso for resolvido, mas...

— Mas? — Amelia colocou o biscoito no focinho de Docinho, depois fez-lhe o sinal de que iria jogar para ela ir buscar. Docinho era seu único conforto naqueles dias.

— Mas aconteceram mais algumas coisas, e a primeira data de julgamento dele no tribunal foi adiada, eu já tinha lhe contado isso? E ele realmente está muito chateado. Mas, o melhor, "mas" ele está muito, muito feliz em vir ver você hoje à noite, então eu tenho um plano, e tudo o que você precisa fazer é dizer que vou aí para que você me ajude com meu trabalho de inglês e providenciar para podermos ficar em seu quarto. Certo?

— Tudo bem — disse ela, já sentindo o calor da emoção e da ansiedade subindo-lhe pelo pescoço e colorindo seu rosto. — A gente se vê, então.

Ela continuou na despensa e deu a Docinho o segundo biscoito, esperando que algumas respirações profundas aliviassem o rubor.

Quando saiu da despensa, os pais ainda perambulavam pela cozinha, algo que nunca faziam a não ser que estivessem desconfiados de todos os seus movimentos e palavras. Ela se agachou para acariciar Docinho, dizendo-lhes:

— Cameron está a caminho daqui.

O seu pai franziu o cenho.

— Estou achando que você poderia ter-nos perguntado primeiro.

— É *Cameron.* Você não acredita em mim? Verifique o identificador de chamadas. Ela precisa de ajuda para o trabalho de inglês, e eu disse que ela pode dormir aqui.

— Ah, *você* disse a ela, não é, sem... — começou seu pai, antes que sua mãe colocasse a mão sobre o peito e dissesse:

— Por mim, tudo bem, é *bom* que Cameron venha dormir aqui.

Amelia se levantou e os enfrentou com os braços cruzados como proteção.

— Ela disse que a prisão de Anthony saiu em todos os noticiários.

Os olhares culpados dos pais confirmaram a história de Cameron e que eles a haviam enganado. Claro que a haviam enganado. Eram seus captores, e ela estava à mercê dos caprichos deles. Eles só lhe dariam as informações que quisessem que recebesse. Afinal, por que chatear a pobre e equivocada Amelinha com a informação de que o homem que ela pensava amar era infame — graças em grande parte ao seu pai? Por que dizer-lhe que toda a população da região central da Carolina do Norte naquele momento provavelmente acreditava que ele fosse, como Cameron observara, um pervertido? Um prisioneiro informado é um prisioneiro difícil.

Se era assim que deveria ser, seria melhor fazer-lhe uma lobotomia.

— Obrigada novamente — disse ela, em voz baixa — por estragar nossa vida.

— Amelia...

Ela ignorou as respostas deles e saiu para causar maior efeito. Fora, em parte, uma atuação. Ela sabia que não poderia colocar toda a culpa neles. Ela fora estúpida ao esquecer o computador na última segunda-feira, estúpida por não fazer um trabalho melhor para esconder as coisas que não queria que fossem encontradas. Ou talvez não devesse ter tentado manter seu amor por Anthony em segredo até completar 18 anos. Se tivesse sido franca com os pais desde o início e trazido Anthony para casa para que o conhecessem, talvez nada disso tivesse acontecido.

Sim, certo. Era uma racionalização, exagerando no otimismo. Estava ficando muito boa nisso.

Do andar de cima, Amelia ouviu a campainha indicando a chegada de Cameron, mas não conseguiu distinguir a conversa quando seu pai abriu a porta, apenas os sons da sua voz, grave e seca, e Cameron, vivaz e incessantemente alegre.

Cameron era uma garota que mais parecia um duende, com apenas um metro e meio de altura, um cabelo acobreado rebelde e comprido e uma constelação de sardas cobrindo-lhe o rosto e o nariz. Ela era tão dinâmica e extravagante que, se criasse asas e saísse voando como uma fada, não surpreenderia Amelia nem um pouco. Na verdade, ela queria que Cameron fizesse exatamente isso e lhe concedesse um desejo ou dois enquanto estivesse nessa condição.

— Obrigada, senhor Wilkes, mas conheço o caminho.

Amelia ouviu, em seguida o ruído dos tênis subindo a escada de madeira. Ela esperou no alto da escada e, quando Cameron apareceu em seu jeans habitual com blusão de capuz e a blusa preta de lantejoulas como se nada no mundo tivesse mudado, Amelia sentiu as lágrimas assomarem novamente. Lágrimas, quando a principal emoção que Cameron costumava evocar era a alegria. *Certo, Deus, já chega*, pensou ela. Eu *entendo*.

Cameron passou um braço em torno dela e a puxou consigo para o quarto de Amelia.

— Seu pai está nervoso. Ele me pediu educadamente, mas eu poderia dizer que só havia uma resposta possível, para deixar meu telefone com ele até ir embora.

— Ele não fez isso — disse Amelia. — Ele quis seu telefone, sério?

— Ahã. Então eu o entreguei a ele, pedindo aos céus para que ele não pedisse para revistar minha *mochila* — disse ela de forma dramática. — Mas ele não pediu. Ele pegou o telefone e então ficou satisfeito, *pareceu satisfeito*.

Cameron deixou cair a mochila sobre a cama de Amelia, em dossel com cortinas de brocado verde-claro presas a cada poste e com uma cobertura.

— Nossa, você está horrível! Seu cabelo está uma bagunça. Já ouviu falar em banho?

— Tomei banho ontem — disse Amelia, indo fechar a porta. — Acho que tomei, sim, sei lá. Sério que pareço tão mal assim? Será que tenho tempo, antes de...?

— Ele não vai se importar, e não, você realmente só parece cansada e estressada. — Cameron a fitou, avaliando-a. — Certo, pode escovar o cabelo.

Amelia foi até o espelho. Ela parecia mal mesmo. Olhos injetados e vermelhos, o cabelo tão inexpressivo como estivera ultimamente. Sem a rotina da escola, da dança e das aulas de voz, sem a interação regular com as amigas, com seus dramas e suas alegrias, sem a presença regular de Anthony, ela se sentia à deriva. Sentia falta de seu humor e afeto. Sentia falta da companhia com a qual passara a sentir-se tão à vontade. Antes, não podia vê-lo sozinha por mais do que alguns minutos em determinado dia, mas eles estavam em contato infinitamente, perpetuamente. Ele sempre estava na outra extremidade de um e-mail, de uma mensagem de texto, de um telefonema, de um olhar através de uma sala de aula, através de um palco. A presença dele, e da sua firmeza, da sua certeza de que a vida era uma joia brilhante e com inúmeras facetas a serem exploradas, era para ela como a água e a luz do sol para uma planta murcha. A sua ausência era uma seca, e seus pais, pensou ela, empregando outra metáfora, eram como dois sóis quentes de um verão escaldante que se recusaram a se pôr.

— Não estou dormindo muito — disse ela, virando-se para Cameron. — Eles agem como se tudo estivesse totalmente bem. Eles não me contaram nada.

Cameron se levantou e subiu no pé da cama, apoiando-se na armação do dossel para equilibrar-se.

— Eis o que eu sei — disse ela. — Ele deve voltar ao tribunal na terça-feira da semana que vem. Por se tratar de uma contravenção e por ele nunca ter tido problemas antes, *provavelmente* o pior que pode acontecer é ele ficar numa espécie de liberdade condicional e prestar serviço comunitário.

— E ficar fichado.

— E daí? Muitas pessoas têm isso. Isso só vai fazê-lo parecer perigoso e mais excitante — disse Cameron, agitando as sobrancelhas.

Amelia sentou-se no chão, as costas contra a parede, as pernas estendidas e os pés descalços voltados para fora na primeira posição do balé. Tirou uma mecha de cabelo da frente do rosto e a segurou contra a luz, examinando-a em busca de pontas duplas.

— Mas e se isso significar que a NYU não o aceitará? E se não aceitar, não valerá a pena ir a nenhum outro lugar. Tem de haver algum modo de resolver essa confusão. Espere, você disse terça-feira da semana que vem?

— Foi. Por quê?

— Nada.

Ela soltou o cabelo e puxou outra mecha para examinar.

— Nós deveríamos estar em Nova York para fazer avaliações nesse dia, só isso. Você sabe se ele remarcou?

Ela esperava desesperadamente que sim, e gostaria muito de também poder fazer isso, caso tivesse alguma possibilidade de entrar em contato com a organização do curso. Talvez Cameron pudesse fazer isso por ela.

— Eu não sei se ele fez isso ou não — disse Cameron.

— Quando ele vai estar aqui?

— Deus, tudo é só Anthony, Anthony, Anthony — reclamou Cameron, jogando o cabelo de forma dramática. — Você com certeza sabe como fazer uma garota se sentir bem-vinda.

— Sinto muito, Cam.

— Eu estou brincando, certo? Anime-se. São oito horas, e eu trouxe isto — disse, pulando da cama e abrindo o zíper do compartimento principal da mochila, depois o inclinando para que Amelia visse o conteúdo lá dentro.

— O que é isso? — perguntou Amelia, incapaz de identificar o que parecia ser um rolo de cordas cinza.

— Uma escada de incêndio. Meu pai acabou de colocar uma dessas em todos os quartos do andar de cima. "Para casos de emergência", e este é claramente um desses.

Amelia ouviu um barulho do lado de fora da sua porta. Ela se levantou e correu, pronta para escancará-la e surpreender os pais espionando — mas, quando abriu, encontrou Docinho de pé na porta com os olhos esperançosos e abanando o rabo. Amelia se inclinou e beijou o focinho da cadela, depois verificou o corredor e espiou dentro dos quartos vizinhos seguida por Docinho. Quando se convenceu de que o barulho viera só da cadela, ela e Docinho voltaram para seu quarto.

— Ninguém lá fora a não ser a cadela — disse ela, depois apontou para a bolsa de Cameron. — E essa escada? Não posso sair, eles vêm verificar se estou aqui várias vezes.

— Sem problema. É para ele subir.

— E se ele não vier?

— Ele virá.

— Ele já está a caminho? — perguntou ela, tomando seu lugar no chão novamente. — Você verificou antes de entregar o telefone?

Cameron franziu os lábios e disse:

— Não quis lhe dizer antes, para o caso de você ter um chilique e seus pais ouvirem, mas ele também está sem telefone. O negócio é o seguinte: a polícia chegou e confiscou todos os eletrônicos dele, provavelmente para tentar pegá-lo por outras acusações.

Amelia pensou no que a polícia poderia encontrar se procurasse nas coisas dele.

— Oh, Deus — gemeu ela. — Se meu pai descobrir. — Ela balançou a cabeça. — Isso está ficando cada vez pior.

— O quê? Não me diga que vocês fizeram uma fita de sexo.

— Não — disse Amelia. — Me dê um pouco de crédito.

— Crédito — guinchou Cameron.

— Enfim, não importa. Está feito. Talvez eles apenas vejam que é tudo entre mim e ele, e isso vai comprovar a história dele, e eles vão deixar por isso mesmo.

Cameron franziu a testa com simpatia.

— Assim espero. Então, falei com ele há pouco, antes de ele sair de casa, e ele definitivamente estava planejando vir aqui. Não consigo imaginar o que poderia impedi-lo.

— Depois do que meu pai fez para ele, eu não o culparia se ele decidisse me esquecer e encontrar uma garota que não o levasse preso. Encontrar alguma outra garota, ponto final.

Cameron se agachou e colocou as mãos no rosto de Amelia, então franziu o nariz para Amelia.

— *Alô-ô?* É de Anthony Winter que estamos falando. O cara que é incrivelmente louco por você, lembra? Ele morreria primeiro.

Amelia a afastou.

— Eu não o mereço.

— Que seja — disse Cameron, suspirando. — Arrume-se, ou ele não vai se sentir muito bem-vindo quando chegar aqui.

A primeira visão que Amelia teve de Anthony foi de seu rosto esperançoso olhando para ela enquanto subia os degraus da escadinha estreita. O ar frio entrava pela janela do banheiro, resfriando-lhe as bochechas, diminuindo-lhe o ritmo cardíaco. Ele aparecera. Ele queria estar com ela. Ele a amava, ainda.

O alívio no rosto dele antes de envolvê-la nos braços foi sua ruína; ela começou a chorar.

— Eu sinto muito — disse ela, as lágrimas molhando a gola dele. — Que coisa horrível...

— Psiu! — Ele se inclinou para trás, para olhar o rosto dela, então gentilmente enxugou as bochechas com os polegares. — Vai ficar tudo bem.

— Eu tentei deter meu pai — disse ela, forçando-se a falar mais devagar, para pensar em cada palavra antes de dizê-la. — Fiz tudo que pude.

— Acha que culpei você?

Ela encolheu os ombros.

— Esperava que não culpasse — disse ela, e olhou para ele.

— Nós vamos superar isso. Onde está Cam?

— De guarda.

— Ah!

Ele inclinou o queixo dela para cima e a beijou, suavemente a princípio e depois, quando ela o puxou para mais perto, o beijo se tornou mais do que um conforto. Quando eles se separaram, ela balançou a cabeça na direção do grande tapete de algodão verde-mar que cobria metade do piso de azulejos.

— Agora mesmo? — disse ele.

Havia espaço de sobra e, se eles ficassem quietos, nem mesmo Cameron os ouviria.

— Você quer?

— É claro que eu quero, mas...

— Todos, todos os minutos — sussurrou ela, começando a soltar os botões da blusa.

— Preciso avisá-la de uma coisa.

Ela parou e olhou para cima. Ele disse:

— Será que Cameron a informou sobre o mandado de busca? — Ele fez uma pausa enquanto ela balançava a cabeça. — Minha advogada diz que a promotoria, provavelmente, quer saber se estive envolvido com outras garotas. Amelia, eles vão encontrar *tudo*. Seu pai… — Ele balançou a cabeça. — Eu fico pensando, você tem 17 anos, quase 18, você poderia ficar comigo, e não sei, fazer uma petição para a emancipação ou algo assim. — Ele tomou-lhe as mãos e beijou a palma de ambas, depois cruzou os dedos sobre os dela.

— Duvido que sua mãe concordaria com isso — disse ela.

— Ela poderia.

— E depois perder o emprego quando meu pai causar a Braddock um sofrimento inacreditável por ter-se envolvido.

— Ele não a demitiria; ele gosta muito dela.

— Seja como for, não importa — disse Amelia —, porque eu não vou a lugar nenhum. Isso tudo vai passar. Meu pai vai ter de encarar a realidade e, quando o fizer, vamos colocar tudo de volta nos trilhos.

— E se isso não acabar? Você quer ficar aqui desse jeito? — Ele apontou para eles próprios, para a sua reunião no banheiro, para a necessidade de um coordenador e de um vigia até para isso. — Vai piorar quando ele souber o que está em minha…

— Talvez ele nunca descubra.

— E talvez os porcos criem asas e voem para o céu.

A imagem a fez sorrir.

— Isso seria muito legal, não é? Mas tudo bem. Ótimo, então. Eu simplesmente vou contar a ele. Vou contar a ele antes de a polícia contar e vou continuar insistindo com ele, e ele vai ceder e aceitar. Ele não é ruim. Ele acha que tem de me proteger de certa maneira, mas quando perceber que ainda sou eu mesma depois de ter sido contaminada por você — ela disse, sorrindo e puxando a camisa dele pela bainha —, ele vai perceber que tudo está bem. Ele vai me deixar voltar à escola e nós vamos reagendar as avaliações, você já ligou para eles?

— Sem chance — disse ele, a expressão se tornando sombria. — Não há mais vagas. Eles vão seguir o cronograma, portanto…

— Oi — Cameron disse, batendo suavemente na porta do banheiro. — Alguém está subindo a escada.

— Droga. — Amelia fechou os olhos e respirou fundo. Por que eles não davam uma pausa? Ela beijou Anthony rapidamente e disse: — Espere aqui, viu? Fique no canto do chuveiro, vou apagar a luz, eles nunca vão olhar.

— Eu quero. Você sabe que eu quero, mas é muito arriscado — disse ele, abrindo bem a janela. Depois ele a puxou para seus braços e enterrou o rosto em seu cabelo.

Cameron bateu novamente.

— Amelia — sussurrou ela.

Anthony a soltou.

— Jogue a escada para baixo assim que eu sair dela; vou levá-la comigo.

Amelia piscou para conter as lágrimas.

— Se não nos virmos até lá, boa sorte no tribunal.

Ele a beijou com força, então, cuidadosamente, subiu no parapeito da janela e saiu para a escada.

— *Adieu* — disse ele, sorrindo tristemente.

Amelia o viu descer pela escadinha enquanto, no quarto, Cameron dizia:

— Ela ficou com uma dor de estômago. Essa coisa toda sobre Anthony a perturbou, senhora Wilkes, não vou mentir.

Anthony pulou da escada e esperou enquanto Amelia cuidadosamente a soltava do peitoril, deixando-a cair.

— Amelia? — disse sua mãe, batendo. — Está tudo bem aí?

Amelia se virou para a porta.

— Você poderia me trazer o antiácido — gritou ela. — Não estou me sentindo muito bem.

Ela se inclinou para fora da janela mais uma vez e viu Anthony enrolando a escada. Ele estava quase invisível em meio à noite sem lua. Ele acenou para ela, depois desapareceu na floresta.

— Certo, vou buscar — disse a mãe. — Tem alguma coisa que eu possa fazer por você?

Amelia encostou a testa contra a moldura da janela e pensou nos braços de Anthony em volta de seu corpo apenas um minuto antes, nas suas mãos suaves e sua boca sensível e macia. Ela se imaginou em Manhattan, subindo a Sétima Avenida de mãos dadas com Anthony numa noite fria, com as luzes da cidade brilhando em seus rostos sorridentes. Imaginou seu pai num smoking cinza-escuro, brindando a ela e a Anthony em sua recepção de casamento, dizendo como estava feliz por eles terem-lhe proporcionado a oportunidade de provar que estava errado.

— Ah, mamãe — disse ela —, não tenho certeza de que exista um remédio para o que preciso.

Anthony entrou em seu carro e ficou ali sentado no escuro, esperando esfriar, odiando por seu tempo com Amelia ter sido tão breve, adorando por ter podido vê-la afinal e esperando tê-la surpreendido. A visão, o contato e o gosto dela eram para ele como o sangue para um vampiro faminto. Ele se sentia parcialmente recuperado. O bastante para sair do limite. Mas ela era a droga que escolhera e, se a comunicação entre eles não se tornasse mais frequente e mais satisfatória, ele não sabia o que faria. Impulsos conflitantes (*Encenar uma passeata de protesto diante da casa dela? Nocautear o pai dela e o promotor?*) aliviaram seus pensamentos das questões imediatas sobre quando e como tornaria a vê-la — por mais tempo que levasse para colocar o cinto de segurança, ligar o carro e colocá-lo em marcha.

Quando? Como? Ele ficou lá sentado, o motor em ponto morto, seu ritmo cardíaco desacelerando para um batimento pesado de indignação. Que direito tinha o magistrado de proibi-lo de entrar em contato com Amelia? Que direito tinham os pais dela de isolá-la? Como era possível que o que tinham feito juntos, as lembranças privadas que haviam criado, fosse algo criminoso? Quantas coisas no mundo não faziam tanto sentido quanto ele e Amelia? Ele e Amelia eram algo tão certo, tão sensato quanto o sol nascer no Oriente e se pôr no Ocidente. Todas aquelas pessoas que agiam como se não fosse assim tinha de esclarecer-se, abrir-se e reconhecer que, embora talvez nunca tivessem sido tão afortunados ou tivessem tido algo tão genuíno e verdadeiro, havia quem tivesse. O amor era real, e não era apenas para o grupo de mais de 21 anos, caramba.

Divulgar material impróprio para uma menor. Se essas palavras, essa acusação, não tivessem fodido sua vida, ele riria delas.

Mas tudo bem, pensou, tirando o pé do freio. Seguindo em frente. Sexta à noite. Não podia ficar ali sentado esperando o mundo girar, como se ao nascer do sol as leis fossem mudar e sua vida fosse ser recolocada no eixo.

Havia muitas coisas que ele podia fazer aquela noite — pegar um filme com Rob e alguns dos outros caras, aparecer em uma festa na casa de Brittany Mangum, ir ao Frankie Fun Park e desperdiçar algum dinheiro jogando videogames antigões do jeito que ele e seus amigos faziam de vez em quando nos tempos pré-Amelia. Nada, no entanto, o atraía muito. Frankie não era nem legal nem divertido sozinho e qualquer aparição social significaria passar a noite inteira rebatendo perguntas, algumas bem-intencionadas, outras não.

Tudo bem, então. Voltaria para casa. Leria alguma coisa. Escreveria algo. Qualquer coisa servia.

16

QUANDO A CAMPAINHA SOOU NA MANHÃ de sábado, Amelia mal a ouviu por causa do zumbido do motor e das batidas rítmicas de seus pés batendo na esteira. Completara dez quilômetros e pensava em fazer mais um pouco quando os latidos de Docinho a fizeram desacelerar, e depois, como os latidos continuassem, parar completamente.

Usando a toalha que deixara sobre uma balaustrada, ela enxugou o suor do rosto, continuando a ouvir, depois pegou sua garrafa de água e subiu a escada da sala de ginástica do porão. Docinho continuava a emitir seus latidos assustados de advertência. Amelia começou a subir os degraus com cautela.

— Mamãe? — chamou enquanto subia.

— Sinto muito, espere um pouco. — Ela ouviu a mãe dizer, depois ouviu o ruído das unhas da cadela arranhando o chão de ladrilhos enquanto sua mãe fechava Docinho, provavelmente na sala de música.

Do alto da escada, Amelia viu uma mulher com o uniforme da polícia de Wake Forest segurando uma sacola de lona e um homem alto, de camisa azul e calças marrom, de pé à direita e um pouco atrás dela. Ambos não estavam vendo Amelia, que observava a mãe trancar as amplas portas francesas da sala de piano.

— Lamento muito — estava dizendo a mãe quando se virou na direção deles. — Ela não costuma ser assim, não sei o que deu nela.

As palavras poderiam aplicar-se tanto a Docinho quanto a Amelia. A cadela sentou-se com o focinho contra um dos painéis de vidro, resfolegando e lamentando-se, arranhando o chão na base da porta.

— Sim, senhora — disse o homem. — É bastante compreensível.

A sua deferência, genuína como parecia, enervou Amelia. O que aquelas pessoas estavam fazendo ali? Ela recuou um pouco, segurando o corrimão polido, e esperou.

O homem entregou à mãe um pedaço de papel.

— Aqui está o mandado. Faremos a busca em todos os aposentos e tudo o que recolhermos será ensacado e inventariado. Se preferir permanecer sentada, vamos informá-la quando terminarmos.

Amelia sentiu um calafrio subindo-lhe pelos braços e pescoço.

A sua mãe olhou para o mandado por um instante.

— Eu não… — disse ela.

— Acho que pode ver que está tudo em ordem — disse o homem em tom tranquilizador. — Não nos preocuparemos com nada além do que está especificado.

Enquanto ele falava, a mulher olhava ao redor pelo salão da frente, tomando nota de todas as coisas que eram tão familiares a Amelia que ela nunca mais as notara. A cômoda antiga do lado de fora da sala de música, uma peça que sua mãe dizia ter vindo de um castelo irlandês e que datava do século XVIII; o amplo tapete Aubusson, feito com a mais espessa lã na cor de marfim leitoso, com um anel delicado de rosas vermelhas e folhagens no centro, tufos de fita vermelha enrolando-se sobre o anel e estendendo-se para os cantos, tudo rodeado por rosas e folhagens. Esse era, para Amelia, o tapete do Casamento na Primavera, no qual ela e Cameron uma vez brincaram de noiva. O relógio de nogueira esculpida à mão por seu avô e seu tio Alan que foi dado de presente de casamento para os pais dela, 20 anos antes, parecia impressionante para novos olhos. A sala de piano, onde Docinho ainda gemia e onde, na luz indireta do sol da manhã, o piano reluzente refletia a luz no retrato da garota boazinha, era um aposento incomum e impressionante.

— Eu não entendo — disse sua mãe, apoiando o cotovelo em uma das mãos enquanto a outra alcançava a clavícula. — Por que motivo afinal vocês vieram pegar as coisas dela? Minha filha disse aos outros policiais tudo o que havia para dizer.

— A senhora pode querer entrar em contato com um advogado para informar-se de todos os detalhes, madame. Nosso trabalho é recolher os itens e depois não a incomodaremos mais.

A boca e as sobrancelhas da mãe estavam contraídas.

— Eu não estou bem certa sobre isso... Poderiam sentar-se enquanto consulto meu marido? Ele acabou de dar uma saidinha até a, até a garagem.

Os policiais se entreolharam, então a mulher disse:

— Senhora Wilkes, pode ir chamá-lo se quiser, mas este é um *mandado de busca*. — Ela pronunciou marcadamente as palavras. — Está referendado pelo tribunal. Vamos começar agora mesmo.

Depois dessas palavras, o policial atravessou a sala e saiu da vista de Amelia. O homem seguiu com um breve olhar para trás sobre a mãe dela, que permaneceu de pé ao lado da porta.

Amelia se aproximou dela então.

— Mamãe, eu ouvi a polícia entrar.

— Ah! Amelia. Sim. Eles têm um mandado de busca. Agora, onde foi que deixei meu telefone? Vou chamar o papai.

Amelia seguiu a mãe até a sala de visitas, onde a antiga escrivaninha de madeira de bordo da mãe se acomodava entre os móveis estofados de pelúcia e as cortinas de veludo. Embora houvesse, na parede de tijolos à vista, uma espécie de painel eletrônico chamado Smart Box, que continha os circuitos para controlar as luzes, os sistemas de áudio e de segurança da casa, o verdadeiro controle interno era exercido ali da escrivaninha de bordo.

— Aí está ele — disse a mãe, indo para a escrivaninha.

— Espere. — Amelia correu para colocar-se entre a mãe e escrivaninha. — Não faça isso. Deixe-o lá fora, no estábulo.

— O quê? Por quê?

— Ele vai p-piorar a si-situação. Por favor.

— Ele vai ter um ataque se isso acontecer e eu não contar nada a ele.

— Mamãe — disse Amelia, agarrando as mãos da sua mãe —, pelo meu bem, por favor, apenas deixe que peguem as coisas e vão embora. Ele não po-pode fazer nada de qualquer maneira.

— O que estão procurando, Amelia? O que será que aquele rapaz disse a eles?

— Eu não sei — disse ela, soltando-a e afastando-se. — Você não me deixa falar com ele.

A mãe segurou-lhe o ombro.

— Vocês dois, o que mais vocês fizeram?

Não fosse pelo tom acusatório da mãe, pelo som de passos no corredor e pela longa tradição de contar tudo, exceto o que fosse revelador e significativo, Amelia poderia ter respondido abertamente à pergunta da mãe. Poderia ter expressado o temor resultante de saber o que a investigação revelaria em breve. Se ela sentisse que poderia realmente abrir-se com a mãe, poderia sugerir que ela se escondesse, pois em breve e, possivelmente, sem qualquer aviso, o céu iria desabar.

17

SE MAIS TARDE PEDISSEM a Harlan Wilkes para contar como se sentia naquela segunda-feira à noite quando a viatura azul e dourada da polícia de Wake Forest chegou inesperadamente, ele teria dificuldade de explicar. Que palavras poderiam fazer jus à sensação que o engolfara num turbilhão de emoções girando descontroladas como um carrossel enlouquecido que acabara de perder o eixo? Como poderia confessar que se sentia atingido — literalmente esmagado, o fôlego arrancado de uma vez — pelo pensamento de que Sheri e Amelia estavam certas, que exagerara desde o princípio e que as suas ações levaram àquilo, à chegada da polícia para levar a filha para a cadeia? De maneira alguma seria capaz de dizer isso em voz alta, ele dificilmente admitiria a possibilidade para si mesmo.

— Acho que simplesmente não conseguia acreditar — diria. — Acho que esperava que, o que quer que acontecesse, seria a favor dela. Minha filha é inocente. Não havia nenhuma razão para pensar que iriam prendê-la.

Antes da chegada da polícia no sábado — uma farsa completa, diria ele, sem mencionar que só viera a saber disso depois —, ele começara o dia despachando a amiga de Amelia, Cameron, e estava pensando se deveria limitar o acesso de Amelia a ela, considerando que entre as ligações recentes de Cameron seu telefone exibia um número que ele descobrira ser da casa de Kim Winter. Tinha absoluta certeza de que Cameron não conversara com a professora. Ele fora para a garagem onde guardava as suas coleções, pensando na possibilidade de que o tal Winter estivesse tendo algo com Cameron a despeito de Amelia e, se assim fosse, ele queria dar a notícia a Amelia suavemente.

Ele estava mexendo embaixo do capô do Bugatti tipo 57-C 1939, seu "carro de gângster", como costumava chamar, quando a polícia chegou à casa com o mandado de busca. Nunca ouvira falar de uma coisa dessas. Não até eles terem chegado e partido e ele entrar para o almoço e ser informado de que a filha estava sob investigação. Sheri o fizera sentar-se depois de ele ter passado por Amelia, que cismava a caminho do chalé, e lhe contara o que se passara enquanto ele estava na garagem. Ele se sentia ultrajado — "Indignado!", diria mais tarde — por ninguém tê-lo procurado ou chamado para lidar com o detetive. E se tivessem? Bem, se o tivessem feito, as coisas poderiam ter sido diferentes — não, não, ele não poderia dizer como exatamente, mas decerto merecia uma oportunidade de fazer alguma coisa. O argumento de Sheri — que decidira que sua presença poderia ter piorado ainda mais as coisas — não o confortava. A sua própria esposa agindo contra os interesses dele, algo que sequer imaginara. Espantava-lhe como era possível admirar, confiar e casar-se com uma mulher, viver com ela por 20 anos e não conhecê-la nem um pouco.

Domingo tampouco fora um piquenique. Amelia permanecera trancada no quarto, não quisera ir à igreja, não respondera às perguntas dele, não aceitara falar com a mãe. Só Docinho era bem-vinda. Harlan sentia-se impotente e confuso. Entrara em contato com o advogado, que prometera obter informações, mas o máximo que se sabia era que fora encontrado algo nos aparelhos eletrônicos de Winter que levara a promotoria a querer ver o que estava armazenado nos aparelhos de Amelia.

Ele trabalhara na segunda-feira, como de costume, fazendo as suas rondas, mantendo reuniões com seus GM (gerentes de marketing — de jeito nenhum queria se referir à marca GM, nem tocaria nesses carros, essa empresa era um desastre) e depois voltara para casa no horário habitual, cerca de 6h30 da tarde. Ele e Sheri jantaram, tudo como de costume, embora admitisse que havia muita tensão no ar, por causa da traição dela no sábado e da questão da investigação pairando sobre as suas cabeças.

Na segunda-feira, ele viu a viatura da janela de seu escritório, por volta das oito horas da noite. Não vinha com as luzes piscando. Não tocava a sirene. Ele nem notara o carro até ter visto os faróis cruzarem toda a frente da casa quando ele fez a primeira curva da entrada. E mesmo assim, não imaginava a que tinham ido ali, não desconfiava, não imaginaria que, mesmo que vivesse até os cem anos de idade, sua missão era vir à sua casa sem aviso prévio — que o filho da puta do promotor nem tivesse lhe dado um aviso — e com um mandado de prisão para Amelia.

— Senhor Wilkes — disse o policial ao sair do carro.

Harlan reconheceu-o como o policial de cabelo escuro de segunda-feira à tarde.

— Bem, isso é uma surpresa — disse Harlan, chegando a apertar a mão do homem. O aperto de mão foi estranho, Harlan notou, mas imaginou que o constrangimento fosse uma deferência. — Acho que vocês têm alguma informação nova para mim. Liles, ele descobriu mais alguma coisa sobre Winter? Presumo que o que quer que tenha descoberto só confirma o depoimento de minha garota.

O policial limpou a garganta.

— Senhor, sua filha encontra-se no local?

— Ela está em casa, sim, mas pelo que sei acho que não está se sentindo muito bem. Nada sério.

— Senhor — disse o policial, apresentando uma folha de papel branco. — Tenho aqui um mandado de prisão para ela.

Harlan deu um passo para trás.

— O que é isso, algum tipo de piada?

— Não, senhor. Gostaria de informar à senhorita Wilkes que vou levá-la para a cidade?

— Eu não faria isso — disse Harlan. — Explique-se!

— O gabinete do promotor recebeu informações implicando a senhorita Wilkes num crime. Ele convocou o tribunal do júri hoje cedo, e foi despachada uma denúncia. Senhor — disse ele, gesticulando em direção à casa.

Harlan moveu-se para bloquear a porta e puxou o celular do coldre.

— O chefe deve ter algo a dizer sobre isso — rosnou ele.

O policial olhou-o passivamente.

— Ele poderia, mas enquanto isso tenho um mandado de prisão que sou obrigado a cumprir e estou pedindo para o senhor se afastar.

Enquanto Harlan levava o telefone à orelha e ouvia a linha pessoal do chefe de polícia tocar, tocar e depois ir para o correio de voz, sua mente e seu coração dispararam também e sua respiração parecia travada no peito. Ele deixou uma breve mensagem: "Aqui é Harlan Wilkes. Ligue-me o mais rápido possível em meu número pessoal". Depois tentou uma tática diferente.

— Não entendo o que está acontecendo. Minha filha tem estado em casa por duas semanas. Ela não poderia ter-se envolvido em crime nenhum — disse ao policial.

— "G.S. 14-190.17, Exploração sexual de menor em segundo grau" — leu o policial. — "G.S. 14-190.1, Literatura e exposições obscenas. G.S. 14-190.5, Produção de fotografias obscenas." Essas são algumas das acusações. Sugiro que o senhor procure um advogado.

A mente de Harlan girou com a impossibilidade da participação de Amelia em tais coisas. Exploração sexual de *menor?* De quem? Exposições *obscenas?* Alguma coisa, ele tinha certeza, estava confusa.

— Houve um erro — disse ele, ainda bloqueando a porta. — Ela foi a *vítima. Ela* é menor. Anthony Winter, ele é o autor. Pode telefonar e verificar, você vai ver.

— A situação do senhor Winter está sendo tratada em conformidade. — O policial fez uma pausa e disse: — Pelo que soube, ele estará enfrentando acusações semelhantes. Agora, senhor Wilkes, vou pedir mais uma vez para permitir minha entrada e me apresentar à sua filha, ou terei de chamar reforços e proceder como necessário.

— Puta que pariu — disse Harlan, quase tonto com a confusão, enojado com sua incapacidade de impedir o homem à sua frente de levar sua filha embora. — Deus amaldiçoe tudo isso. — Ele abriu a porta, rosnando: — Vou buscá-la. Espere aqui.

Na segunda-feira, depois de ter passado a noite na escola trabalhando na captação de recursos para o bazar anual de presentes das férias, Kim Winter estacionou o carro na garagem de casa. Fora uma noite difícil para ela, cuidando sozinha do estande dos estudantes de arte popular. Os pais e avós não puderam evitá-la, porque isso significaria não comprar nenhuma das pinturas ou desenhos, canecas, tigelas e pratos artesanais, esculturas, cestos de vime, joias semipreciosas, todas as coisas que seus filhos e netos haviam passado o semestre de verão criando com o objetivo de vender no bazar. Entretanto, as famílias não demonstraram cordialidade nas transações. Ficaram em silêncio, ou falaram o estritamente necessário, ou algumas pessoas foram flagrantemente rudes. Ela podia ver o desgosto nos olhos delas, manifestando a percepção de que *Ah, esta é aquela cujo filho é o agressor sexual*, apesar dos esforços que ela fizera para parecer profissional e correta como nenhum dos outros participantes.

As piores eram as avós bem-cuidadas, com sua maquiagem suave de salão de beleza e as longas unhas perfeitamente manicuradas e pintadas, o cabelo penteado, armado e tingido em cores vivas, as roupas feitas sob medida em combinações perfeitas, mulheres que pareciam ter sido retocadas à perfeição antes de deixar as suas grandiosas mansões antigas. Essas eram as mulheres que, de braço dado com a filha ou a nora de cabelo e rosto suaves, olhavam para além dela e soltavam com a voz arrastada um "Ó meu Deus!" alto o bastante para ela ouvir, antes de aproximar-se do estande e olhar para ela com o nariz empinado enquanto compravam. *Ó meu Deus!*, pensava Kim enquanto elas rodopiavam pelo estande, é óbvio que vocês *nunca tiveram a chance de entregar-se ao amor*, e Ó meu Deus! *Tenho certeza de que seus filhos foram todos modelos inquestionáveis de comportamento exemplar*. Quando ela sabia que, na realidade, alguns desses filhos — os pais de seus alunos — estavam de fato muito aquém de serem exemplares pelo modo como traíam os cônjuges, sonegavam impostos, ludibriavam parceiros de negócios, atrasavam o pagamento das mensalidades, serviam bebidas alcoólicas a menores em suas casas, saíam para spas em férias (ou em reabilitação), deixando os filhos adolescentes sozinhos em casa, sem supervisão, a não ser pela querida vovó, que os chamava pelo menos uma vez por dia para certificar-se de que estava tudo realmente bem.

Estar em casa, enfim, era um alívio. Ela estava abrindo a porta do carro, ansiando por um demorado banho quente e um copo de Bordeaux ao som de um jazz de Petrucciani, quando um carro parou atrás dela. Ela olhou pelo espelho retrovisor e ficou surpresa ao ver uma barra de luz em cima do carro. Seu espelho lateral confirmou: um carro da polícia. Ela imaginou se teria dirigido acima do limite de velocidade, ou se o registro do veículo estaria vencido, ou, melhor ainda, se uma lanterna traseira estaria com defeito e o policial simplesmente a informaria disso. *Por favor*, pensou ela, *que seja algo tão simples assim.*

Ela saiu do carro e apertou a jaqueta ao redor do corpo; a noite esfriara rapidamente, e o ar estava um tanto úmido. Dentro da viatura, o policial olhou para cima, viu-a esperando e inclinou a cabeça em confirmação. Ele digitou alguma coisa no laptop montado no painel de instrumentos, depois colocou o boné na cabeça e saiu do carro.

— Minha senhora — disse ele.

— Boa noite. É uma lanterna? — perguntou ela, caminhando na direção dele e da parte traseira do próprio carro.

Seus saltos, o mesmo par que usara no encontro com William, clicavam no concreto, um ruído estridente a que ela ainda não estava acostumada. William comentara sobre seus sapatos, ou melhor, o efeito visual deles, quando saíam do restaurante na sexta-feira.

— Você sempre parece feminina e bem-vestida, mas se não se importa que comente isso em voz alta, bem, você tem belas pernas — dissera a ela.

Possivelmente, o policial estava percebendo também. Ele demorou para responder à sua pergunta, dizendo:

— Lanterna? Ah. Não, senhora, estou aqui para ver Anthony Winter.

Os pelos da nuca dela se eriçaram.

— Ver Anthony? Às nove horas da noite? O que está acontecendo?

— A senhora é?

— Eu sou a mãe dele. Ele é meu filho — acrescentou, declarando estupidamente o óbvio. — Vocês já não, quer dizer, ele passou por muita coisa ultimamente e...

— Receio que ainda não tenha acabado — disse o policial, sem maldade. — Tenho aqui um mandado de prisão para ele.

— De prisão para ele — repetiu Kim. — De *prisão*? Não pode ser. Quero dizer, deve haver algum engano. Ele já passou por isso, há duas semanas. Ele foi liberado. Tem uma data para comparecer no tribunal na semana que vem.

— Não há engano.

O policial mostrou-lhe uma folha de papel em que se lia claramente: MANDADO. Ela o pegou e o virou para que a iluminação da rua se refletisse em sua superfície. Mesmo sem os óculos de leitura, foi fácil o bastante identificar a data do dia e as letras do nome de seu filho.

— Ele está em casa? — disse o policial.

— Eu...

Kim deteve-se, surpresa com quanto sentia-se tentada a mentir, dizendo que ele viajara para algum lugar, para qualquer lugar, para passar a semana. Para quê, então? Supondo que o policial acreditasse e fosse embora, o que isso acrescentaria? Eles iriam procurá-lo em outro lugar, com certeza, mas então teria de mantê-lo escondido dentro de casa, aprisionado e à espera de ser encontrado. E isso significaria, digamos, que ela seria culpada de abrigar um fugitivo da lei? Deveriam existir leis, pensou ela, que protegessem as mães que protegiam os filhos. Ela lhe entregou o mandado, depois olhou para a casa e disse:

— Provavelmente. A luz do quarto dele está acesa. Mas posso, por favor, perguntar-lhe o que está acontecendo?

— A senhora poderia ter visto, o mandado especifica. — O policial ergueu o papel para lê-lo — G.S. 14-190.1, Literatura e exposições obscenas, oito vezes, e 14.190.16 Exploração sexual de menor em primeiro grau, quatro vezes, .17A, Posse de pornografia infantil em terceiro grau, cinco vezes. E também 190.5, Produção de fotografias obscenas, 12 vezes.

Os números — tantos deles, tantas vezes! — a abalaram.

— Mas com base em quê? — perguntou ela. — Isso foi a partir de coisas encontradas no computador dele?

— Senhora, minha sugestão é que procure um advogado. Ele será capaz de lhe dizer tudo o que precisa saber. Neste momento, gostaria de seguir em minha frente e fazer seu filho sair?

Kim ficou como imobilizada, piscando para o policial. Não, ela não gostaria de fazer isso. Ela não sabia como fazer seus pés se moverem de onde, em seus bobos saltos altos, haviam se enraizado na entrada da garagem. Ir para dentro e dizer a Anthony que ele estava sendo preso novamente? Ir para dentro e esperá-lo tentar acalmar os nervos abalados com as garantias que ele estava determinado a dar, mesmo que se assustasse, e depois vê-lo ser levado como se tivesse cometido um crime? *Caso* tivesse cometido um crime? Exploração sexual, dissera o policial. De um menor. Amelia — ou outras? Não, não poderia haver outra. Ela conhecia o próprio filho. Tinha certeza disso. Quase certeza.

— Senhora?

Ela olhou para o rosto do policial. Ele parecia bondoso.

— Você tem filhos?

— Minha senhora, preciso acabar logo com isso. Gostaria de ir na minha frente?

— Ele não fez nada de errado mesmo — disse ela, a certeza voltando. — Você não poderia, quero dizer, não haveria algum modo de eu falar com alguém e corrigir isso?

— Um advogado é a pessoa para isso.

Ele se aproximou dela e colocou a mão em seu cotovelo.

— Quanto mais cedo começarmos com isso, mais cedo poderá obter as suas respostas.

— Literatura e exposições obscenas? O que é isso? Em que isso é diferente daquilo de que ele já foi acusado? Não existe uma lei contra, como se chama, indenização dupla?

— Risco duplo — o policial disse pacientemente. — E não, a acusação anterior era diferente e a legislatura deve ter verificado que não há sobreposição. É o que eles fazem.

A pressão no cotovelo dela teve o efeito de persuadir seus pés a se moverem, embora não pudesse dizer que queria isso deles, ou os estivesse forçando a seguir. Não, aquela força vinha de algum lugar fora dela, e fora do policial também, apesar de a mão dele ser a ferramenta para isso. Essa força os estava impelindo sem levar em conta suas vontades pessoais e seria o que Kim culparia por tudo o que estava por vir, quando estivesse além dela fazer alguma outra coisa.

18

MAIS TARDE, AMELIA ESCREVERIA EM SEU DIÁRIO:

Círculos cortantes de aço seguram meus pulsos contra as costas. A policial evita olhar-me ou falar comigo — parece que todos com quem eu entro em contato enquanto estou sob custódia viram-me nua, exposta. Passei o tempo todo com o pescoço, as orelhas e o rosto ardendo de constrangimento. Mas não de vergonha. Quantas vezes terei de ouvir que "deveria vergonhar-me", antes de ter coragem o bastante para abrir a boca e dizer: "Eu nunca terei vergonha de amá-lo!"

Estou contra a parede e reduzida a nada. Anthony deve ter passado pela mesma situação quando foi preso e recebeu o mesmo tratamento áspero da guarda. Minhas impressões digitais foram tomadas e registradas. Agora, sou rastreável em toda a parte, para sempre. Percebo a insípida falta de vida dos corredores, das salas de admissão e mesmo das celas, com seu cheiro de produtos de limpeza rançosos e sua impressão de desalento. Quanto tempo pode uma pessoa trabalhar num lugar desses antes de tornar-se insensível e sem vida também? Todo mundo com quem tive contato obviamente está aqui no mínimo por tempo suficiente para isso.

As três mulheres presentes na cela a que me designaram tinham todas um aspecto doentio sob a luz fluorescente, e eu acho que eu também tenho. Sinto-me doente. Estou doente. O homem que me deu a vida e me criou com tanta generosidade e amor é o único que considero responsável por eu estar aqui. Eu me culpo também, mas de forma diferente. Ele deliberadamente causou problemas a Anthony. Ele teve a oportunidade de ser razoável e justo, de acreditar no que eu lhe disse — não fui enganada por Anthony. Eu sei, talvez melhor do que o papai sabe ou jamais saberá, como é o verdadeiro amor —, e se recusou a considerar isso. Na prisão, sinto-me constrangida e com medo, e gasto o tempo que espero na cela tentando pensar em como eu e Anthony vamos sair dessa confusão, como ainda podemos ter o futuro que passamos tanto tempo planejando. Mais do que tudo, estou furiosa com meu pai por ter ligado para a emergência. A única emergência, naquela ocasião, era a que existia na mente dele.

Nada acontece por 13 horas. Eu as passo mordendo cada uma de minhas unhas, tão rente quanto meus dentes conseguem alcançar, e não consigo dormir. Então sou levada a outra sala deprimente, onde, por detrás de uma divisória de vidro, um magistrado me diz que sou acusada de "Comportamento gravemente preocupante". Ele diz que há uma preocupação real de que uma delinquente como eu tente evitar enfrentar as consequências e que é obrigado a estipular minha fiança de acordo com isso. Não entendo essa coisa de fiança, só sei que meu pai vai conseguir os 75 mil dólares com facilidade e sinto-me perversamente feliz por isso ter-lhe custado esse montante.

Meu pai continua insistindo em que eu fui uma vítima. Eu lhe disse que, se for, ele é o único que causou isso, por reagir com exagero. Talvez os pais não pretendam estragar a vida de seus filhos, mas por que não são capazes de ver que são tão propensos a um mau julgamento quanto nós? Como é que podem querer que confiemos e acreditemos neles?

Sentada no gabinete do pai na terça-feira à tardinha, Amelia esperava em silêncio que ele a desculpasse. Ela não falara uma palavra desde que estivera diante de um magistrado no Centro de Detenção do Condado de Wake na segunda-feira à noite e dissera que sim, entendia as condições em que ela estava sendo detida. Não falara com as três mulheres com quem esperara na cela de cor podre até que o pai a libertara sob fiança naquela manhã. Não respondera às perguntas da mãe sobre se estava bem ou não quando foi solta, e agora não estava dizendo nada a seu pai nem ao Dr. Acton Hubbard — "o melhor advogado de defesa que o dinheiro pode comprar", nas palavras de seu pai — sentada numa pesada poltrona de couro, enquanto ele e Hubbard discutiam a melhor maneira de resolver a "situação" dela.

Amelia antipatizou com Hubbard já à primeira vista: ele era um homem baixo, atarracado, cuja cabeça parecia pequena demais para o corpo, possivelmente em razão da combinação de ele ser careca e vestir um paletó com ombros largos com enchimentos. Também pelo som: sua voz era nasalada, e ele zurrava como um sulista que afetasse uma inflexão bostoniana ou talvez britânica. Hubbard era um sulista tradicional da maneira como seu pai tanto admirava, ainda mais sulista do que a família da mãe de Amelia, e viera altamente recomendado pelo homem de confiança de seu pai em assuntos jurídicos da empresa. Ele era pálido e afetado, e parecia incapaz de parar de esgueirar o olhar na direção dela enquanto ouvia o pai pormenorizar a inocência da filha e sua teoria de como Anthony a influenciara indevidamente.

— Senhor Wilkes — disse Hubbard —, espero que esteja absolutamente certo sobre como a senhorita Amelia se envolveu nessa situação. É uma situação em que muitas jovens inocentes podem se enredar.

— É mesmo! Essas garotas, elas não sabem como os homens podem persuadi-las facilmente. Elas não sabem como os homens pensam.

Observando Hubbard observá-la, Amelia teve uma boa ideia de como certos tipos de homens pensam.

— Portanto, além de afastar as acusações — continuou o pai —, quero que providencie para que a notícia não saia na mídia.

— Eu gostaria de poder — disse Hubbard. — Especialmente considerando que nosso belo estado escolhe tratar os jovens de 17 anos de idade como adultos em assuntos criminais. — Ele suspirou e esfregou os nós dos dedos da mão esquerda com os dedos da mão direita. — Mas, infelizmente, a acusação foi tornada pública. A prisão permanece no registro público. Todos os detalhes, o nome da senhorita Amelia incluído, são deixados à disposição da imprensa e, sem dúvida, veremos a coisa pegar fogo quando alguém perceber que Winter é a mesma pessoa de que estavam falando recentemente. Um incêndio que, naturalmente, deve ser apagado, sim, senhor, mas eles *farão* a conexão, que é o que são treinados para fazer. É uma infelicidade que nosso promotor tenha considerado que a senhorita Amelia devesse de algum modo ser vista como autora de um crime. Eu e meus colegas faremos tudo a nosso alcance para minimizar os danos.

— Agradeço muito por isso — disse o pai dela. — Foi por isso que o contratei. Espero que vá além da sua obrigação.

— O fato de a prisão ter ocorrido certamente não indica culpa — disse Hubbard. — Isso é o que vamos precisar passar aos jornalistas. Faremos parecer que a senhorita Amelia é a vítima no caso. Faremos — disse ele, cruzando os dedos sobre o estômago — o tribunal da opinião pública ajudar nossa causa, divulgando os elementos específicos e corretos dessa história. Gibson Liles é muito consciente da opinião pública. Espero que ele aprecie as coisas do modo como você ou eu gostamos que sejam.

O pai dela abanou a cabeça.

— E pensar que apoiei esse filho da puta, desculpe, Joaninha.

Amelia desviou o olhar. Ele sentia muito por dizer um palavrão na frente dela. Por *um palavrão?*

Se Amelia tivesse sido capaz de evitar essa reunião, teria feito isso. O fato de seu pai ter insistido em sua presença parecia menos uma questão de precisar dela ali do que de querer mantê-la ao alcance da vista.

Ela sabia que ele estava extremamente envergonhado com o que ela fizera — oito vezes a acusação de material impróprio, 17 pela "produção" de fotos, três por posse de pornografia infantil e 12 por exploração, que, se ela entendera bem, aplicava-se a todas as fotos que tirara de si mesma com o celular e mandara como mensagem de texto para Anthony ou tirara com sua câmera e enviara para Anthony. Na superfície das coisas, ela parecia uma verdadeira piranha, como os meninos da escola chamavam as garotas que se ofereciam como voluntárias para qualquer atividade sexual. Não houvera nenhuma menção no mandado de prisão, nenhuma distinção fora feita de que algumas das 12 fossem tentativas suas de obter fotos artísticas: a curva de seu seio, em close-up; o plano da sua pelve entre os ossos do quadril, à frente das coxas. Anthony admirava seu corpo à maneira de um artista. *Ela* admirava o próprio corpo. Considerando seu defeito interior, o fato de ela ter o que poderia ser considerado um exterior ideal sugeria, achava ela, a possibilidade de ter sido abençoada. Ou, *sugerira* isso, anteriormente. Deus não estava favorecendo nem a ela nem a Anthony naquele momento.

Apesar de tudo pelo que ela fora presa e desonrada nesse sentido, seus pais na realidade não haviam reparado nas evidências. Eles não haviam percebido toda a extensão do que ela fizera, e por isso ela supunha que deveria ser grata. Tudo o que ela fora capaz de dizer-lhes antes de o policial algemá-la e enfiá-la na viatura fora que não, não havia outras pessoas envolvidas, por isso a "exploração sexual de menor" deveria, logicamente, aplicar-se a ela mesma.

— As fotos são *minhas*, papai — dissera ela, para ser clara. — Fotos que tirei de propósito, de bom grado, por ideia minha, e enviei para ele.

Ele já estava pálido, mas se tornara ainda mais pálido com sua revelação.

— Quando tudo isso acabar — respondera ele —, quando eu conseguir resolver tudo, você pode estar certa de uma coisa: você nunca mais verá aquele rapaz de novo. Eu não quero ser rude com você, Amelia, mas, por Deus, não vou deixá-lo arruinar sua vida.

— Ele não faria isso, mas não importa. Você já fez isso — disse ela.

Ela tentara conter as lágrimas, manter alguma dignidade na frente dos policiais. As lágrimas brotaram de qualquer maneira e se espalharam quando as algemas foram colocadas e fechadas.

O pai a olhara como se fosse chorar também.

— Você não sabe, mas estou salvando sua vida. Estou salvando você, Joaninha.

E sua mãe, que permanecia em pé na saleta de entrada ao lado do pai, colocara a mão no antebraço dele por alguns instantes. Amelia teve a sensação de que a mãe estava escolhendo os lados — não Harlan contra Amelia, apesar de tudo. Em vez disso, o lado dela mesma contra a outra. Amelia deu as costas a eles e então disse ao policial, com uma voz tremente de raiva mal contida:

— Levem-me daqui.

Naquele momento Hubbard estava dizendo:

— O que precisaremos fazer em primeiro lugar é reconstruir uma cronologia da relação entre a senhorita Wilkes e o rapaz. Quando eles se conheceram, como ele a perseguiu, que meios ele usou para influenciá-la e persuadi-la. Vamos conseguir alguns depoimentos de professores e outros alunos lá na Ravenswood, examinar a vida profissional dele, saber mais sobre seus parentes...

— A mãe dele é professora da escola. Tem alguma coisa aí, você não acha? Ela devia saber o que estava acontecendo, tanto que disse isso a Sheri — falou o pai.

Hubbard inclinava a cabeça enfaticamente e coçava o queixo.

— Sim, sim, acho que sim. Espero que haja culpabilidade aí, civil, se não criminal, mas estou pensando em criminal também. Comprometimento intencional, quem sabe, ou não reportar um crime, talvez...

Amelia se levantou. Aquilo estava indo longe demais.

— Parem com isso — disse, resoluta.

Os homens se viraram para ela com a boca aberta, como se tivessem se esquecido de que ela estava lá.

— Deixem a senhora Winter fora disso. Eu simplesmente vou dizer toda a verdade ao juiz e, aconteça o que acontecer, vou encarar a situação.

— Aconteça o que acontecer. — pigarreou Hubbard. — Potencialmente, e isso se você fizesse o que você acabou de sugerir que faria, o que, devo acrescentar, sendo seu conselheiro, não poderia permitir, e não permitirei... — Ele olhou para Harlan. — Potencialmente, o juiz agradeceria muito por poupar-lhe o trabalho de ouvir meus argumentos a seu favor e a mandaria para a penitenciária feminina por dez ou 12 anos.

A respiração de Amelia se interrompeu, e ela engoliu um soluço. Ele certamente estava blefando.

— De-dez a 12 anos? Por deixar meu namorado ver em fotos o que ele poderia legalmente ver ao vivo, algo que não deveria ser um crime antes de mais nada? Vo-você não pode estar falando sério. Você está apenas tentando me assustar.

— Anthony Winter *não é* seu namorado — disse o pai.

Hubbard inclinou a cabeça, admitindo a interrupção, depois disse para ela:

— Ah, sim. É possível. Isso ainda não foi feito, mas não significa que não possa ser. Neste país, os sentimentos estão se tornando muito conservadores, as pessoas estão querendo voltar aos antigos padrões. A pornografia disfarçada na televisão da família, violência por toda a parte, a sexualidade flagrante... — Ele parou e limpou a garganta. — E poderíamos, se não tivermos sorte, prever também uma acusação *federal*, o que poderia determinar 15 anos de prisão. Você *precisa* de minha representação, senhorita Amelia.

— Sente-se, Amelia, e pare de ser tão teimosa. O doutor Hubbard está tentando ajudá-la. Agora, eu presumo — disse a Hubbard — que sua primeira linha de argumentação será a de que a acusação de "pornografia infantil" contra a pessoa que é o *tema* dos materiais envolvidos é uma paródia de justiça.

— Tomarei essa linha, sim, além de mostrar que a senhorita Amelia estava, na verdade, agindo contra seus desejos...

— Mas eu não estava — disse ela, ainda de pé.

Hubbard olhou para ela e continuou:

— E por causa da influência do rapaz, das ameaças, o que for...

— Eu vou negar tudo isso.

— ...ela foi levada a agir de tal forma que a colocou em sério risco. Além disso, o próprio fato de existirem essas acusações contra ela constitui consequentemente outra camada de vitimização. Providenciaremos uma análise aprofundada pelo melhor psicólogo da região, afirmando várias coisas nesse sentido.

Amelia agarrou o braço de Hubbard.

— Então será tudo mentira.

O seu pai apontou para ela e disse:

— Você está dispensada.

Ela soltou e se virou para o pai.

— Essa é minha defesa? *Mentiras?* Estou vendo: qualquer m-meio para chegar ao fim que você deseja. Que c-c-conveniente — disse ela com dificuldade. *Devagar*, disse a si mesma, respirando fundo. *Pense primeiro e fale depois.* — O que aconteceu — disse ela, muito mais lentamente — com a "honestidade e integridade" que você sempre apregoa em seus comerciais? Diga, onde estão?

— Você diz coisas como essa — disse o pai, pegando-a pelo braço e levando-a até a porta — e de algum modo acha que podemos confiar em seu julgamento?

Ela soltou o braço com solavanco.

— Do que você está *falando?*

— Veneno, Amelia. Estou falando do veneno que distorce seu senso de realidade. Você quer ir para a prisão?

— Claro que não. Mas po-por quê — disse ela, respirando fundo novamente e soltando o ar —, por que não estamos tentando descobrir uma maneira de mostrar ao juiz que o que aconteceu não é, na verdade, exploração ou pornografia?

— Porque é — disse o pai. — Trata-se exatamente dessas coisas. Aquele garoto tentou tirar vantagem de você em todos os sentidos possíveis e Deus sabe o que ele pode ter feito com aquelas fotos. Você já pensou nisso, Amelia? Será que você pensou que ele poderia estar usando-as em algum tipo de website ou vendendo-as em segredo, ou mesmo passando-as para os outros delinquentes que ele conhece?

— Ele nunca faria uma coisa dessas — disse ela calmamente.

— Por favor. É isso o que eu quero dizer sobre você estar cega e ser ingênua. Esse é o jogo desses caras. Então, tudo o que precisamos fazer é mostrar que você não é responsável por nada.

— Mas eu sou. E não vou mentir no tribunal.

Ele olhou para cima, como se em súplica, para a curva da escada onde esta encontrava o patamar do piso superior. Ou talvez ele estivesse olhando para além do patamar, olhando para o céu, mas ele nunca fora um homem verdadeiramente religioso. Ela queria dizer-lhe para não se preocupar; ninguém ali em cima estava prestando atenção mesmo.

Ele baixou os olhos e fitou-a novamente, com a mesma expressão que exibia quando ela era pequena e queria saber por que seus avós do lado Wilkes nunca vinham visitá-los: gentil, com uma paciência dosada.

— Ninguém está pedindo para você mentir, Joaninha. Você simplesmente diz do que se trata e o psicólogo e o doutor Hubbard cuidarão para que o resto das coisas que você não consegue compreender neste momento fique claro. Sei que é difícil para você. Sei que não consegue ver o que todos podem ver. Mas, querida, você precisa confiar em seu pai em relação a isso.

Ele falou com tanta convicção e tanta tranquilidade que, por um longo, estressante e exaustivo momento, apesar da sua fé e da sua experiência, ela questionou os próprios pensamentos. Será que ele poderia estar certo? Seria Anthony um ator tão bom que ela se deixara enganar completamente? Não queria duvidar de Anthony, ou de si mesma. Tampouco queria duvidar do pai. Não se tratava de uma mera diferença de opinião. Tratava-se de uma diferença de crença.

Ela pensou em Anthony, em quando se encontravam no palco nas audições e nas primeiras semanas de seu relacionamento, quando ele parecia tão impressionado e tão ansioso quanto ela fora. Ele não poderia ter fingido seu entusiasmo durante horas e horas de conversa, dezenas de encontros para o almoço. Não poderia ter fingido as nervosas demonstrações inseguras de paixão dos primeiros encontros noturnos secretos. Não poderia ter fingido a ternura que ela via em cada bilhete e cada poema que ele lhe escrevera ou a preocupação, o apoio, quando ela confrontava as expectativas de seu pai com seus próprios sonhos. Ele não faria tudo isso só para ter sexo. Ele não precisava. As garotas esperavam por ele com a boca e as pernas abertas, de acordo com o comentário que Cameron fizera certa vez. Mas não era isso o que ele queria. Anthony queria ela.

— Ele me ama, papai. Por que você não consegue acreditar nisso? Sou eu, você está dizendo que não sou digna de ser amada?

Ele olhou para ela, surpreso.

— Não. Não, claro que não é isso o que estou dizendo. Estou dizendo que ele a enganou.

— Então, em sua opinião, eu sou tola a esse ponto.

— Sim — disse ele, gentilmente. — Eu não teria pensado nisso, e não vá se culpar por isso. As garotas são tolas assim, eu acho. Talvez esteja embutido em seu

DNA e, quando você introduz o cara errado na mistura, acontece. Sabe, como uma doença que precisa de um estímulo para se manifestar. Você foi enganada — disse ele, estendendo a mão para afastar-lhe o cabelo do rosto —, mas isso não significa que você seja uma pessoa má, ou que não possa ser amada, nada disso.

Ela não conseguia compartilhar dessa gentileza. Afastando-se, levantou a voz ao dizer:

— Bem, estou vendo que errei em acreditar em *você* durante todos esses anos, então acho que você está certo: em certo sentido, eu fui uma tola. O que eu sei é que Anthony me ama, ama a pessoa que eu *realmente sou* e a pessoa que eu vou ser, se você ainda não tiver tornado isso impossível. — As suas mãos tremiam, e ela as apertou unidas para deter o tremor.

As feições de seu pai endureceram.

— Eles a *ensinaram* a ser tão dramática? — disse ele, sem mais sinais da gentileza. Ela o ferira e estava feliz por isso. — Se é isso o que está aprendendo nas aulas de teatro, então acho que é uma coisa boa tirá-la de lá também.

— Não — disse ela, disposta a não recuar sob o sarcasmo dele. — Não, papai, isso foi de verdade. Se eu quisesse ser dramática neste momento, bateria o pé e diria: "Eu odeio você", e correria para meu quarto e bateria a porta.

— Estou surpreso que não tenha feito isso.

— Você se surpreenderia — retrucou ela, sem fazer nenhum esforço para esconder a decepção em relação a ele.

Ele semicerrou os olhos.

— Agora chega disso. Vá em frente — disse, apontando para a escada. — Vá ser ingrata em outro lugar.

Ela já estava se afastando.

— Pode apostar que irei — disse.

No seu quarto, Amelia, ainda vestida, sem tirar o aparelho ortodôntico nem escovar os dentes, apagou as luzes e foi para a cama. Em seguida, soltou os laços das cortinas do dossel e fechou-as; depois, sem afastar o lençol ou o cobertor, enfiou-se por debaixo das cobertas, virou-se de lado e puxou os joelhos para junto do peito.

Ela fazia isso com frequência quando era mais nova, em momentos em que se sentia magoada por alguma injustiça ou uma ofensa — depois de um acontecimento na escola, por exemplo, ou uma festa do pijama, quando lhe parecia que toda garota que conhecia estava sendo perseguida por um garoto, enquanto ela continuava a ser preterida, esquecida. Entre os colegas e conhecidos ninguém sabia que ela gaguejava quando ficava aborrecida ou ansiosa. Ela escondera o problema magistralmente atrás de um comportamento reflexivo e intelectual. Ela era a garota a quem os outros costumavam pedir ajuda para uma lição de casa ou para expressar as suas dúvidas e sentimentos — mas não para uma "dança ao luar" no ginásio enfeitado para o baile de fim de ano. Amelia era, na opinião das amigas, uma espécie de anjo, uma garota extremamente inteligente e culta, a quem admiravam muito por manter a cabeça fria, não importava qual garoto ou garotos estivessem por perto. Elas tinham certeza de que ela poderia escolher o garoto que quisesse e estava simplesmente esperando pelo par ideal. Nesse sentido, elas tinham razão: ela esperara pelo par ideal. Mas por muito tempo, tanto tempo que, enquanto esperava, pensava que ainda de cabelos brancos acabaria sozinha e intocada, ou pelo menos sem ser amada, ela se consolara sonhando com uma vida e um tempo diferentes, em que os homens achariam seu modo de ser e sua aparência irresistíveis.

Na época, aos 12, 13 anos, ela se imaginava uma princesa solitária — Elizabeth I, por exemplo — vivendo num grande castelo no alto de uma montanha, num lugar a que ela chamava de Terra dos Sonhos, uma referência às brincadeiras anteriores da infância. Do lado de fora das suas janelas estendiam-se enormes balaustradas de pedra e além dessas o mar revolto. Enquanto dormia, acomodada confortavelmente em sua cama com dossel, um navio navegaria na direção do reino, as velas desfraldadas e esvoaçantes, enquanto o casco subia e descia nas ondas. A bordo do navio estaria um jovem príncipe (um *moço*, pensava ela, tomando emprestado o vocabulário de *Mulherzinhas*[7]), alguns anos mais velho que ela, que estaria a

7. Livro de inspiração autobiográfica de Louisa May Alcott, publicado em 1868 sob o título Little Women, que conta a história de quatro irmãs que crescem durante a Guerra Civil Americana. (N.T.)

barlavento em suas botas pretas de cano alto com as calças enfiadas nelas, sua fina e branca camisa esvoaçante como as velas, o cabelo preto e longo soprado para trás pelo vento, escapando do rabo de cavalo. Ele usaria um brinco, resultado de uma viagem em que, por algum tempo, pertencera a um bando de piratas. Ele estaria navegando para o reino do pai dela, para encontrar a garota de que ouvira falar, uma garota de educação refinada, mas muito apaixonante também, uma garota lendária que não sabia ao certo se existia. A garota com a fama de ter uma pele tão delicada quanto a dele era bronzeada pelo sol, tão gentil quanto ele era selvagem — mas (e ele não sabia disso, mas esperava que sim) o coração dela seria tão selvagem quanto o dele, e ele ficaria feliz em descobrir isso.

Ele viria em busca da garota — decidiu ela, numa nova guinada da história — cuja voz fora roubada por uma maldição. Ele chegaria de alto-mar sob um céu sem lua e, depois de remar um bote silenciosamente pelo mar calmo, de algum modo encontraria o caminho até a beira do penhasco e entraria no quarto dela enquanto dormia. Ela o ouviria e acordaria, e, de algum modo, saberia que não deveria ter medo; no entanto, ela fingiria dormir e esperaria pela descoberta. Ele acenderia uma vela em sua mesa de cabeceira, abriria as cortinas e a veria ali, o cabelo espalhado sobre o travesseiro, os cílios escuros descansando sobre as bochechas, e então se inclinaria e lhe beijaria os lábios, tão suavemente que uma garota adormecida poderia confundir o beijo com uma aragem que conseguira abrir caminho através das cortinas.

Ele a amaria instantaneamente, amaria totalmente. Ele a levaria consigo. Isso era o que ela sonhava.

19

NA TARDE DE QUINTA-FEIRA, Anthony achava-se debruçado sobre a mesa de reuniões da advogada, ouvindo atentamente as explicações sobre sua segunda prisão.

— A instrução preparatória da acusação é autoexplicativa e trata-se de uma contravenção: neste caso, "Literatura e exposições obscenas" significa distribuir pornografia em geral. As fotos da senhorita Wilkes, que é menor de 18 anos, constituem pornografia infantil, daí a acusação de "Exploração de menor em segundo grau" por posse de pornografia infantil. São delitos graves — explicou a advogada —, como você está bem ciente nesta altura.

Eram quatro horas da tarde, e ele acabara de sair da cadeia, depois de sua mãe ter comprometido a escritura da casa em que moravam para cobrir a fiança, um árduo processo que incluía reunir a papelada, contratar um avaliador, obter a avaliação, certificar-se de que o valor da casa superava a dívida obrigacional em pelo menos 20 mil dólares e depois preencher mais formulários em diversas repartições e esperar pela aprovação — ela lhe contara todos os detalhes durante o trajeto até ali. Não era uma história feliz, mas ele preferia essa à *outra* que ouvira antes. Durante a maior parte dos últimos três dias estivera preso, sozinho, numa pequena cela, ouvindo a conversa fiada dos presos ao redor que, como ele, alegavam ter ido parar ali em razão de acusações completamente falsas. Ele não dormira muito no colchão carente de enchimento do beliche e naquele momento lutava contra o cansaço, a raiva e as reviravoltas do intestino que haviam começado no meio da primeira noite na prisão, logo depois que o homem na cela em frente à sua informara que, se ele não reconhecesse a culpa e resolvesse logo isso, seu caso poderia levar um ano para ser julgado. Um ano, ou talvez mais, e os juízes se aborreciam com delinquentes orgulhosos que não admitiam ser culpados — ele pegaria a pena máxima, que era como a coisa funcionava.

Um *ano*. Nesse período, deveria estar em seu primeiro ano na faculdade, acordando todos os dias para ver os longos cílios de Amelia descansando sobre seu rosto, ser saudado por seu sorriso sonolento, preparar os ovos para ela — *delicadamente* mexidos, era assim que ela gostava no café da manhã, e no final do dia enfiar-se na cama e aninhá-la entre os braços, respirando o cheiro *Amelia* dela, pétalas de rosa e de jasmim e sua pele quente e suave. Não era para ficar chafurdando no limbo em Raleigh, esperando para ver se 12 de seus concidadãos decidiriam que ele era, de fato, um réprobo, um delinquente sexual, um perigo para a sociedade, que devia ser punido de acordo com a lei.

Três dias sem banho — ouvira muitas histórias sobre quanto tempo se passava na prisão até que os guardas se dignassem a oferecer essa regalia. Três dias vestindo uma humilhante camiseta cor de laranja florescente e um macacão listrado de branco. Três dias sem música, sem um livro decente. Outros três malditos dias sem Amelia.

— Delitos graves — repetiu sua mãe, como se estivesse aprendendo palavras novas.

Anthony viu seu rosto descompor-se ao assimilar o significado e descompor-se ainda mais quando a Dra. Davis disse:

— Sim. A acusação por posse é de classe 1, o que *poderia* significar um ano de prisão.

— Você não está falando sério — disse a mãe. — Prisão?

— Eu não *vou* para a prisão — disse ele.

— Mas não seria um ano nesse caso — assegurou-lhes a advogada. — Anthony não tem antecedentes e não se trata de crime violento.

Anthony observou a mãe esfregar a boca enquanto absorvia essa informação, e a Dra. Davis continuou.

— A outra acusação, exploração de menor em primeiro grau, é de classe C, 12 anos no máximo, embora nenhum juiz em sã consciência imporia o máximo. Tenho de duvidar de que a prisão estaria em questão em qualquer um dos casos, mas, sinceramente, não sei. Estamos pisando em terreno desconhecido.

A mão de Kim parou, e seus olhos se arregalaram a um ponto que ele nunca vira. Ele também arregalara os seus — podia sentir as sobrancelhas praticamente na linha do couro cabeludo. Doze? *Doze?* As palavras que se seguiram não puderam competir com o impacto de *12 anos.*

— Você diz isso, mas nenhum promotor em seu perfeito juízo também consideraria o que Anthony fez um crime de verdade. Não estou nem um pouco tranquila — disse a mãe.

— Doze *anos?* — disse Anthony, ainda atordoado, enquanto sua mãe passava os braços em torno da cintura e fechava os olhos por um instante. Quando ela os abriu, ele viu algo que lhe era estranho: medo. Ver isso numa mulher que, até onde ele sabia, nunca entrara em pânico por nada, e isso o fez corar com seu próprio medo.

— Só em caso de reincidência, e em situações particularmente flagrantes. Não se preocupem — disse a Dra. Davis.

— Ah, tudo bem, certo, "não se preocupem", em meu caso seriam apenas, o quê, dez anos? — retrucou Anthony.

— Anthony — disse Kim, colocando a mão sobre a dele. — Pare.

Ele empurrou a cadeira para trás da mesa de reuniões e se levantou.

— Eu só quero saber exatamente, especificamente, até que ponto tudo isso pode foder com minha vida. E não me peçam para pedir desculpas pela linguagem — acrescentou, indo até a janela, que dava para a maior parte dos edifícios de escritórios brancos e comuns de Raleigh, todos acinzentados sob o céu nublado cor de estanho. — Acho que tenho esse direito.

— Seis — disse Davis. — Não mais do que isso, supondo que os federais não façam acusações e, devo dizer, é difícil pensar que fariam.

— Ah, apenas *seis.* — Ele se virou para encará-las novamente. — Seis anos atrás eu era um menino de 12 anos de idade. Eu mal me *lembro* de seis anos atrás. Isso é um terço de minha vida. Seis *anos* — disse ele com desgosto. — Seis anos a partir de quando eu for realmente condenado é quando estou planejando estar escrevendo peças e atuando no teatro, tomando o metrô para o Metropolitan, ouvindo Amelia cantar, sei lá, "Thank You for the Music", talvez, em oito apresentações por semana. — Com as palavras, veio a lembrança dela cantando essa música enquanto eles andavam pela rua da casa de Cameron em direção a um parque nas proximidades. A voz dela tinha o equilíbrio perfeito entre doçura e sensibilidade, e ouvi-la cantar abria-lhe o coração, tocando-o a tal ponto que ele se sentia incapaz de resistir a ela. Ele não poderia passar seis anos longe disso, longe dela.

— Será que sou tão estúpida a esse ponto? Porque não consigo entender como o fato de ele ter fotos de uma garota de 17 anos de idade que é namorada dele possa ser considerado "pornografia infantil". Ela não é uma menina de 12 anos de idade, pelo amor de Deus, e ele não a está explorando. Ninguém mais jamais viu essas fotos.

— A lei exige que uma pessoa tenha 18 anos ou mais para ver ou fazer-se representar em imagens consideradas abertamente sexuais. Ponto final.

— Dezoito — disse a mãe dele —, quando eles podem legalmente ter relações sexuais aos *16* anos. Eles podem se casar nessa idade com a permissão dos pais, e aos *14* se tiverem o consentimento do tribunal, não é isso? — Ela esfregou a boca de novo, depois continuou: — "Exploração sexual?" Qual é! Não estou dizendo que o que eles fizeram foi a coisa mais inteligente do mundo, mas, faça-me o favor — insistiu —, explique-me como isso faz algum sentido.

— Senhora Winter, se eu me deixasse influenciar por esse tipo de perguntas, nunca seria capaz de fazer meu trabalho. Para nossos propósitos, é preciso manter o foco no que fazer em relação às acusações de modo que seu filho consiga o melhor acordo possível.

— Acordo? — disse a mãe dele. — Você quer dizer propor uma barganha? O que aconteceu com inocentá-lo?

— Acusações criminais resultantes de provas irrefutáveis foi o que aconteceu. Conversei com o promotor sobre o caso várias vezes esta semana e não há dúvida de que Liles, o chefe da promotoria, está visando ao encarceramento, a menos que um juiz esteja inclinado a desconsiderar a alegação de Liles, o que não devemos esperar, a perspectiva realista é de que Anthony deve apelar para a menor acusação que eu conseguir apresentar.

— Como é que você sabe que as provas são "irrefutáveis"? E se houve, sei lá, adulteração de provas ou, ou talvez haja alguma brecha ou detalhe técnico...

— Senhora Winter, olhe, entendo que esse tipo de coisa acontece muito na televisão. E gosto quando a pessoa é salva no último instante por um detalhe inesperado. E farei o que for possível para percorrer todos os caminhos possíveis para chegar a esse resultado. Contudo, meu trabalho é ajudar que Anthony, e você, caiam na real sobre a situação que estamos enfrentando. Considerando que ele já admitiu em parte que...

— Mas espere — disse a mãe, remexendo-se no assento com ansiedade —, ele disse essas coisas antes que lessem seus direitos, portanto isso não invalida as declarações?

A Dra. Davis balançou a cabeça.

— Ele não estava sendo preso naquele momento. Fizeram-lhe perguntas, e ele decidiu respondê-las. Ele não precisava. — Ela bateu com a caneta sobre a mesa e olhou para Anthony. — Nunca diga nada à polícia.

— Você disse. Eu estava tentando cooperar.

— Bem, pare com isso — disse ela, sorrindo ligeiramente.

— Eu não sabia que o que fizemos era um crime.

— Não deveria ser. Mas, em rigor, é, por isso que precisamos reagir de acordo. A questão, porém, é por que a promotoria está tão preocupada com dois adolescentes que mantêm um relacionamento consensual. Deve ser uma manobra política... — A sua voz foi sumindo por um instante, depois ela acrescentou: — E, embora vocês também não queiram ouvir isso, preciso dizer que defender vocês contra as novas acusações significa um aumento de meus honorários. Nós temos muito mais trabalho a fazer do que se isso tivesse permanecido contido, vamos dizer assim.

— Compreendo — disse a mãe dele, com a voz estrangulada pela perplexidade. — Vamos dar um jeito.

Anthony se encostou na parede e disse:

— Quanto é?

— Querido — disse-lhe a mãe, ainda com aquela expressão terrível de medo nos olhos —, não importa.

— Dra. Davis? — insistiu ele.

Ele fazia questão. Aquele já era um fardo que sua mãe não devia estar carregando — embora, se entendera o processo da vinculação obrigacional, ela realmente não perderia nada de seu patrimônio se ele permanecesse na cidade e comparecesse a todas as sessões a que fosse intimado ao tribunal. Ela já preenchera à advogada um cheque de 5 mil dólares; ele não a deixaria encarregar-se do resto das despesas também. Importava porque precisava descobrir quanto, além das suas economias para a faculdade, precisaria levantar — e como fazê-lo.

— O dobro da taxa de contravenção — disse a Dra. Davis —, portanto 10 mil para começar, mas haverá outras despesas também, especialmente se formos parar diante de um júri. O psicólogo poderá cobrar de 2 a 3 mil, a menos que seu seguro-saúde cubra isso.

— Não é provável, mas vou verificar — disse Kim.

— E eu sugiro fortemente que fiquem com meu investigador particular, ele é um profissional, eu já trabalho com ele há mais de cinco anos. Vamos precisar falar com os professores, vizinhos, amigos dela...

— De quem? — disse a mãe dele.

— Da garota. Da senhorita Wilkes.

Anthony se afastou da parede, tornando-se alerta.

— Por que precisamos fazer isso?

— Para que isso não seja culpa sua, vamos precisar mostrar que ela fez tudo. Você foi coagido. Ela seduziu você com, o que poderíamos dizer, promessas de acesso? Os rapazes são facilmente influenciados por garotas agressivas. Você não fazia ideia de que o que estava sendo levado a fazer era ilegal.

Ele balançou a cabeça.

— Essa última parte está correta, mas eu não vou mentir sobre Amelia para salvar minha própria pele. Encontre alguma outra estratégia.

— Posso fazer argumentos periféricos na esperança de reduzir as acusações, mas, se tivermos de ir a julgamento, e precisamos estar preparados para essa possibilidade, essa será *a* estratégia. Eu lhes disse que chegaria a esse ponto. Se o júri vir você como uma vítima, não vai condená-lo como um criminoso. E confiem em mim, ela usará a mesma estratégia em sua própria defesa.

Anthony ouviu as palavras *em sua própria defesa,* mas não conseguiu entender o sentido exato.

— O que está querendo dizer? Defesa contra o quê?

Kim olhou para a advogada primeiro, depois para ele, depois de volta para ela e disse:

— Eu não contei a ele ainda.

— Não contou o quê? — disse ele.

— Ouça, Anthony, querido. Eu não queria incomodá-lo com isso até, bem, eu não sei — disse ela —, não quis lhe contar tudo. Não que eu não devesse. Amelia, Amelia foi presa na segunda à noite também.

— O que você está dizendo? Quem disse isso?

— A notícia está em todos os lugares. A promotoria acusou os dois.

— As mesmas acusações, mais ou menos — acrescentou a Dra. Davis.

Anthony olhou, boquiaberto, de uma para a outra.

— Mesmas acusações? Como?

— Ela tirou e enviou fotos de si mesma, certo? Assim, ela estava produzindo e distribuindo pornografia. Pornografia infantil, porque ela é menor de idade.

— Isso é loucura, e "exploração"? Uma pessoa pode explorar a si mesma?

— A lei não faz distinção. A única razão pela qual eles não o rotularam com isso da primeira vez é porque você tem 18 anos.

— Quando eu lhe telefonei, por que você não me disse que isso poderia acontecer?

— Não mudaria nada. Considerando as ações da promotoria, parece que tudo o que encontraram em seu computador fez Liles pensar que tinha algo a mais com que trabalhar. Ele deve ter tido a sensação de que teria de começar com isso, ou nunca teria se preocupado com o mandado de busca.

— Então eu acho que Wilkes não me atacou por isso. — Até então, imaginara que esse fora o caso, até ouvir aquela notícia sobre Amelia.

— Senhor Wilkes, espero, está com um caso bem enrolado neste momento, considerando seu envolvimento inicial, e, tenho certeza, preenchendo um cheque bem gordo para um advogado, cujos honorários fazem os meus parecerem baratos.

E falando nisso — disse ela, fechando o bloco em que fazia as suas anotações: — Vou precisar de outro cheque de vocês, e então começarei a tentar desenredar seu caso.

20

RALEIGH, NA CAROLINA DO NORTE, e as metrópoles vizinhas Durham e Chapel Hill, conhecidas em conjunto como O Triângulo, eram o lar de quase 2 milhões de pessoas naquela noite de quinta-feira de meados de novembro, a noite da soltura de Anthony Winter, em que uma das principais emissoras de televisão fez de Amelia e Anthony tema de uma série de reportagens especiais de interesse para a comunidade. Um dos produtores da emissora a intitulara, talvez sem pensar, de "Os Adolescentes Terríveis", não com a intenção de rotular o casal que a inspirara como "terrível", mas em vez disso referindo-se à adolescência e aos comportamentos perigosos dos adolescentes. A série "Os Adolescentes Terríveis" se prolongaria por três noites e apresentaria um "especialista" diferente a cada episódio.

Harlan Wilkes, que conhecia muito bem os dados demográficos da região, que os estudara intensamente e preparara um plano de longo prazo para o crescimento de seus negócios com base nas tendências demográficas, não era um espectador habitual dos noticiários, mas, desde a prisão de Amelia na segunda-feira anterior, permanecia obsessivamente sintonizado com todas as fontes de notícias. Televisão, rádio, jornais, Internet, a exemplo das testemunhas de um acidente de avião, não conseguia manter-se distante do espetáculo. No trabalho, mantinha o smartphone sempre à mão e verificava as notícias na Internet a cada minuto livre, esperando não encontrar nada, temeroso de tudo.

O seu dia começava com uma análise do jornal de Raleigh. Saíra um pequeno artigo encaixado num canto na edição de quarta-feira, uma simples narrativa dos fatos: Amelia Wilkes fora indiciada e presa sob várias acusações; era a filha de Harlan

Wilkes, diretor do império Wilkes Automotive ("império", ele gostou disso, pelo menos isso eles haviam entendido direito); ela fora solta na terça-feira pela manhã após o pagamento de uma fiança de 75 mil dólares — que Hubbard tentara reduzir, mas o fato de Harlan ser chefe de um "império" atuara contra ele, porque o magistrado argumentara que uma fiança menor poderia não motivar Harlan a manter a filha junto de si e pronta para comparecer em juízo quando chegasse o momento. Como se ele pudesse mandar a menina para fora do país, para viver em seu chalé suíço, ou algo assim. Como se os Wilkes fossem os Vanderbilt, ou a realeza. Harlan cuspira pregos por ela ter passado a noite na prisão e por causa da fiança, mas não houve o que discutir, a não ser que quisesse que a filha passasse mais duas noites lá, porque ela não poderia ver um juiz para uma revisão da fiança antes de quinta-feira. Ele absolutamente não os deixariam mantê-la presa como uma criminosa comum, de modo que xingou o juiz (para Hubbard), depois telefonou para o gerente do banco e mandou-o entregar um cheque para o tribunal pessoalmente.

Na quarta-feira, os sites de notícias e os telejornais não fizeram nenhuma menção à prisão de Amelia, e Harlan pensou por um breve e agradável momento que escapara da publicidade negativa com apenas um arranhão. Não mostrou o artigo do jornal a Sheri, ou a Amelia, que não saía do quarto desde a noite de terça-feira, embora ele pudesse imaginar o que ela estaria fazendo lá. Docinho permanecera no corredor do lado de fora da porta dela em tempo integral, movendo-se apenas quando Harlan a chamava para sair. Sheri levara as refeições ao andar de cima, tanto para filha quanto para a cadela, o que Harlan não aprovava. Se não dessem nenhuma comida a Amelia, ela ficaria com fome e seria forçada a sair, não seria? Mas, por Sheri estar fragilizada, ele manteve a boca fechada quanto ao assunto.

Harlan lançou-se ao trabalho na quinta-feira com toda a intenção de envolver-se na gestão de seu "império". Ele dirigira o Maserati sintonizando de passagem por todas as estações de rádio locais, sem ouvir menção nenhuma ao nome Wilkes, salvo por três de seus anúncios comerciais. Com a aproximação do feriado de Ação de Graças e passado um dos momentos mais lentos do ano para a aquisição de carros, a agência de publicidade saturava o mercado com tentações concebidas para atrair as pessoas para as lojas — porque, a partir daí, era fácil fazer a venda. Quem não quereria comprar um reluzente carro novo para dirigir até a casa dos sogros no Dia de Ação de Graças ou no Natal? Que melhor maneira de mostrar à família que você não era um daqueles FDP infelizes que tinham sido atingidos por demissões? Ou, ao contrário, por que não, se você pudesse arcar com a despesa, praticar o ato de caridade de impedir que os vendedores de automóveis, os operários das linhas de produção das montadoras e os funcionários das financeiras recebessem o bilhete azul? A agência que trabalhava para ele atirava para todos os lados.

Pensamentos dessa natureza mantinham sua mente ocupada enquanto percorria a alameda de entrada e estacionava o carro em sua vaga reservada na Wilkes Honda. Ainda era cedo, faltavam poucos minutos para as oito horas, por isso o local estava tranquilo. Apenas dois funileiros, uma dupla em seus 20 anos de idade que se transferira de um emprego em Zebulon, encontrava-se ali, fumando e bebericando sua bebida megacafeinada, mega-açucarada, enquanto esperavam que Harlan ou Les Greer, o gerente-geral, chegassem para abrir a loja. O jornal fora entregue e esperava, ainda envolto no saco plástico, no chão ao lado da porta.

Lá dentro, Harlan providenciou a feitura do primeiro café, pegou na máquina sua habitual lata inicial do dia do refrigerante a que ele chamava desde criança de Co-Cola e foi para sua sala. Ignorou as pastas à espera sobre a escrivaninha e, ainda de pé, tirou o jornal do saco de plástico, desenrolando-o cuidadosamente sobre o tampo da mesa. Ali, um pouco acima da dobra, começava a manchete: HERDEIRA WILKES ACUSADA e depois, abaixo da dobra, NO ESCÂNDALO DO SEXTING.

Ele apertou as mãos contra o jornal. *Esses desgraçados!* Não conseguira fazê-los interessar-se pelo assunto quando a história era sobre o que Winter fizera a uma filha anônima, mas agora, agora que sabiam que se tratava da filha *dele*, ah, agora estavam todos muito interessados. Tão interessados que haviam produzido uma reportagem de primeira página, uma grande notícia, com o título mais enganador que conseguiram.

Sexting. Essa era uma palavra que não estava no vocabulário dele. E quanto a *escândalo*? A situação de Amelia não era um escândalo! O que era escandaloso era a maneira como o jornal usava o nome e o infortúnio de sua filhinha para vender mais exemplares.

— Danem-se todos — disse ele, com os dentes cerrados. O que lhes dava o direito? — Eu deveria processar os filhos da puta — disse. *Herdeira Wilkes.* Como se ela fosse uma menina rica e mimada que tivesse perdido o juízo.

Pegou o telefone e discou para Hubbard, deixou-lhe uma mensagem de voz com palavras duras, depois caiu na cadeira e pegou novamente o jornal para ler o artigo inteiro, só para ver de quantas maneiras apertaria quem quer que tivesse escrito e quem tivesse autorizado a publicação daquilo. Gastara mais de 100 mil malditos dólares por ano publicando anúncios naquele jornal e era *assim* que lhe retribuíam-lhe.

A reportagem apresentava um tom relativamente comedido no início. Começava com uma explicação do que era chamado de *sexting* — um neologismo genérico para o envio de fotos explícitas por e-mail ou mensagem de texto. E, aparentemente, havia o registro de alguns maus elementos que anteriormente haviam sido apanhados em comportamento semelhante em outras regiões do país, pelo que o artigo culpava a proliferação de celulares que tinham câmeras embutidas. Harlan atribuía a culpa à proliferação de garotos cujos pais, como Kim Winter, faziam um péssimo trabalho na criação de seus filhos. O fato era que, do mesmo modo que uma fatia de pão mofada estragava todo o pacote, um adolescente carismático e manhoso poderia influenciar vários outros a agir de um modo que, não fosse por esse mau elemento, nunca sonhariam.

— Má influência, má influência — murmurou Harlan, respondendo ao artigo —, não os telefones. Isso é o mesmo que culpar o carro por alguém dirigir embriagado.

Ele estava no meio do artigo quando seu telefone tocou. Ele verificou o mostrador: não era Hubbard, mas Sheri. Atendeu e disse:

— O jornal...

— Estou lendo.

— Como eles podem fazer uma coisa dessas? — Sua voz soou rouca.

— Eu lhe disse, está nos registros públicos.

— Não, quero dizer, como eles podem apresentá-la dessa maneira? Onde está a decência?

— Eu não li a coisa toda. Deixe-me terminar e ligo de novo.

O repórter, depois de explicar o que era *sexting*, dizia:

Amelia Wilkes, 17, herdeira do império Wilkes Automotive, é aluna do colegial no prestigiado colégio Ravenswood e tem-se exibido em uma série de produções teatrais locais. Supostamente, ela se exibiu muito mais explicitamente a um de seus colegas de escola e de teatro, Anthony Winter, 18, também aluno do colegial e bolsista da escola, onde sua mãe, Kim Winter, é professora do colegial. Winter foi preso no início da semana por supostamente enviar fotos explícitas de si mesmo para uma mulher, numa acusação relacionada. Os dois enfrentam neste momento acusações criminais que poderiam mandá-los à prisão. Não está claro se há outras pessoas envolvidas. As investigações continuam. Wilkes pagou 75 mil dólares de fiança e foi solta sob a condição de não ter contato com Winter, que até o momento permanece preso com a fiança estipulada em 30 mil dólares. A disparidade nos montantes atende às diferenças de acusações entre os réus e às diferentes circunstâncias financeiras das famílias. Montantes tão altos assim são incomuns entre crimes não violentos. Uma fonte do gabinete da promotoria afirma que a dupla é considerada fortemente candidata à fuga.

Harlan ficou sentado muito quieto. Leu o artigo uma vez mais. Quando o telefone tocou novamente, era Hubbard.

— Senhor Wilkes, sinto muito que sua manhã tenha começado desse modo. Eu vi o artigo... — disse ele.

— É obsceno! — Harlan o interrompeu, ou, mais precisamente, *irrompeu:* essa foi sua sensação quando as palavras subiram das suas entranhas. — Eles fizeram com que parecesse que ela é a única culpada, que teria colocado Winter em apuros. Ela parece, Jesus Cristo, parece que ela é uma atriz pornô, ou aspirante a isso.

— O texto poderia ser considerado, digamos, *infamante,* sim. Infelizmente, também é, estritamente falando, verdadeiro.

— Não é! Como eles podem dizer isso sobre "outras pessoas"? Eles estão fazendo parecer que eles têm uma rede de sexo em atividade.

— Você tem uma cópia do mandado aí perto?

— Não, estou em meu escritório.

— Tudo bem, vou lhe dizer então. O mandado, você vai se lembrar, detalha as ações por trás das acusações, e é uma longa lista, e alguém que não esteja a par de todos os elementos poderia supor ou especular quanto à existência de outros envolvidos.

— Então você pegue o telefone e ligue para o jornal para dizer a eles que isso não existe. E diga-lhes que foi Winter que começou todo esse problema, que a corrompeu, e diga-lhes, por Deus, que é melhor tomarem cuidado, porque não quero ver meu bom nome e o de minha filha arrastados na lama desse jeito!

Já era, sabia ele, tarde demais. Ainda assim, não podia deixar de extravasar. A sua raiva era como lava — não vomitada, mas borbulhante e fervente, proveniente do poço mais profundo e sem um fim perceptível à vista. Ele sentiu o ardor no rosto e no pescoço, e esperava que não fosse explodir em chamas.

Depois de uma caminhada pelo estacionamento, ele estava mais calmo quando o pessoal de vendas, finanças e administração chegou. Embora preferisse permanecer trancado em seu escritório e jamais ter de enfrentar qualquer um deles, sabia que esse era o caminho mais certo para fazê-los pensar que ele ou sua família tinham motivos para esconder-se. Então, às 9h45 da manhã, quando sabia que todos tinham chegado, mas antes de abrir as portas para os clientes, ele entrou no sistema de comunicação interna e pediu que todos se reunissem na loja para um anúncio.

— Bom dia — disse de cima da mesa de recepção, depois que os funcionários haviam se acomodado entre os quatro veículos em exibição. A equipe respondeu com o mesmo cumprimento. Então ele continuou: — Antes de tudo, quero agradecer a todos vocês pelo empenho no trabalho que têm dedicado até esta altura do mês. Nossos números estão ligeiramente acima do que estavam nessa mesma época no ano passado e, considerando o lamentável estado de coisas, isso quer dizer muito, por isso eu cumprimento a todos e os encorajo a manter o bom trabalho.

...Em segundo lugar, bem, acho que um bom número de vocês já soube da notícia. Minha filha foi presa na segunda-feira à noite e, sim, eu sei que parece muito ruim, mas quero dizer que nada é como parece. Nem um pouco. Muitos de vocês a conhecem. Ela é uma menina gentil, calma e boa, totalmente dedicada a Sheri e a mim, uma ótima aluna, com certeza vai entrar na Duke em decisão antecipada, de tão esforçada que é. E de qualquer maneira, o que aconteceu foi que caiu na conversa desse sujeito imoral, bonitão, dono de uma boa lábia, um ator. Ela nunca soube o que a atingiu.

Ninguém falou imediatamente, mas o zunzunar de algumas pessoas que não sabiam da notícia pedindo detalhes o levou a acrescentar:

— Tem a ver com o envio da parte dele de fotografias indecentes usando telefones celulares e outros badulaques.

— Ai, meu Deus, Harlan — disse Joyce Potts, sua contadora desde que a loja da Honda fora inaugurada, em 1997. Seu rosto enrugado com olhos arregalados de surpresa e consternação era quase tão caro a ele como o de sua própria mãe, se ela fosse essa mãe. — Como ela está? Coitadinha!

— Obrigado por perguntar, Joyce. Ela está se aguentando em casa. Eu gostaria muito, assim como Sheri e Amelia, que vocês, todos vocês, ajudassem a espalhar a notícia e a pedir às pessoas que não acreditem em tudo que ouvem ou leem. Ela ser acusada dessa forma é uma paródia de justiça e vocês me conhecem, eu não vou ficar quieto e engolir isso.

— É isso aí — gritou um de seus melhores vendedores. — Caia de pau em cima deles.

Harlan levantou o polegar em sinal de aprovação e depois desceu da mesa, mas não antes de notar que alguns dos sujeitos parados na parte detrás do grupo — os dois funileiros, mais um rapaz das peças e uma dupla de mecânicos — pareciam estar rindo e cutucando uns aos outros. Aquela sensação de lava subindo novamente fez Harlan ter vontade de reagir com raiva e quebrar algumas cabeças — algo que nunca fizera, mas que parecia o certo a fazer numa situação dessas — e ele ficou ali parado por alguns segundos, observando-os, até que o sujeito das peças o notou.

Harlan voltou a atenção para o grupo de pessoas que o cercavam, querendo estender os votos de boa sorte e uma solução rápida.

— Taí uma boa ideia — ouviu um dos vendedores dizer ao outro enquanto a dupla caminhava de volta aos escritórios. — Acho que vou deletar algumas das coisas que tenho em meu celular.

O outro riu e disse:

— É isso aí, não vai querer que sua esposa veja isso.

E então veio o noticiário da televisão na quinta-feira à noite. Harlan chegara em casa mais cedo, a fim de ver as transmissões, ligando o televisor da sala de estar para que Sheri, que estava cortando aipo e alho para um prato com grão-de-bico que Amelia adorava, pudesse assistir também da cozinha ao lado. Ele acionou o recurso *picture in picture* que, até então, era útil para assistir a várias partidas de boliche ou de outro esporte. Ele gostava de não ter de escolher. Com os noticiários, no entanto, podia ouvir apenas uma emissora de cada vez.

Cada noticiário começava com as manchetes do dia, que ele ouvia aos pedaços mudando de um canal para outro.

— Talvez não saia nada. Quem sabe nessa altura já passaram para outra história de interesse — disse Sheri.

Harlan, sentado no sofá de couro — um sofá que custara oito vezes mais do que seu primeiro carro, por incrível que parecesse —, virou-se e disse-lhe:

— Mandei Hubbard cuidar disso. Ele deve ter entrado em contato com cada noticiário e pedido um pouco de consideração.

— Então por que você está aí sentado, assistindo?

— Você não acha que eles todos vão cooperar, acha?

Ela parou de cortar e disse:

— Você não acha que pode ter cometido um erro, ao envolver a polícia?

Harlan tinha uma resposta nos lábios, uma negação que teria expressado com certeza, mas essa se extinguiu quando as fotos das fichas policiais de Amelia e de Anthony apareceram na tela, acompanhadas da legenda: "Adolescentes locais presos acusados de crimes sexuais".

Ele ouviu Sheri exclamar um "Oh" abafado, enquanto uma dor como a de uma lâmina de fogo atravessava-lhe o estômago.

A foto de Amelia era a menos harmoniosa que já vira dela. Parecia ter sido recortada do seu fundo original, qualquer que tenha sido, e sobreposta ao fundo azul vívido do canal de notícias, depois enquadrada numa moldura prateada. O cabelo estava grudado nos lados do rosto, uma mancha no queixo se destacava vivamente assemelhando-se a uma bexiga deixada pela varíola na pele clareada pelo flash fotográfico. As bochechas estavam rosadas no alto — tingidas de um rubor ao vivo — e ela parecia indignada. A foto de Winter, exibido do mesmo modo, também era insípida, e ele parecia assustado. Harlan fez uma careta. Dava para imaginar que Winter interpretaria um papel até mesmo ao ser fichado? Se tudo o que uma pessoa tivesse para emitir um julgamento fosse essa exposição, qualquer um rotularia Amelia como uma causadora de problemas, com certeza. Amelia.

— Onde está Amelia? — perguntou ele.

— Lá em cima. Estava assistindo a um filme, mas ouvi quando terminou há pouco. Ela está no quarto, tenho certeza.

— Seria o caso de ir verificar? Não quero que ela veja isso.

Mas Sheri permaneceu onde estava, sentindo-se incapaz de arredar pé dali, assim como o próprio Harlan.

As fotos da ficha policial permaneceram enquanto o âncora Mark Hoffman resumia a história, não deixando de mencionar que Amelia era filha de Harlan. Então ele se virou para uma mulher pálida, de rosto comum, vestindo blazer cinza e blusa branca — um psicóloga infantil, disse ele — que estava sentada a um canto da mesa do noticiário.

Hoffman, que comprara seus três últimos carros da Wilkes Lexus, era adorado por seus telespectadores. Seu rosto de Rock Hudson sorria para os motoristas em outdoors por toda a parte em áreas de fácil visualização. A chamada do programa — Notícias e opiniões em que você pode confiar! — era incisiva, e Harlan conhecia as pessoas bem o bastante para saber que a maioria acreditaria no que era dito. Seu estômago começou a queimar novamente.

— Doutora Patrice Shriver, obrigado por sua presença conosco esta noite. Poderia nos dar algumas ideias para ajudar a compreender a história perturbadora desses adolescentes?

— Obrigada, Mark. Sim. O que temos aqui são duas pessoas que, talvez por causa da sua educação privilegiada e do contato com esse estilo de vida na escola, decidiram desrespeitar os parâmetros da decência comum que impedem que a maioria de nós queira expor-se aos outros de maneira tão explícita. Só podemos especular sobre os problemas com que possam conviver em casa. Pelo que fui informada, o jovem foi criado sem pai? E isso pode levar a uma falta de disciplina eficaz ou a uma carência de transferência de valores desejáveis e consequentemente a comportamentos de uma sexualidade exacerbada. Nossa cultura, com sua exposição excessiva da nudez e do sexo, e a objetificação da mulher em geral, só contribui para aumentar o problema.

— Compreendo. Bem, e será que a disponibilidade generalizada de telefones celulares, câmeras e computadores não seria parte do problema?

— Sem dúvida nenhuma. Os jovens *não* precisam de celulares — disse ela com veemência. — Quando os colocamos nas mãos de crianças que não têm os mecanismos autorreguladores que precisariam ter, seja em razão da pouca idade, seja, como acontece com esses dois, talvez por uma sensação de direito ou de estar acima da lei...

— Mas será que os garotos têm noção de que estão violando as leis quando fazem o que essa dupla supostamente fez?

— Mesmo que não tenham ouvido falar de outros casos de *sexting,* acho que eles sabem que estão violando as *regras*, com certeza, e um rapaz de 18 anos de idade deve estar bem consciente de que sua idade é o limite para o acesso legal à pornografia, portanto produzir fotos para uma garota menor de idade, ou incentivar ou aceitar que ela lhe mande fotos indecentes, é, evidentemente, um ato criminoso.

— O que os telespectadores podem fazer para evitar que seus filhos acabem como a senhorita Wilkes e o senhor Winter, que, teoricamente, podem enfrentar *anos de prisão* pelo mau comportamento?

— Excelente pergunta. Incutir neles um forte senso de autoestima e bom senso moral. Fazê-los saber que seu corpo pertence somente a eles e que não é para ser compartilhado informalmente de qualquer maneira com qualquer um. Além disso, limitar ou negar o acesso a todas essas bugigangas desnecessárias, e *nunca* permitir a um adolescente o acesso sem supervisão, sem regras, a um computador. Se você der ao seu filho um telefone celular, consiga um modelo que não tenha câmera. As garotas dessa idade, especialmente as do tipo da senhorita Wilkes, que são atraentes e têm vantagens que os rapazes desejam, geralmente reconhecem que têm muito poder sobre esses rapazes e, sem uma base cuidadosamente definida de certo e errado, acabam fazendo uso desse poder.

— O que a senhora acha que essas jovens ganham com isso?

— Ah, todos o tipo de coisas, mas a sensação de ser venerada parece ser o principal atrativo, segundo minha experiência. Seus pais costumam estar muito ocupados e ser negligentes. É uma situação bem triste, mas não irreversível. O aconselhamento, juntamente com a educação, geralmente contribui para a formação de uma autoestima saudável.

— Nosso tempo está esgotado, mas agradeço por sua presença, doutora Shriver. É muita coisa em que pensar. Continue conosco, amanhã às seis da manhã, para a segunda parte desta série, com nossa convidada Olívia Sánchez, do gabinete do procurador distrital. Discutiremos em detalhes as leis que afetam os adolescentes na prática do *sexting* e as consequências na vida de quem viola essas leis.

— Negligente? — questionou Sheri. — Eu não sou negligente com minha filha.

Harlan percebeu a boca aberta e fechou-a. A sua garganta estava apertada, e o rosto, o pescoço e as orelhas estavam queimando. Sheri correu para junto dele, perguntando:

— Você está bem?

Ele não conseguia falar. O protesto que fora desencadeado pela "opinião especializada" de merda, desinformada e sensacionalista de Shriver sobre sua filha, sua casa e sua vida permanecia alojada como uma pedra em seu peito, ameaçando sufocá-lo. Ele apoiou as mãos nos joelhos e se inclinou, baixando a cabeça, enquanto tentava recuperar o fôlego. Sentiu a mão de Sheri em suas costas.

— Harlan — disse ela. — O que é isso? O que há de errado?

Ele tossiu forte, prendeu a respiração e, olhando para ela, disse:

— O que há de *errado?* Você não ouviu aquela mulher?

Ela retirou a mão e recuou.

— Sim, claro que ouvi. Só pensei que você estivesse...

— O que estou — disse ele, sentando-se ereto novamente — é mal do estômago com as mentiras que essas pessoas estão dizendo sobre Amelia. E ela nos apresentou como um fracasso, praticamente disse que somos os únicos culpados!

Sheri sentou-se ao lado dele.

— Talvez sejamos os culpados, não de tudo, mas...

— Isso é culpa de Winter, e se algum pai tem de levar culpa, é a mãe dele, não você. Juro por Deus, nem que seja a última coisa que eu faça, vou esclarecer essa situação de uma vez por todas.

Amelia ouviu a declaração do pai de onde se achava sentada, na sala de jogos, num luxuoso sofá modulado de veludo, os joelhos dobrados de modo protetor contra o peito. O televisor, um aparelho com tela de plasma de 65 polegadas em que havia pouco ela assistia a versão em vídeo de *A Chorus Line,* para passar o tempo, estava agora sintonizado no mesmo noticiário da emissora local que provocara seu pai.

A visão da sua foto na ficha policial e a de Anthony a horrorizara. Ouvir os julgamentos depreciativos da psicóloga sobre Anthony e os pais dele e sobre ela mesma também a horrorizara. Mas eram as palavras vingativas de seu pai que cortavam como uma lâmina recém-afiada.

Espontaneamente ocorreu-lhe o refrão: "Paus e pedras podem me quebrar, mas palavras nunca irão me machucar".[8] Palavras, ah, sim, elas podiam machucar, e muito. Podiam enganar. Podiam deprimir. Podiam arrancar seu coração do peito e fazer você desejar nunca ter nascido — ou ter nascido outra pessoa.

8. A versão original em inglês, Sticks and stones will break my bones / But words will never harm me, é um refrão tradicional usado entre crianças vítimas de algum tipo de injustiça ou maus-tratos. Teria aparecido originalmente em março de 1862 no The Christian Recorder (Expositor Cristão), uma publicação da Igreja Episcopal Metodista Africana, onde foi apresentado como um "velho ditado". No Brasil, o refrão poderia equivaler ao ditado "O que vem de baixo não me atinge". (N. T.)

21

— EXPLIQUE ESSA COISA DA CAUÇÃO — disse Marta Winter à filha, na manhã de sexta-feira no jardim de inverno de Marta. — A prisão, tudo bem, sei como essa coisa toda funciona, mas isso não tenho certeza de que entendo.

Kim segurou a xícara de café que a mãe lhe oferecia e sentou-se numa poltrona estofada com um estampado estridente de orquídeas e aves de cauda longa e colorida. O espaço, um pequeno anexo nos fundos do sobrado dos anos 1960 localizado no bairro Five Points, parecia um aviário exótico. Um dos últimos projetos de seu pai antes da doença fora construir o que ele chamara de "caixa de pássaros da sua mãe" — uma gaiola para tentilhões que se elevava por todo o pé-direito, com um metro de profundidade e dois e meio de comprimento. Dentro do recinto de arame haviam sido montados vários galhos com cestas e cordas, bandejas de sementes e bebedouros. Os habitantes eram seis casais de tentilhões, dois de mandarins, dois de manons e dois dos coloridos diamantes-de-gould. Eles conversavam e saltitavam entre os galhos alegremente, o que Kim não se cansava de apreciar. Nesse dia, sua beleza e seu canto, além do fato de formarem casais fiéis para toda a vida, deixavam-na deprimida. Por que era tão fácil para eles, ao passo que os seres humanos, supostamente a mais elevada de todas as formas de vida terrestres, tinham tanta dificuldade de encontrar um companheiro e, quando conseguiam, os outros seres humanos muitas vezes agiam contra eles? O que pessoas como Harlan Wilkes e Gibson Liles — Liles em especial — tinham contra o amor?

Pesquisara sobre Liles e o que descobrira lhe dera calafrios. Ele tinha 41 anos de idade, era um homem até bonito (embora tivesse orelhas um pouco salientes demais), pai de três garotas, casado com uma namorada dos tempos de colégio em Kinston, na Carolina do Norte. Tinha o tipo de vinculação com a igreja que Kim esperaria de homens com ambições políticas. Nada disso perturbava. Seu programa político, no entanto, que o impulsionara a ser mais que apenas um promotor zeloso do Estado, era o que o tornava assumidamente, abertamente, obstinadamente conservador. Ora, Kim certamente queria os criminosos fora das ruas e punidos adequadamente. Ela acreditava que havia "deveres" e "obrigações" morais. Como educadora de adolescentes, ela sabia como ninguém que a sexualidade precoce era doentia e que as garotas eram especialmente suscetíveis à pressão dos rapazes, da mídia de entretenimento, da publicidade, da música popular. Era grata por haver leis que protegiam as crianças de todas as idades de atividades perversas e predatórias. Era evidente, porém, que, no caso de Anthony e Amelia, Liles estava usando uma definição de *criminoso* que distorcia habilmente o espírito da lei, adequando-a à sua perspectiva moral — ou, talvez, à perspectiva moral que a seu ver impulsionaria ainda mais sua ascensão à notoriedade. Quando lhe perguntaram, numa entrevista a que Kim assistira num vídeo que estava arquivado, se ele gostaria de governar o estado, ele dissera: "Se o bom povo da Carolina do Norte e o bom Deus, em Sua imensa sabedoria considerarem justo que o fizesse, seria para mim uma imensa honra tornar-me governador um dia". Na quinta-feira, quando lhe pediram para comentar "o escândalo de *sexting* na Ravenswood", ele dissera: "Não podemos permitir que os jovens se comportem de maneira tão intensamente prejudicial a si mesmos como nesse caso de tirar e enviar fotos sexualmente explícitas. Quero mandar um recado a todos os adolescentes, incluindo minhas próprias filhas, de que esse comportamento é errado em todos os sentidos. Em *todos os sentidos"*, repetira. "Esse caso requer uma lição exemplar. As ações acarretam consequências." Sim, pensara Kim, especialmente quando o promotor do Estado achava conveniente fazê-lo.

Kim mudou de posição, ficando de costas para os pássaros, e disse à mãe:

— O tribunal define um valor para a fiança, uma quantia irrisória, no caso dos garotos, e então, ou você paga o valor total, que fica retido por eles até o fim do julgamento, ou, se você não tem o bastante, consegue um fiador que pague em seu lugar a uma taxa de dez por cento, ou você vincula a propriedade de um patrimônio, uma promessa de pagamento que é garantida pelo valor venal da sua casa, que foi o que eu fiz.

Suas lembranças dos últimos dias eram um borrão. A prisão, o telefonema em pânico para a advogada, a primeira noite sem dormir nem um segundo enquanto permanecia sentada olhando para o escuro e se perguntando se Anthony estaria fazendo o mesmo, sentindo-se como se tivesse sido jogada dentro de um pesadelo do qual sairia um dia machucada e sangrando mas, enquanto isso, permaneceria cativa e indefesa.

A manhã seguinte, terça-feira, não poderia ter demorado mais a chegar. Ela começara logo a tratar de conseguir a libertação de Anthony, retirando a papelada da compra da casa de seu cofre no banco, agendando uma avaliação de emergência (por 500 dólares!), depois exaurindo suas energias no afã de limpar a casa de um canto a outro e de cima a baixo, na expectativa da visita do avaliador na quarta-feira pela manhã. Ao longo de tudo isso, ela olhava para o relógio. Cada minuto que tinha de esperar era um minuto que Anthony passava preso injustamente. Enjaulado. Frustrado. Amaldiçoando sua má sorte, seu mau carma, a vingança aleatória do universo. Atordoado que seu amor por Amelia, e dela por ele, pudessem tê-lo levado àquela desgraça.

O amor tinha o poder da água de correr para encontrar até mesmo a fissura mais minúscula e infiltrar-se através dela, depois ampliá-la e, no caso de um dique ou uma barragem, estourar tudo pela frente. O amor era ao mesmo tempo um prazer e um perigo, uma força da natureza que os humanos ingenuamente imaginavam poder controlar.

— Eu poderia tê-lo soltado antes se tivesse recorrido ao fiador, mas não posso me dar o luxo de me desfazer de 3 mil dólares, que teria sido a taxa, dez por cento de 30 mil — disse Kim a mãe.

— Gostaria que você tivesse me ligado primeiro. Talvez eu pudesse ter vendido algo e pagado a coisa toda.

— Mãe, obrigada, mas eu não pensaria em comprometê-la dessa maneira. Se o acusado não aparece quando convocado, o tribunal retém todo o dinheiro, isso não significa que eu não confie em Anthony, mas...

— Mas?

— Mas ele está sob forte pressão e está muito zangado, eu *acredito* que ele enfrentará bem as próximas semanas, ou os próximos meses, mas e se ele não aguentar?

A sua mãe pareceu espantada.

— Se o acusado não comparecer, o tribunal fica com o dinheiro, de verdade?

— Fica para pagar os esforços de busca, imagino. É... — Kim cerrou os punhos e depois os abriu. — É uma loucura, essa coisa toda, é simplesmente ridículo. Os dois jovens estão sendo tratados como criminosos, e para quê?

— Assim, o promotor pode aparecer como um herói à vista de seus patrocinadores, imagino. — Marta preencheu um cheque, depois o dobrou cuidadosamente e o arrancou do talão. — Aceite. Por favor, e não deixe de me informar se puder fazer mais alguma coisa.

Kim pegou o cheque sentindo-se grata e disse:

— Tudo o que eu tinha guardado para a faculdade dele foi para a advogada. Nossa viagem para a França no próximo verão: foi-se. Minha casa está alienada até que tudo se resolva, então não posso contar com isso nem se precisar. Não posso comprar mantimentos se não usar um cartão de crédito, ou não podia, sem sua ajuda. Obrigada. Vou pagar assim que receber.

— Está tudo bem, não tenha pressa.

— Olhe para mim. Uma mulher profissional, dona da própria casa mas que, graças a um pai tenso e reacionário e um promotor zeloso em excesso, já não pode ajudar o filho a pagar a faculdade, supondo que ainda haja uma faculdade que o aceite quando isso tudo acabar, e estou raspando o fundo do tacho para sobreviver até o dia do pagamento. Meu filho está sendo pintado como predador sexual, e eu, como negligente. Ele *ama* Amelia. Isso é ridículo. — Ela pousou a mão na testa e concluiu: — E, ouça-me, pareço um disco riscado. *Ridículo*, essa é minha nova palavra preferida.

— Cabe bem nesse caso — disse a mãe.

Kim afundou na poltrona.

— Obrigada por não julgá-lo, mãe.

— Ele não é o primeiro, você sabe. *Eles* não são os primeiros, assim como nenhum dos garotos que estão por aí fazendo isso, e tenho certeza de que existem muitos deles. Uma porção de gente fez a mesma coisa com as primeiras câmeras instantâneas. Você provavelmente não vai se lembrar, mas tivemos uma Polaroid, uma Swinger, e o mesmo aconteceu com uma porção de adolescentes, que fizeram um monte do que todos chamavam de "fotos pornográficas" quando, naturalmente, um monte de adultos também fazia a mesma coisa. A diferença entre usar aquelas câmeras instantâneas e usar os celulares e coisa parecida é que não havia como determinar de onde a imagem tinha saído.

— A verdadeira diferença é que enviar fotos de um menor por mensagem de texto ou e-mail, ou até mesmo vê-las eletronicamente, é *crime federal*, mamãe. Já não bastava ser ridículo, Santo Deus, lá vou eu de novo, já era ridículo, louco, insano, inacreditável, absurdo eles serem acusados do crimes de posse e produção, mas agora estamos esperando também para saber se os federais não irão se envolver.

— Ah, querida! — A mãe tomou-lhe a mão e a segurou entre as suas. — O que aconteceria, então?

— Eu teria de encontrar cerca de 100 mil dólares em algum lugar, por exemplo, apenas para pagar o advogado. Comprar um bilhete de loteria ou dois, pode acreditar? — Ela riu com tristeza. — E Anthony, Deus, nem sou capaz de imaginar. Mas ela era, e o que imaginava enchia-lhe de terror o coração. Ele não era uma pessoa que pudesse ficar presa — especialmente por um crime tão absurdo, sem perder parte significativa de si mesmo, com a alma murchando e tornando-o um pessimista raivoso e vazio. O mundo certamente não precisava mais de pessoas assim. E ela sabia que não suportaria vê-lo trancado, sabendo pelo que estava passando. Lutaria por ele, faria tudo que pudesse para corrigir o erro. Mas ninguém chegava a quase 50 anos sem ver, mais de uma vez, simulacros de justiça que levavam anos transitando pelo tortuoso sistema de recursos — e não havia garantias de um desfecho positivo. Mesmo que sua sentença fosse curta, ele viveria as décadas seguintes com a marca de agressor sexual fichado. Como conseguiria ao menos um emprego, ou crédito? Como seria capaz de alugar uma casa para morar — e supondo que conseguisse, os vizinhos não o temeriam, perturbariam, presumiriam o pior, sem nunca querer saber o seu lado da história? E se perguntassem: será que dariam crédito à sua história?

Ridículo.

Ela pensou no que ele dissera no dia anterior à tarde no escritório da advogada, as perguntas que fizera sobre Amelia, as objeções que levantara à estratégia de defesa de Mariana Davis e disse à mãe:

— Ele está mais preocupado com Amelia do que consigo mesmo.

— Você o criou bem.

— Tenho a sensação de que você está em minoria com essa opinião — disse ela, levantando-se.

A mãe também se levantou e a acompanhou até a porta da frente.

— Tenho certeza de que isso é verdade. Mas temos de admitir: não há dúvida de que as crianças evitariam tudo isso se simplesmente tomassem mais cuidado na hora de tirar a roupa — disse ela.

Kim se voltou.

— Claro que evitariam! Mas, pelo amor de Deus, quando foi a última vez que você viu uma adolescente grávida e seu namorado adolescente preso por aquilo que *eles* fizeram? Quando foi que músicos, cineastas, agências de publicidade e editores de revistas foram presos por submeter crianças à linguagem explícita e à pornografia leve? Quero dizer, sim, eu gostaria que eles não tivessem tirado a roupa, e estou chateada pelo que fizeram, porque não estaríamos todos muito melhores agora, se não tivessem feito isso? Mas, *por favor*, será possível termos um pouco de bom senso em relação a isso?

A mãe a fitou com simpatia enquanto disse:

— Duvido, mas espero que sim.

Marta abraçou a filha, depois a beijou na testa do mesmo modo que fazia quando Kim era uma garota de 14 anos furiosa com as injustiças do mundo.

— Obrigada por me deixar desabafar. É melhor eu ir. Já perdi três dias. Não vai pegar bem se me atrasar esta manhã.

— Se houver alguma coisa que eu possa fazer por você, não deixe de me avisar, ouviu?

O nó na garganta de Kim se estreitou.

— Sinto-me tão impotente — disse num sussurro. — Sou a mãe dele; preciso ser capaz de consertar as coisas para ele. Está tudo tão errado, e dessa vez não consigo desatar o nó.

A mãe se afastou e a fitou nos olhos.

— Acredite, eu sei como você se sente.

Na escola Ravenswood, Kim entrou na sala dos professores, um cômodo quadrado, mobiliado com poltronas e sofás, assemelhando-se mais que tudo a um Starbucks, e a conversa se interrompeu. Então, após uma pausa constrangedora em que ela simplesmente permaneceu em pé e retribuiu os olhares, a conversa foi retomada, de tal forma que Kim poderia dizer que todos na sala haviam subitamente mudado de assunto.

Surpreendentemente, nenhum de seus colegas professores a cumprimentou. Ninguém ofereceu apoio ou pediu informação. Aquelas mesmas pessoas que a acolheram, compadeceram-se da sua situação, riram com ela durante o café ou bebendo um coquetel, naquele momento pareciam estar reconsiderando seu carinho pela mãe de um agressor sexual acusado. Ela era o elefante na sala. Endireitando os ombros, cerrou os dentes para impedir que os lábios tremessem enquanto os colegas retomavam suas conversas exclusivas. Que assim fosse, então.

Estava servindo café em sua caneca quando William entrou. A sala silenciou novamente quando ele se aproximou dela. Em suas calças pretas e camisa social risca de giz com as mangas arregaçadas até os cotovelos, os óculos de aro de metal emprestavam-lhe uma aparência intelectual, que desaparecia quando ela o via de óculos escuros, tênis e bermuda, ele era em cada detalhe o *Sr. Braddock.* Ele manteve as mãos ao lado do corpo e disse:

— Podemos conversar? Em meu escritório?

— Claro. Claro. Já, já estarei lá.

— Ótimo, obrigado.

Ela o observou dar meia-volta e sair sem se dirigir a mais ninguém na sala, o que era raro nele. No trabalho, ele era, em circunstâncias normais, aquela adorável combinação de sociável e autoritário, que resultava em respeito concedido livremente e não de má vontade — o que era mais frequentemente o caso entre os administradores, se é que lhes fosse concedido algum respeito afinal. Como diretor e amigo, ele era sempre um convidado bem-vindo em coquetéis, jantares, festas de aniversário e noitadas na cidade. O que explicava em grande parte como ele conseguia encontrar-se com ela publicamente sem levantar suspeitas. O fato de ter sido tão sucinto naquele momento não augurava nada de bom.

Kim não teve pressa em tirar a caixa de leite semidesnatado da geladeira, abri-la lentamente, derramá-la lentamente, fechar a embalagem e devolvê-la ao seu lugar na prateleira de cima. Se ela não parecesse estressada ou apressada, seu filho pareceria menos culpado, não era assim que funcionava? Enquanto a conversa recomeçava uma vez mais, ela pegou uma colher de chá da pia, lavou-a, mexeu o leite em seu café, lavou a colher novamente e a depositou no escorredor. No caminho para a porta, ela parou para falar com Shirlene Marshall, uma colega professora de arte cujas especialidades eram cerâmica e papier-mâché.

— Você fez um trabalho maravilhoso com o novo expositor perto da diretoria — disse Kim.

Shirlene fitou-a maliciosamente e respondeu:

— Estou surpresa que tenha notado.

Bryce Edwards, ao lado de Shirlene, disse:

— Dê um tempo a ela, Shirl.

Kim tocou o ombro dele e seguiu em frente.

O corredor que levava da sala dos professores ao gabinete de William passava pelo escritório da diretoria, onde Sue Pender e Andrea Barnett, que habitualmente interrompiam o que estivessem fazendo para conversar com os transeuntes, permaneceram ocupadas quando Kim passou por elas, bateu uma vez na porta de William e depois entrou.

Ele estava de pé próximo das janelas, a atenção voltada para o gramado extenso e os carvalhos que cresciam ali desde a época da Guerra Civil. Quando Kim entrou, ele se virou na direção dela.

— Bem, aquilo foi estranho e desagradável — disse ela. Soltar as palavras aliviava-lhe ligeiramente o aperto no peito.

— Sinto muito. Tentei encontrá-la pelo celular...

— Verdade? — disse ela, tirando o celular do bolso. A tela estava preta, e continuou preta, mesmo depois que apertou o botão de ligar. — A bateria arriou, esqueci de recarregar, nenhuma surpresa. Durante o trajeto, vi que o medidor de gasolina estava na reserva e duas vezes esta semana escrevi o ano errado num cheque.

William parecia simpático, mas continuou de pé onde se encontrava.

— E como está Anthony?

— Sem saber o que fazer, como se poderia esperar.

— Tive uma reunião às sete esta manhã — disse William, puxando a própria orelha — com o conselho consultivo. Esse tipo de situação é inédita aqui. Os telefonemas que temos recebido, os e-mails. Recebi de tudo, desde pedidos para confiscar os celulares e para desativar nossa conexão com a Internet, como se os garotos só usassem essas coisas de maneira inadequada na escola, até propostas detalhadas de agências de aconselhamento que gostaria de promover cursos aqui, até reclamações exaltadas, com expressões realmente agressivas, sobre como eu pude ser tão cego à evidente rede de pornografia funcionando por aqui, bem debaixo de meu nariz. Três pais, até agora apenas três, ameaçaram retirar os filhos da escola.

Ela se adiantou em direção a ele.

— William, eu sinto muito.

— O pior, no entanto — continuou ele, parecendo derrotado, mas erguendo a mão para mantê-la a distância —, é que eu sou obrigado — ele suspirou profundamente — a colocá-la em licença sem remuneração, por tempo indeterminado, com efeito imediato, enquanto conduzo uma investigação interna, que farei o mais rápido que puder, eu lhe prometo. E preciso avisá-la, é provável que a Secretaria Estadual de Investigação em breve apareça em sua porta para questioná-la.

Kim olhou para ele.

— Eu?

— Poderá haver acusações, se descobrirem que você sabia do que estava acontecendo e não tomou nenhuma providência, sem me informar, sem informar aos Wilkes, esse tipo de coisa.

Ela afundou numa poltrona.

— Santo Deus, era só isso que me faltava — disse ela. — Quem lhe disse isso?

— Um dos advogados da escola.

Ela pensou em todo o tempo que ela e William passaram juntos, nas conversas que tiveram sobre a infância de cada um, as aspirações, as metas que ainda tinham e o modo como eles meio que deram voltas em torno da possibilidade implícita de que de algum modo perseguiriam aquelas metas juntos. Haviam conversado muito sobre Anthony também e sobre os planos dele, e ela deixara William especular sobre o talento incomum de Amelia e amor pelo teatro, e sobre os planos dela para depois do ensino médio, querendo compartilhar o que sabia, obrigando-se a manter-se calada. Eles não eram íntimos o bastante para ela compartilhar segredos. E agora, com essa nova camada de complicações, agora parecia que aquilo nunca poderia acontecer.

Ela não merecia um pouco de felicidade, uma companhia, a esperança de algo duradouro — especialmente agora, quando estava prestes a ter tempo para dar o melhor de si? Que justiça havia nisso? Certo, certo, *a vida não era justa,* e ela não tentara acalmar Anthony com garantias de que *as coisas poderiam ser piores?* Como era fácil expressar-se com lugares-comuns.

— Eu não sabia dos detalhes do que estava acontecendo, as coisas de que acabariam sendo acusados — disse ela.

— Acredito em você.

— Mesmo se soubesse, não teria me ocorrido que eles poderiam ser acusados de crimes por isso. Eu, eu não teria relatado isso — disse ela, virando as palmas das mãos para cima. — Essa é a pura verdade. Talvez isso me faça culpada.

— Você está dizendo que teria tolerado isso?

— *Não*, eu...

Ele caminhou na frente das janelas.

— Nós *dizemos* a eles, está no conteúdo de ciências, "respeitar a si mesmo, fazer boas escolhas em relação à sexualidade, reconhecer os perigos do mundo exterior" — disse ele.

— Não lhes dizemos para evitar tirar e compartilhar fotos pessoais.

— Eles deveriam saber disso — disse ele, voltando-se para ela. — Não seria preciso dizer.

— Bem, seria melhor dizer a eles de qualquer maneira, porque é evidente que eles *não* sabem. Os garotos inteligentes não sabem.

— Ou eles fazem isso de qualquer maneira. Eles fazem isso de qualquer maneira — repetiu ele, balançando a cabeça. Então, como se aproximando novamente do motivo daquela reunião, disse: — Você realmente teria dito aos Wilkes se soubesse que Amelia estava envolvida nesse tipo de coisa?

Kim se levantou, preparando-se para sair. Suspensão por tempo indeterminado, sem remuneração — como ela lidaria com isso?

— Não me julgue, está bem? Você não *sabe*... você *não pode* saber como é, como as coisas são diferentes quando é seu próprio filho que está envolvido numa situação dessas.

— Esses garotos são tão importantes para mim como se fossem meus...

— Isso é com a cabeça — disse Kim, apontando para a sua. — Estou falando do coração. — Ela tocou o peito. — Agora, se me der licença...

William se postou à frente dela e disse:

— Kim, quisera eu ter alternativa nesse caso. Tudo isso está ficando fora de controle.

— Sinto muito — disse ela com firmeza — e tenho certeza de que falo pelo Anthony também.

— Não seja assim. — Ele pegou a mão dela e a examinou, depois olhou para ela e disse: — Não pense que a culpo. É só que esta é uma situação lamentável.

— Sim — disse ela, puxando a mão.

Ele a deixou ir, emitindo um breve som que Kim ouviu como de resignação, um reconhecimento de que o que *fora* já não poderia *ser.* O som era como o do tecido delicado que vinham tecendo naqueles últimos meses se rasgando.

— Eu me pergunto se não deveríamos tentar reunir todos os envolvidos num só lugar... os garotos, você, os Wilkes, seus advogados... e ver se há uma maneira de resolver isso. Seria difícil para Liles fazer pressão contra uma frente unida.

— Você acha mesmo que os Wilkes se uniriam a nós?

— Agora que Amelia foi acusada, sim, acho que eles poderiam. E, de qualquer modo, que mal poderia haver em tentar? Vou falar sobre isso com algumas pessoas, pensar em alguma estratégia, e depois me encontrar com os Wilkes na semana que vem.

Ficaram ali constrangidos por um bom tempo. Qualquer coisa que Kim pudesse ter gostado de dizer se recusava a seguir do pensamento à fala. Era tão remota a probabilidade de ele ouvir dos Wilkes — de Harlan Wilkes — a resposta de que concordaria em sentar-se com Anthony. As únicas coisas que ela pareceu capaz de fazer naquele momento foi manter a cabeça erguida ao deixar o gabinete de William e caminhar pelos corredores da Ravenswood em direção à saída, à calçada, a seu carro.

22

NA SEXTA-FEIRA DE MANHÃ, Anthony deixou a mãe, agora desocupada, trabalhando numa nova pintura a óleo e se encaminhou ao canteiro de obras da Habitat esperando pintar também, ainda de que maneira menos artística. A estranha situação de ambos — os dois livres num dia de semana, no auge da queda, ambos suspensos da escola, nenhum deles ganhando dinheiro algum — o fazia sentir-se culpado e zangado e não uma boa companhia para alguém. Ela tampouco o era, e ele estava ficando cansado de ouvi-la dizer coisas sobre ele e Amelia como, "Talvez seja melhor assim", quer dizer, talvez eles devessem separar-se de verdade, o que não aconteceria. Voltar a trabalhar ali seria uma distração útil, além de dar-se uma desculpa para ficar fora de casa.

Aquela casa, o segundo projeto de construção em que trabalhava desde que se inscrevera como voluntário na Habitat for Humanity, estava a cerca de quatro semanas da conclusão. Embora não fossem ainda nove horas, dois carros estavam estacionados na frente. Ele os reconheceu como pertencentes a Marcus, o supervisor do projeto e proprietário de uma empresa contratante, e Sam, que trabalhara para Marcus antes de seu alcoolismo ficar fora de controle e custar-lhe a esposa, o trabalho, a carteira de habilitação e o amor-próprio, até ele ter conseguido parar de beber e voltar a trabalhar com Marcus por intermédio da Habitat. Eram como irmãos, e ambos não hesitaram em dar a Anthony uma recepção calorosa e colocá-lo para trabalhar enquanto uma porção de outras pessoas na equipe mantivera distância. Ele era um pouco diferente dos voluntários habituais, sabia. Não possuía vínculos com uma igreja, não tinha nenhum conhecimento de verdade sobre Raleigh ou sobre o Sul antes de mudar-se para lá, era um rapaz que passava as horas de folga lendo

Voltaire ou estudando as suas falas para uma peça de teatro. Isso estava muito bom para Marcus e Sam. Como Marcus dissera certa vez:

— Se todos tomarmos o mesmo caminho, acabaremos todos no mesmo lugar.

O exterior da casa parecia terminado, embora a área de mil metros quadrados de barro avermelhado em que se assentava continuasse estéril e cheia de pregos e cacos de telhas. Em quatro semanas mais ou menos, tudo seria feito: pintura completa, armários e acabamentos e eletrodomésticos instalados, o carpete e os forros de vinil assentados, e uma variedade de mudas de plantas em pequenos canteiros com adubo, o que melhorariam suas chances de sobrevivência. E depois, numa cerimônia com a presença de todos os voluntários que haviam trabalhado no projeto, a casa seria oficialmente entregue ao novo proprietário ou proprietários.

Na cerimônia da primeira casa que Anthony ajudara a construir (um projeto infeliz durante a maior parte dos seis meses nos quais se arrastou, em razão das chuvas intermináveis e de um incêndio e depois do roubo dos armários de cozinha, pelo que cada voluntário foi interrogado), a nova proprietária era uma jovem mãe viúva de três filhos menores de seis anos de idade. Michelle era seu nome. Ela chorava e abraçava cada um deles. Anthony, o quinto da fila, sentiu o abraço agradecido e começou a chorar também — apenas algumas lágrimas, de que rira e que rapidamente enxugara na manga da camiseta. Mas fora fisgado. Todas as restrições que haviam suportado para construir a casinha de três quartos, uma residência que não era muito diferente da que ele e a mãe compartilhavam, haviam valido a pena para receber esse abraço. Apesar de seu compromisso original junto à organização ter sido feito para tornar sua candidatura à NYU mais competitiva, ele se comprometera com outra casa, sem questionar.

Essa se assentava de frente para a rua e tinha uma entrada inclinada que faria a alegria do menino que moraria ali. Aos sete anos de idade, magro e desdentado, com cachos louros revoltos, Eric era um autêntico garoto skatista. O pai o levava ao terreno regularmente no final da tarde depois das aulas, e ele e Anthony tinham-se tornado amigos. Pensando no cronograma da obra, Anthony pretendia naquele dia dedicar-se a pintar o quarto de Eric, caso isso ainda não tivesse sido feito.

Ele subiu pela calçada e entrou na casa pela porta lateral. Marcus ergueu os olhos de uma lista que examinava sobre uma mesa improvisada — dois cavaletes sustentando uma porta interna almofadada branca — e disse:

— Ora, Winter, meu rapaz. Mas que surpresa. Pensei que poderia não vê-lo mais. Fico feliz por ter um par de mãos extra hoje, obrigado por ter vindo.

— Oi, Winter, achei que não apareceria. Pensei que o teriam designado para uma ReStore. — Ele riu e deu um tapa nas costas de Anthony. A ReStore era uma ramificação de venda de doações da Habitat em Raleigh, e o lugar ao qual uma porção de homens com problemas judiciais eram mandados para cumprir as suas horas de serviço comunitário. Sam acrescentou: — Imagine, rapaz *branco* paga fiança e é solto em questão de minutos, nada de ReStore para ele.

— Três dias — disse Anthony. — Não dez minutos. — Ele olhou para Sam, depois desviou o olhar. Não havia vantagem em discutir como conseguira pagar a fiança afinal, ao passo que o irmão de Sam permanecia preso havia já quatro meses aguardando julgamento por lesão corporal com agravantes. — E nada de ReStore *ainda*. Acho que não preciso perguntar se você já soube.

Marcus enfiou o lápis atrás da orelha.

— Estão falando sobre você no rádio, meu caro. Você é a diversão matinal do grupo que costuma ficar antenado na FM da G105.

— Ótimo — respondeu ela, a voz inalterada. A rosquinha que comera no café da manhã pesava-lhe no estômago como uma pedra.

Marcus pousou a mão nas costas de Anthony.

— Você tem um bom advogado, espero?

— Acho que sim... Mariana Davis? Não posso dizer muita coisa sobre o caso. É tudo uma porcaria, pode crer. Isso eu garanto.

Sam sorriu.

— Então, quer dizer que você e a garota Wilkes não estão mantendo uma rede de pornografia infantil?

— Diga-me que não disseram isso a sério.

— Vocês dois foram presos por posse de pornografia infantil e outras coisas, e você, por distribuir pornografia a menores... imagine tudo que isso pode sugerir — disse Sam.

— Mas são apenas vocês dois, não? — perguntou Marcus.

Anthony assentiu.

— Bem que achei. Alguém ligou para cá dizendo que conhecia os dois e que os dois estavam trocando fotos, e que os garotos estão fazendo isso o tempo todo, *sexting*, ela disse, e foi exatamente por isso que vocês foram pegos.

Sam bufou.

— E papai Wilkes, aposto que ele gostaria de pegar uma faca de caça e deixar você falando fino pelo resto da vida. Sorte sua não ser negro. Ele teria ficado esperando você do lado de fora da prisão com uma daquelas facas, você sabe, que usam para estripar veado.

— Wilkes não é racista — disse Anthony. — Pelo menos nunca ouvi falar disso. Mas, é verdade, ele não está muito contente comigo.

— E você ainda *defende* o cara? — disse Sam.

— Ele ama a filha, assim como eu. Eu entendo isso.

O que era verdade. O resto de sua opinião sobre Wilkes era melhor não externar, caso Marcus ou Sam acabassem sendo questionados. Não fazia sentido aprofundar ainda mais o buraco... mas ser *reticente* não era mesmo seu estilo. Não havia de fato liberdade para falar quando se estava vivendo sob o risco de passar a maior parte da vida fichado no cadastro de criminosos sexuais.

— Aposto que Wilkes não está amando nenhum de vocês dois agora. — Sam riu. — De quanto foi sua fiança, afinal?

— Trinta mil.

Sam assobiou baixinho.

— A sua mãe, ela é professora, certo? Como vocês conseguiram sacar tudo isso?

— Alienação de propriedade. Agora podemos começar a trabalhar?

— Que sensível.

— Hoje estamos pintando, senhores — disse Marcus, atraindo a atenção para o trabalho em questão. — Sam, você e eu vamos trabalhar no quarto principal e no banheiro. Anthony, por que não pinta o quarto do menino?

— Estava esperando que dissesse isso. Para mim, está ótimo.

— Ele perguntou por você, o menino. Disse que você é quase tão bom quanto Tony Hawk.[9]

Anthony balançou a cabeça.

— Não. Só conheço um truquezinho ou dois, nada mais.

— Espero que conheça um que sirva para tirar aquele promotor de cima de você. — disse Sam, simulando um chute de skate e uma torção, depois enganchou o braço no pescoço de Anthony e prosseguiu: — Então não pense sequer em chegar *perto* de minhas filhas. — Então, rindo, ele o soltou para ir fazer seu trabalho.

Carrancudo, Anthony subiu com a tinta pela escada até o quarto de Eric. Sam podia brincar; não era a vida dele que estava sendo ferrada. É claro, Sam caíra fundo, mas nunca o bastante para perder de vista o caminho de volta. Nunca a um ponto tão baixo na estima do público que fazia até um alcoólatra mulherengo que dirigia embriagado como Sam parecer bom em comparação. Sam nunca perdera o futuro.

Anthony voltou ao térreo para pegar uma escada, depois de novo para buscar a bandeja de tinta, os rolos e os pincéis. A cor que Eric escolhera era um verde vivo, que sem dúvida careceria de duas demãos. Anthony colocou os fones de ouvido que tomara emprestado a Cameron e ajustou o iPod para tocar "Counting Airplanes", da banda Train, pensando no alto astral que a música nunca deixava de inspirar — um astral ainda mais alto do que quando a música que ouvia era a voz de Amelia.

Estava derramando a tinta na bandeja quando notou um par de pés na porta, calçando tênis de corrida feminino branco, prateado e cor-de-rosa. Ergueu os olhos e viu Caryn Pierce. Uma veterana com seis anos de Habitat, sua reputação era de que fizera carreira no voluntariado. Embora se vestisse como uma adolescente e tivesse um rosto jovem, era mãe de quatro filhos, com idades entre 13 e 17 anos, e uma filha de 12 anos que, até onde Anthony sabia, implorava por aquelas botas UGG acolchoadas e por andar a cavalo em seu tempo livre. Os meninos eram todos jogadores de hóquei nas escolas que Anthony já frequentara. Caryn o questionara sobre sua transferência para a Ravenswood, e ela ficara com a sensação de que ela se

9. Anthony Frank Hawk, mais conhecido como Tony Hawk, é considerado o maior skatista de todos os tempos na modalidade vertical. (N.T.)

sentia enciumada por causa dos filhos. Apesar de tudo a que ela podia dar-se o luxo pelo tanto que trabalhava, a Ravenswood aparentemente estava fora do alcance de sua família de sete pessoas.

— Oi — disse ele, puxando os fones de ouvido para o pescoço.

— Marcus quer que eu faça o acabamento. — Ele percebeu o rancor em seu tom de voz: quem sabe por causa da tarefa?

— Ah, bem, isso seria ótimo... vamos terminar mais depressa assim. Tenho certeza de que Eric virá esta tarde, por isso seria legal se tivéssemos acabado. — Ela não respondeu. Ele tentou novamente. — Esta cor será um desafio. Marcus deu uma amolecida ao concordar com o garoto.

Ela continuou parada, observando-o, os lábios pressionados numa linha firme, uma mão enrolando sem parar o grosso rabo de cavalo louro. Como ela não se movesse depois de ele ter carregado o rolo com tinta e estar se preparando para começar, ele disse:

— Ou prefere passar o rolo? Sei que o acabamento é meio chato.

— Eu não posso fazer isso — disse ela, virando-se e saindo.

— Não pode fazer o quê? — Ele ouviu Marcus dizer do fundo do corredor.

— Trabalhar com *ele* — disse Caryn, sem se preocupar em baixar a voz. — Eu tentei, e não vou fazer isso. Você sabe o que ele fez.

— Eu sei do que ele foi *acusado*, e não é algo assim tão ruim. E, seja como for, ele não fez nada para você.

— Como se isso importasse. Ele não deveria estar aqui... você não deveria deixá-lo ficar aqui. Nós somos pessoas decentes e tementes a Deus. Não podemos ficar junto com pessoas desagradáveis e viciadas em sexo andando pela casa, estragando-a para os novos proprietários. Livre-se dele ou estou fora daqui.

Anthony deixou cair o braço. Não gostava bem de Caryn para começar e não diria que as opiniões dela importavam para ele de um modo ou de outro. No entanto, era como se o veneno nas palavras dela e no tom de sua voz tivesse sido injetado diretamente nas veias dele. Ele depositou o rolo cuidadosamente na bandeja de pintura e saiu do quarto, para encontrá-los ainda de pé no corredor de paredes de estuque e piso de madeira. Marcus estava dizendo:

— Será que não podemos ser razoáveis?

E Caryn tinha o dedo indicador apontado para Marcus. Anthony colocou a mão no ombro dela e disse:

— Sem problemas, Caryn, eu vou esclarecer a situação.

Ela estremeceu e se afastou dele, então ele passou apertado entre ela e Marcus, que disse:

— Anthony, espere...

— Diga a Eric e sua família que lhes desejo o melhor aqui. A gente se vê depois.

Então ele se afastou, descendo apressadamente a escada de madeira compensada ainda crua, e saiu para a manhã fria, mal sentindo a temperatura.

Kim, vestida com seu agasalho manchado de tinta e usando uma bandana azul para prender o cabelo para trás, achava-se sentada na sala de estar fazendo o melhor possível para concentrar-se no que o homem da Secretaria Estadual de Investigações estava dizendo. Por que eles não marcaram uma reunião com ela no departamento deles estava fora de sua compreensão, assim como a razão pela qual o agente precisava estacionar seu sedã identificado com o logotipo da secretaria eloquentemente visível na frente de sua casa para que todos os seus vizinhos soubessem que ela estava retida ali na companhia dele.

Era bom que Anthony tivesse ido trabalhar na casa da Habitat aquela manhã. Ele precisava de uma escapada, ou pelo menos uma distração, para a frustração. Com ele fora de casa, ela poderia parar de espicaçá-lo com sugestões de como ele e Amelia poderiam ficar melhor usando essa situação, a separação deles, como uma oportunidade de *serem independentes, de terem algum espaço — reconsiderar a si mesmos como um casal,* dissera ela certa vez, e ele a encarara como se ela tivesse criado chifres.

A secretaria de investigações não se importava se o romance de Anthony e Amelia iria ou deveria persistir. Ela, por sua vez, queria mostrar-se disposta a cooperar, para dissipar as suspeitas deles e, esperava ela, evitar a prisão, ao mesmo tempo que não lhes dava nada para continuar que não fosse conhecido ou pudesse ser facilmente conhecido ao falar com quem a conhecesse. William, por exemplo (que ainda precisava retornar seu telefonema ou responder à sua pergunta por e-mail sobre a possibilidade de apelar da suspensão — ele a estava evitando). Satisfazer a secretaria de investigações, além de proteger a si mesma e a seu filho, era um desafio não tão diferente, pensou ela, de andar na corda bamba com uma venda nos olhos.

— Senhora Winter, só mais algumas perguntas. A senhora sabia que seu filho estava na posse de aparelhos que poderiam ser usados para a produção de pornografia?

Kim apontou para o celular que ele mantinha no coldre na cintura.

— Este aí faz fotos e vídeos?

— Senhora.

— Próxima pergunta — disse ela.

Ele pressionou a língua contra o lábio superior e depois disse:

— Por acaso, Amelia Wilkes alguma vez a procurou com informações sobre o relacionamento dela com seu filho?

— Já lhe disse, eu sabia que eles estavam se encontrando, porque meu filho me contou. Essa é toda a história.

— Mas os alunos costumam conversar com a senhora.

— Vejo uma centena deles nas salas de aula todos os dias.

O homem sorriu do modo como as pessoas fazem quando não estão realmente se divertindo.

— Por acaso, a senhora compartilhou essas informações sobre o relacionamento com os pais da senhorita Wilkes?

— Meu filho tem 18 anos. Eu já não entro em contato com as mães das suas amigas.

— Mesmo quando essa amiga é, potencialmente, uma ameaça, alguém que causaria problemas para ele?

Kim expressou no rosto uma máscara de preocupação cooperativa, mas sabia o que ele estava fazendo, aonde tentava levá-la.

— Sempre considerei Amelia Wilkes uma pessoa ponderada, responsável, cujo bem-estar me interessa muito.

— De maior interesse ainda seria compartilhar esses pensamentos com os pais dela.

— Eu o fazia, todas as vezes que eles vinham para as reuniões.

— Em que poderia facilmente ter comentado algo como: "Ei, que acham de nossos filhos como um casal", certo? Mas a senhora não fez. A senhora incentivou essa garota, com quem diz se preocupar, a mentir a seus pais continuadamente. Ótimo.

Kim quis perguntar se ele aprendera essa representação de quente e frio assistindo ao seriado do *Perry Mason*,[10] mas não só havia pouca probabilidade de o sarcasmo causar algum efeito positivo, como também ele era talvez jovem demais para saber do que ela estaria falando. Em vez disso ela disse:

— Nossa. Viu que horas são? Infelizmente, tenho um compromisso às 10h30 e, obviamente, não estou vestida para isso, então vamos ter de interromper a sessão.

Ele inclinou a cabeça concordando, e sua expressão mudou de acusadora para simpática.

— Senhora Winter, a senhora sabe que, com isso, estou apenas tentando obter uma imagem clara de como esses garotos foram capazes de enganá-la, nós queremos ter certeza de que a senhora não percebeu *todos* os indícios, mesmo quando tudo acontecia bem debaixo de seu nariz, talvez em sua própria casa, de modo que todos possamos entender que não é culpada.

— Não notei o que faziam — disse ela com facilidade, notando com satisfação o modo como ele arqueava uma sobrancelha. Ele esperava que ela ficasse na defensiva, que quisesse negar que fosse tão fácil enganá-la. — Não tinha nenhuma ideia de que estivessem fazendo algo ilegal. Nenhuma.

Ele empilhou seus cartões de apontamento e os guardou na pasta.

— Tudo bem, então, parece que terminamos, por enquanto.

— Por enquanto?

— Pode haver mais perguntas.

— Bem, está certo — disse ela, seguindo-o em direção à porta —, mas não haverá mais respostas, não porque eu não queira dá-las, mas porque não há nenhuma para ser dada.

10. Série americana de filmes para a televisão produzida de 1985 a 1993, inspirada nos mais de 80 livros de Erle Stanley Gardner e que tem como protagonista um advogado criminalista fictício. (N.T.)

— Obrigado por seu tempo.

— O prazer foi meu.

Ela trancou a porta, depois descansou as mãos e a testa contra a madeira fria e fechou os olhos. *Respire fundo para limpar, inspire, expire...* Depois, foi para a cozinha, colocou a chaleira no fogo para o chá e ligou para Rose Ellen, que certamente a ajudaria a dar sentido a um mundo onde os adolescentes podiam enfrentar acusações criminais por estar apaixonados e uma mãe podia ser cobrada por permitir isso. Ela gostaria de ter dito isso ao detetive e lhe perguntado: "O que, diabos, há de errado com você? *Quem* estava sendo prejudicado antes que a polícia fosse envolvida?".

Ela disse isso para Rose Ellen.

— Quem? Diga-me.

— William não retornou sua ligação, não é?

— Não, droga!

E, embora Kim pressentisse que a secretaria de investigações não tivesse dado por encerrado o interrogatório com ela, o resto da conversa foi sobre sua ambivalência acerca do relacionamento dos garotos, sua ansiedade e seu ego ferido — não, era mais seu coração ferido. William não tivera escolha a não ser suspendê-la, ela entendia isso, mas isso significava que ele tinha mesmo de deixá-la?

23

EM SEU SONHO, AMELIA ESTÁ NO PALCO, olhando fixamente para os fachos de dois holofotes, nua. O público, quase invisível para ela por causa das luzes ofuscando seus olhos, murmura ameaçadoramente e aponta para ela. Ela quer mover-se, fugir. Dá a si mesma a ordem: "Mexa-se! Fuja!". Ouve a voz de Sra. Winter gritando: "Quittez-vous!". *Seu corpo, no entanto, parece estar desconectado do cérebro. "Você pensa demais", diz seu pai dos bastidores. "Menos pensamento, mais ação, é assim que as coisas são feitas." Ela vira a cabeça à procura de Anthony — ele não deveria estar ali para apoiá-la nisso, na noite de estreia? Então, sem aviso, as luzes se apagam e ela sente uma dor no baixo ventre, e as luzes voltam a acender-se. Ela pisca e vê a luz do sol atravessando a fenda entre as cortinas de sua cama.* Era de manhã.

Amelia se levantou e caminhou em silêncio até o banheiro, a dor que sentira durante o sonho perdurava numa sombra do que fora, uma cólica, provavelmente pré-menstrual. Bem, isso pelo menos lhe proporcionava algo diferente em que pensar. Sem a programação habitual para acompanhar a passagem do tempo, cada dia parecia igual ao anterior e idêntico ao seguinte. Era o purgatório vivido numa cela de luxo, um padrão de suspensão, como circular por um aeroporto no salão superior de um 747 como eles haviam feito certa vez numa viagem a Honolulu.

Ainda não estava na hora da menstruação chegar, mas a ansiedade talvez estivesse distorcendo seu ciclo, por isso ela se inclinou para essa possibilidade enquanto pensava sobre como seus pais teriam se comportado se, em vez de terem descoberto as fotos, soubesse que engravidara acidentalmente. Não haveria polícia nessa circunstância, nem prisão, nem a supressão imediata e forçada de tudo o que importava em sua vida. Os pais poderiam ficar com raiva. Eles certamente ficariam aborrecidos. Poderiam até tentar impedi-la de ver Anthony — mas, pelo fato de o bebê ser dele também, eles teriam dificuldade em justificar isso. Nessa circunstância, que seria em todos os sentidos um problema maior do que ela possuir fotos "indecentes", não haveria a questão do delinquência sexual, não haveria a possibilidade de prisão. Amelia olhou pela janela enquanto prendia o cabelo. Nunca quisera engravidar, e não queria isso naquele momento, não mesmo; desejava, porém, que houvesse algo capaz de acabar com o pesadelo em que ela e Anthony haviam sido enredados. Aquele limbo, aquele vazio, todo aquele desperdício de tempo, as notícias muito infrequentes e sempre insatisfatórias que Cameron dava sobre Anthony (e dava a Anthony sobre ela, e ela agradecia a Deus por Cameron), tudo isso era tudo muito inútil, cansativo e errado.

Uma vasta teia de aranha arredondada esticava-se entre duas cerejeiras outonais carregadas de luminosas flores alvas tingidas de cor-de-rosa. Amelia apoiou cada um dos pés por vez no parapeito da janela para amarrar os tênis, desesperada pela liberdade de sair para correr lá fora. Ansiava pelos aromas da manhã de outono e pelas manchas de luz solar que balizavam sua rota habitual com paz, segurança e otimismo, como presentes dados pela própria Mãe Natureza. A esteira mecânica, escondida numa sala sem janelas do porão, não tinha nada disso. A esteira era contudo perfeita para sua atual situação na vida.

Depois que terminou a corrida, Amelia subiu para a cozinha, onde a mãe a esperava com uma expressão estranha no rosto.

— A senhora McGuiness acabou de ligar; ela e Cameron estão trazendo o café da manhã.

— Hoje? E a escola?

Amelia falara antes de lembrar-se que esse era o dia de treinamento dos funcionários, um dia que ela teria perdido de qualquer maneira com a viagem do Grupo de Teatro a Nova York. O grupo partira no dia anterior, sem ela e sem Anthony, e naquele exato momento deveria estar reunido no saguão de um hotel Holiday Inn Express de Manhattan, comendo pãezinhos de canela e marcando as atividades do dia. Não fosse por seu pai (não fosse por seu erro, não fosse pela má sorte, não fosse pelos deuses inconstantes que gostavam de brincar com os mortais), ela estaria lá também, vestida com seu collant preto, a saia cigana e as sapatilhas de babados roxos, o casaco de flanela preta com flores e estrelas bordadas, um lenço multicolorido estampado amarrado em volta do pescoço e o cabelo solto no momento. Anthony estaria esperando na porta do hotel em seu casaco de lã preto com um lenço azul iluminando-lhe os olhos castanhos, em vez de estar sentado num banco do tribunal do Condado de Wake aguardando sua vez de enfrentar um juiz sob a acusação de contravenção, como deveria estar acontecendo com ele naquele momento.

Ela estaria tomando a mão enluvada de Anthony na sua e saindo para a manhã fria, a respiração subindo de seus narizes enquanto se beijavam na calçada, então eles partiriam para o metrô em direção à Tisch. Ela estaria feliz e confiante, e esses traços se evidenciariam quando se colocasse diante da equipe de avaliação e lhes mostrasse por que merecia uma vaga na turma de calouros do outono seguinte. E depois ela esperaria que Anthony fizesse o mesmo, ansiando tanto por ele quanto por si mesma, mas acreditando firmemente nas suas chances de sucesso. Acreditando firmemente no que deveria ter acontecido, mas poderia agora não acontecer nunca mais.

— Deixe pra lá, esqueci que era o dia dos funcionários — disse ela à mãe, obrigando-se a pôr de lado o ressentimento que queria substituir o sangue nas suas velas.

A conselheira que ela vira na semana anterior dissera que deveria concentrar-se nos aspectos positivos, e a mulher estava certa sobre isso, ou sobre pouco mais que isso. Os sentimentos negativos viriam — é claro que viriam —, mas ela poderia optar por não deixar-se definir por eles. Não, ela não poderia remarcar a avaliação, mas haveria outra chance de entrar na Tisch no ano seguinte, supondo que Acton Hubbard fizesse seu trabalho, supondo que o bom senso prevalecesse. Seu pai poderia tentar esmagar seu sonho, mas ela podia impedi-lo de fazer isso.

— E a professora particular? Ela não vem? — perguntou Amelia.

— Sim, ela estará aqui. A senhora McGuiness disse que elas não podem ficar muito tempo, mas que traria pães de abobrinha e de abóbora com uva-passa para nós e manteiga caseira. Não parece delicioso?

Se conseguiu reunir algum apetite, então, sim, Amelia supôs que acharia delicioso. Por que, no entanto, a mãe de Cameron estava vindo afinal? Se fosse apenas para entregar os pães, Cameron poderia fazer isso sozinha. Liz McGuiness não fazia parte do círculo de amizade de Sheri; as duas mulheres conheciam-se apenas por intermédio das filhas, por causas das caronas que davam uma a outra e que terminara quando as garotas começaram a dirigir. O fato de ela ligar e depois passar ali para visitar era uma surpresa.

— Claro — disse Amelia, guardando essas perguntas para si mesma. — Quando elas vão chegar?

Verificou a hora no micro-ondas. Faltavam cinco minutos para as dez. Anthony poderia estar na frente do juiz naquele momento. De acordo com Hubbard, o resultado do comparecimento de Anthony naquele dia os ajudaria a saber o que esperar quando chegasse a vez de Amelia. Com certeza, naquela sessão, ele enfrentaria apenas a acusação de contravenção, mas, se o promotor concordasse em encerrar o caso, ou o juiz concordasse com o argumento do advogado para encerrar, eles poderiam esperar um resultado semelhante para as acusações contra ela. Talvez o promotor distrital estivesse satisfeito por tê-los assustado e recebido uma boa dose de publicidade ao fazê-lo. Talvez ele pretendesse apenas isso o tempo todo.

A sua mãe a fitou e, franzindo a testa, disse:

— Você está péssima. Gostaria que tivesse tempo para tomar um banho.

— Elas não se importam.

— Ninguém quer ver você ou sentir seu cheiro nessas roupas suadas, pegajosas.

— Ótimo — disse Amelia, apesar do tom irônico. — Tudo tem de ser de seu jeito; eu não deveria sequer *pensar* que posso decidir alguma coisa por mim mesma.

O tom da sua mãe foi igualmente acentuado quando disse:

— E não demore, elas devem chegar a qualquer instante.

Amelia subiu a escada batendo os pés. Graças a Deus Cameron estava vindo e alguma coisa de verdade estava acontecendo para variar. Era risível o fato de que ela tivesse imaginado que sua vida era monótona antes de todo o problema começar. Sua vida escorregara para uma vala enlameada como a que corria ao lado da estrada em que seu pai crescera, e atolara, sem cabos de resgate disponíveis, sem nenhum mecânico à vista.

Cameron e a mãe chegaram a casa às dez e dez. Liz McGuiness, tão entusiasticamente loura quanto Cameron era ruiva, vestia calças jeans pretas e uma cardigã de caxemira verde que Amelia sabia que era de Cameron. Seu rosto em forma de coração era jovial, apesar das rugas que se aprofundavam nos cantos dos olhos, que Amelia via como prova de que ela sorria muito — um verdadeiro contraste com o rosto liso de Sheri. Liz carregava uma cesta de piquenique, que colocou no balcão da cozinha antes de aproximar-se de Amelia e puxá-la para um abraço.

— Minha nossa, olhe para você... já não era sem tempo de lhe trazer esses pães. Se você emagrecer um pouco mais...

— Ela insiste em correr todas as manhãs — disse Sheri — e mal toca na comida.

Cameron, de costas para a mãe de Amelia, revirou os olhos e disse:

— Quem pode culpá-la?

Liz deu mais um aperto em Amelia, depois a soltou e abriu a cesta. Ela tirou dois pães envoltos numa toalha, liberando aromas de noz-moscada e canela que deram água na boca de Amelia. Amelia sentiu vontade de chorar com o prazer daquilo tudo — a visão de Cameron, a sensação dos braços de Liz ao redor dela, o cheiro de atenção, de preocupação, de apoio que recendia dos pães ainda quentes. Em todos os dias que ela passara ali com a própria mãe, ambas tentando preencher as longas horas entre a vigília e o sono que não eram tomadas pela professora particular ou pelo pai, em nenhum momento assaram nada — juntas ou separadas. Era como se até mesmo a ideia de um assado, com sua promessa de conforto e prazer, tivesse se tornado muito perigosa para qualquer uma delas aproximar-se.

Cameron enganchou o braço no de Amelia e a apertou. Isso de novo fez Amelia querer chorar. Realmente, por pouco não o fez — o que odiava, porque até três semanas antes ela não era do tipo que chorava.

— Deveríamos ir comer no quintal, você não acha? — disse Cameron. — Vamos lá fora tirar as folhas de cima da mesa.

Amelia, percebendo a deixa na voz de Cameron, disse:

— Boa ideia. Está tão gostoso lá fora.

Enquanto as garotas saíam pela porta dos fundos, Amelia ouviu Liz McGuiness dizer:

— Sheri, se você tiver algumas facas de manteiga e me deixar colocar este pote em seu micro-ondas...

Do lado de fora, Cameron começou a espanar as folhas caídas de cima do tampo da mesa de teca. Amelia ficou com o rosto virado para o sol e respirou o cheiro de terra da manhã. O ligeiro frio no ar era compensado pelo sol, incentivando todos a fingir que as estações não estavam mudando. Amelia tentou reter o momento, a sensação de segurança, o sentimento de benevolência, por mais falsos que sabia serem.

Ela voltou a atenção para as cadeiras, puxando uma e espanando-a, quando Cameron disse:

— Bem, eis o que realmente está acontecendo. A mamãe queria encontrar você pessoalmente para ver como as coisas estão indo. Ela acha que você está recebendo um tratamento injusto e quer ajudá-la. — Cameron parou o que fazia e tirou o iPhone do bolso da calça jeans, verificou, digitou uma mensagem em resposta para alguém enquanto Amelia olhava com inveja, depois o guardou de novo. — Você sabia que acrescentar uma linha a um plano de telefone custa apenas dez dólares por mês?

— Não, eu não sabia — disse Amelia, intrigada com a mudança de assunto. — Na verdade, já quase me esqueci do que é ter um telefone. Por quê?

Cameron acabou de limpar a superfície da mesa.

— Minha mãe, ela dá uns 200 dólares a instituições de caridade todos os meses. Banco de alimentos. Abrigo de mulheres. Cruz Vermelha.

— Quantos pães ela dá? — brincou Amelia, distribuindo os pratos e esperando que Cameron revelasse afinal o que estava insinuando. Docinho a acompanhou enquanto ela dava a volta na mesa, como se estivesse numa brincadeira de seguir o líder.

Cameron se abaixou para fazer festa na cadela.

— Meu pai disse que, se a mamãe assumir mais uma causa ou adotar mais alguma pessoa carente, ele terá de arranjar um segundo emprego.

Ela pegou o telefone do bolso novamente.

— Alguma notícia de Anthony? — perguntou Amelia, observando Cameron ler uma mensagem e depois digitar uma resposta.

Cameron terminou e disse:

— Não, desde ontem à noite. Enfim, a mamãe está pensando em gastar mais 20 dólares por mês numa causa muito digna que a faria se sentir muito melhor, e meu pai não precisa saber disso.

— Sei, sei... — disse Amelia. — Mas o que tem a ver uma coisa com outra?

— *Eu* tive de comprar os *telefones*, é claro, mas...

— Comprar que telefones?

Ela olhou para Cameron, cujos olhos estavam brilhando com a diversão de fazê-la adivinhar. Então a porta se abriu, e o rosto de Cameron tornou-se uma máscara de inocência.

Amelia pensou melhor: dez dólares para acrescentar um novo telefone a uma conta de celular, Cameron dissera. Uma despesa de 20 dólares por uma boa ação. Cameron comprara os telefones.

— Oh! — exclamou Amelia, entendendo enfim.

Sua mãe olhou-a, alarmada.

— O que há de errado?

— Nada. Eu... eu só pensei numa coisa.

Ela olhou para Cameron conscientemente. *Telefones*, para ela e Anthony, para que pudessem parar de usar Cameron como intermediária. Para que pudessem conversar de novo, diretamente. Uma coisa tão comum, mas naquele momento parecia um milagre, como se Deus agisse por intermédio de Cameron e sua mãe. Cameron não era uma fada, era um anjo.

Liz McGuiness depositou um prato de pão fatiado no centro da mesa.

— Então, Amelia, como vão as coisas com a professora particular? Deve ser muito difícil ficar longe da escola e de todos os seus amigos.

Sheri sentou-se, dizendo:

— Ela realmente está melhor fora... os outros jovens podem ser tão cruéis.

Cameron puxou uma cadeira e subiu nela, colocando os joelhos embaixo de si do mesmo modo que fazia quando Amelia a conheceu na pré-escola.

— É, existem alguns verdadeiros espíritos de porco por lá, falando porcarias, mas também tem uma página no Facebook apoiando os *dois* — disse ela incisivamente, depois acrescentou: — Amelia *e* Anthony — para o caso de a mãe de Amelia não entender.

— Cameron — repreendeu-a Liz enquanto se sentava —, você precisa ser tão sutil?

Amelia sentou-se também.

— O que estão dizendo?

— Quem?

— Na escola.

Cameron deu de ombros.

— O que era de esperar. Inveja, nojeiras. Que você deve ser uma piranha... desculpe, senhora Wilkes, e que Anthony é seu cafetão. Coisas inteligentes assim. — Cameron empurrou o cabelo selvagem por trás dos ombros e disse: — Eu disse a eles todos para irem se ferrar...

— Tudo isso deve ser difícil para você também — interrompeu Liz, alcançando a mão da mãe de Amelia. — Está tudo bem com você? Posso ajudar?

— Eu... Não, estamos bem. Isto é, obrigada. É muita bondade sua se oferecer. — Ela não poderia parecer mais rígida.

— Tenho certeza de que vocês conseguiram um ótimo advogado. Qual é o plano para...

— Não podemos falar sobre isso. Desculpe, eu não quero ser rude. Mas meu marido disse que o advogado deixou bem claro que não devemos discutir o assunto com ninguém.

Elas ficaram todas em silêncio então, enquanto pegavam fatias grossas de pão quente e cobriam com a manteiga de mel que Liz fizera do zero. Quando a mãe de Amelia comentou sobre a manteiga, Liz disse:

— Dá muito menos trabalho fazer do que se pensa. Eu compro o creme de um laticínio em Orange County, bato até virar manteiga, cerca de cinco minutos, acrescento o mel, um pouco de canela, um pouquinho de baunilha e *voilà!*

— *Voilà!* — ecoou Cameron, pronunciando a palavra com *v* em vez de *w* da maneira que sua mãe acabara de fazer. — A senhora Winter ficaria impressionada com sua pronúncia, mãe.

— O que vocês planejam fazer para o dia de Ação de Graças semana que vem? — perguntou a mãe de Amelia, uma clara mudança de assunto que não poderia ter passado despercebida a nenhuma delas.

— Ficaremos na cidade, fazendo nosso tradicional jantar para "viúvas e órfãos" — disse Liz McGuiness.

— Convidamos os Winter, quem sabe vocês poderiam vir também — disse Cameron, olhando diretamente para a mãe de Amelia — e, quem sabe, pensar em enterrar o machado de guerra?

Amelia viu a mãe contrair a boca num esforço para decidir como deveria responder, depois Liz McGuiness salvou a situação, dizendo:

— Tenho certeza de que você já tem planos!

— Temos, sim. Passaremos com minha família, em High Point.

Os Kerr, que não fizeram segredo de seus sentimentos sobre a situação de Amelia, como chamavam o ocorrido. Embora a mãe tentasse manter essas conversas telefônicas fora do alcance da filha, algumas tinham ocorrido inadvertidamente — enquanto as duas se encontravam na floricultura, por exemplo, encomendando um arranjo para o funeral de uma amiga de Sheri que era membro do Clube de Mulheres. No espaço exíguo e silencioso da loja, Amelia pôde ouvir a tia Lou dizendo como todos eles tinham ficado chocados ao ver a sobrinha nos noticiários.

— Foi exatamente sobre esse tipo de situação que o papai a advertiu — disse Lou. — Ele não se esqueceu. Você devia tê-lo ouvido.

Amelia escutara atentamente, imaginando como o avô — que era um homem distante, e nada chegado a ela — poderia ter imaginado seus problemas de antemão e alertado a mãe sobre eles. Mas então ocorreu-lhe, enquanto a breve conversação prosseguia, que Lou poderia não estar dizendo isso literalmente. Ocorreu-lhe que a advertência do avô poderia ter sido sobre alguns outros problemas, e muito tempo antes. Ela procurou ouvir mais em busca de pistas ou uma confirmação, mas a mãe interrompeu Lou com a promessa de retornar a ligação quando chegasse em casa.

— Mas e quanto a isso — dizia Liz McGuiness naquele momento —, nós adoraríamos que Amelia viesse com a gente para a praia neste final de semana. Cam pôs na cabeça fazer um bolo Floresta Negra e eu estava pensando que poderíamos pegar Amelia na sexta-feira, a menos que vocês pretendam sair da cidade antes...

— Acho que seria melhor não, mas muito obrigada pela oferta.

— Mamãe, por que não? O papai estará em San Francisco, então...

— Outra vez — disse Sheri, educadamente, mas com firmeza. — Nem sei se isso é permitido.

— Permitido por quem? Pelo tribunal, ou por você e o papai? Pelo amor de Deus — disse Amelia, jogando o guardanapo na mesa e pondo-se de pé —, por que temos de viver como covardes? — Ela começou a afastar-se, então se virou, pegou o pão meio comido e se dirigiu para dentro.

A cadela se levantou e a seguiu, e Cameron também.

— Boa jogada — disse Cameron depois de fechar a porta atrás de Docinho. — Enquanto ela está lá fora, pedindo desculpas à minha mãe por você ser tão problemática, como você sabe que ela vai fazer, posso lhe dar o que está em minha bolsa. Vamos lá — disse ela —, vamos cuidar de seu acesso em seu quarto.

A raiva de Amelia sumiu e a expectativa retornou. Ela sorriu para Cameron.

— Sou tão grata a você.

Elas subiram correndo, Cameron à frente, como se tivessem 12 anos de idade novamente e estivessem com pressa para assistir a Miley Cyrus como Hannah Montana. Para Amelia, a superestrela adolescente fora um breve interesse pré-adolescente, um olhar sobre o que Amelia poderia ser capaz de fazer com a própria beleza e a voz atraente que começavam a despontar. Ela soubera muito rapidamente, porém, que a música e o estrelato pop nunca seriam para ela, supondo que tivesse alguma chance nesse sentido. Hannah Montana era tanto Miley Cyrus quanto o contrário; Amelia nunca seria capaz de colocar-se na vida dessa maneira. Ela precisava de um personagem para encarnar que fosse uma versão glorificada de si mesma. Precisava ser o veículo para o dramaturgo e o compositor, e dessa maneira poderia expressar-se de modo seguro, liberar com segurança todas as coisas que guardava dentro de si.

Cameron subiu na cama de Amelia, afastando para o lado o jornal, as revistas e os travesseiros, e despejou para fora o conteúdo de sua bolsa. Entre a escova de cabelo e a carteira, o brilho labial, as chaves, as notas dobradas e os saquinhos meio consumidos de confeitos que se espalharam encontravam-se dois celulares básicos de teclado oculto.

— Eles não têm muitos recursos — disse Cameron. — Não acessam a Internet ou coisa do gênero, nem permitem enviar imagens. Mas vêm com teclado, estou esperando por você, garota. Você pode ligar e enviar mensagens de texto quanto quiser. — Ela estendeu um para Amelia. — Vou dar o de Anthony quando ele chegar em casa depois do tribunal, quando formos deixar um pouco de pão para eles também.

Amelia examinou o telefone, um aparelho retangular prateado e preto, com a hora estampada no visor frontal, "10h37", como se fosse um artefato precioso e raro de outra era.

— Você sabe que, se eu usar isto para entrar em contato com ele, estarei violando os termos da fiança.

— Então é melhor não ser pega dessa vez; eu odiaria que a mamãe ficasse em apuros. — Ela piscou.

— A sua mãe fez isso mesmo?

— Eu desembolsei 150 paus para os telefones, mas, sim, ela ficou empolgada em seguir com a ideia. Tudo bem, talvez não "empolgada". Mas ela não parava de dizer como tinha de fazer *alguma coisa,* então eu lhe dei uma boa ideia do que *alguma coisa* poderia ser. Disse que estava cansada de ser a Embaixadora Intermediária. Será que me *pareço* com a Suíça?

— Bem, já que você perguntou... — disse Amelia — você é do tipo irregular e angulosa.

Enquanto recolhia o conteúdo derramado de volta para dentro da bolsa, Cameron acrescentou:

— Se sua mãe tivesse deixado você vir com a gente neste fim de semana, você ficaria sabendo da história por trás do *sim* da mamãe.

— Diga — falou Amelia, subindo na cama ao lado de Cameron.

— Na verdade, tem a ver com meu tio Boyd, irmão da mamãe, e uma garota que ele conheceu na Irlanda, quando fazia intercâmbio cultural no último ano do colégio... Rosaleen era o nome dela. Ela era um ano mais nova e *muito* católica, e a família de minha mãe era... é... "cristã de feriado", certo, e pior, protestante. Você pode ver onde isso vai dar.

Amelia deslizou a tela para abrir o telefone e pressionou algumas letras do teclado, para testá-las. Em mais algumas horas, Anthony estaria mais uma vez na outra extremidade de seus dedos. O pensamento fez seu estômago vibrar. Ela teria de ser muito cuidadosa sobre como e quando usar o telefone — não que seus pais, se a pegassem, fossem denunciá-la, mas com certeza a prenderiam eles próprios.

— A família da garota achou que ele não era o tipo de cara para ela. Isso parece familiar? Então, Boyd, ele voltou para casa arrasado. Mas Rosaleen escreveu para ele, e ele escreveu para ela, e os pais dela ficaram sabendo disso e a mandaram para viver num convento, uma merda que não lhe desejo. Então, acabaram-se as cartas — disse Cameron.

— Um convento. Por que meus pais não pensaram nisso? — disse Amelia. — O que aconteceu com Boyd? O que ele fez?

— Não havia muito que *pudesse* fazer. Ele foi para a faculdade e conheceu muitas outras garotas, mas nunca tirou Rosaleen do pensamento. Ele até chegou a ficar noivo uma vez, mas não sentia isso com o coração, e assim terminou com tudo algumas semanas antes do casamento.

— Isso deve ter sido terrível para todos — disse Amelia, imaginando com igual compaixão a futura noiva abandonada e o apaixonado Boyd.

— Acho que foi. Eu mal me lembro de tudo disso... estava no primeiro ano quando aconteceu.

— Imagino o que terá acontecido com a garota irlandesa, Rosaleen.

— Boyd imaginou também. Pois, assim, durante dez anos ele se enterrou no trabalho... ele é um guru do software... e não namorou mais ninguém, ou não muito de qualquer maneira, e então, quando teve a chance de voltar à Irlanda, ele pensou, que diabo, por que não procurá-la?

— Será que ele a encontrou?

— Ela está vindo para o Dia de Ação de Graças — disse Cameron, sorrindo. — Isso não é legal? Os dois estão, assim, com 40 anos de idade, mas acho que a idade não importa. Mas minha mãe lhe diria que não quer que você e Anthony tenham de desperdiçar metade da vida de *vocês* tentando voltar para onde estão neste exato momento.

— Só que não quero estar onde estamos neste momento.

— Onde vocês *deveriam* estar neste momento — corrigiu Cameron. — Onde vocês vão estar, em breve, todos nós esperamos.

— Não "todos". Se fossem "todos", você ainda teria seus 150 paus. Eu vou lhe pagar isso, a propósito.

Amelia olhou para a tela outra vez. Estava prestes a dizer que desejava que Anthony ligasse para Cameron quando o telefone de Cameron tocou.

— Tome — Cameron disse, segurando-o para Amelia. — Você atende.

— Aqui diz: "Kim Winter".

— É ele. Atenda.

Amelia pegou o telefone.

— Oi, sou eu.

— Amelia — disse ele, e ela ouviu prazer, cansaço e gratidão naquela única palavra. — Como...?

— Cameron está aqui. Você está bem? Como foi tudo?

O que ele lhe contou a fez querer chorar e rir ao mesmo tempo. Tudo estava ficando muito, muito complicado.

24

HARLAN, À ESPERA DE RECEBER notícias de Hubbard, fez o possível para não demonstrar toda a sua impaciência enquanto Clem o conduzia por uma excursão pelo armazém esvaziado que viria a tornar-se a boate country. Clem queria que ele visse cada detalhe, desde a condição do estacionamento pavimentado ao redor, a fiação e o encanamento até as vigas de aço que sustentavam o teto a seis metros de altura. Queria contar a Harlan cada ideia que tinha sobre o isolamento, os sistemas de ventilação e exaustão, iluminação, banheiros, carpete — ou azulejos, talvez, atrás de cada um dos três bares que teria no salão principal? — e as dimensões ideais de uma pista de dança se viessem a ter dançarinos em pares, e não apenas avulsos, que ele tinha certeza de que teriam. Ele se perguntava se Harlan quereria cuidar da licença de bebidas alcoólicas e das questões de distribuição, uma vez que dessas bebidas é que viria a maior parte dos lucros, e os relacionamentos eram tudo.

Tudo estava ótimo para Harlan; ele gostava de vigiar seu dinheiro e certificar-se de que estava sendo bem gasto. Se não estivesse tão ansioso pelo resultado da audiência de Anthony Winter, teria sido capaz de dedicar a Clem toda a sua atenção. Naquelas circunstâncias, porém, Harlan limitou-se uma série de acenos de cabeça, concordando com repetidos "ahã-ahã, com certeza", sem conseguir deter nenhum dos detalhes mais específicos.

Sua mente estava ocupada em primeiro lugar com o problema de quão obstinado poderia ser Gibson Liles, um assunto sobre o qual Harlan era ambivalente. Ele queria que Winter fosse o exemplo que Liles queria fazer dele e ao mesmo tempo queria que Liles recuasse do problema, para que Amelia não tivesse de pagar pelos crimes de Winter. Esse era um enigma que ele próprio criara, estava cônscio disso. Em vez de chamar a polícia, o que ele deveria ter feito era ter pegado o garoto e espancado até fazê-lo sangrar, maneira como ele próprio fora tratado algumas vezes, quando merecia. O velho Harlan teria feito isso, aquele que fizera o acordo com Clem todos aqueles anos antes. A versão pré-Sheri de Harlan. A esposa o elevara alguns níveis, o que ele desejara, sim, mas essa elevação significava que se devia acionar a polícia em vez de fazer justiça com as próprias mãos, e agora veja como as coisas estavam indo.

Quando Clem finalmente respirou fundo e sugeriu que fossem ao Snoopy para um clássico almoço de cachorro-quente, Harlan olhou para o relógio e disse:

— É claro, me dê dez minutos para recuperar o atraso em algumas coisas primeiro. Eu o encontro lá, certo? E depois vou ter de correr. Estou no voo das 5h15 da tarde para San Francisco para a feira internacional do automóvel.

— Você devia ouvir o que está dizendo — disse Clem com nítida admiração. Então, inclinou a cabeça para trás e olhou à sua volta, dizendo: — Estou começando tarde em direção aos grandes negócios, mas vou chegar lá também.

Harlan deu um tapinha nas costas dele.

— Você vai. Vou providenciar isso.

Ele saiu em direção à sua picape, uma nova Tundra prateada que tirara da entrega do dia anterior, e olhou para o visor do celular. Lá estava ele, um telefonema de Hubbard, Harlan ouviu a mensagem: "Aconteceu de eu estar no tribunal esta manhã e ver a audição do garoto Winter. As notícias não são boas. Ligue quando puder e ponho você a par dos detalhes".

Harlan fez uma careta enquanto esperava ouvir a mensagem seguinte. A carranca se aprofundou quando ouviu: "Bom dia, senhor Wilkes, aqui é William Braddock. Considerando a maneira como a situação de sua filha evoluiu tão rapidamente, e não de acordo com o esperado, estou propondo que façamos algo para somar nossas ideias e encontrar uma solução que seja justa tanto para sua filha quanto para os Winter. Algo que pudéssemos levar ao promotor distrital e o satisfizesse também. Por favor, ligue-me quando puder".

— Não vai acontecer — disse Harlan, apagando a mensagem.

De jeito nenhum ele deixaria Braddock usar Amelia para ajudar Anthony Winter ou a mãe irresponsável dele — onde estavam as prioridades do homem, afinal? Se Harlan quisesse trocar figurinhas com eles, teria aceitado a oferta de Kim Winter quando ela telefonou.

Ligou para o escritório de Hubbard. Quando a recepcionista o pôs em contato com o advogado, Harlan disse:

— Não me diga que ele sumiu.

Houve uma pausa e em seguida Hubbard respondeu:

— Estávamos esperando por clemência, se você se lembra.

— Mas não que o Ministério Público se abrisse como uma prostituta diante de uma nota de cem dólares. Esse garoto merece ser punido.

— Sim. Então, felizmente... nesse sentido... a advogada dele não prevaleceu em sua tentativa de obter o encerramento do caso. Mas, aparentemente, os termos da acusação não eram muito palatáveis, embora, sabendo que estou trabalhando para você, ninguém tenha me dado nenhum indício. Isso pouco importa. O que importa é que não se chegou a nenhum acordo, e lamento informar que estão inclinados a ir a julgamento.

— Ele não fez nenhum apelo? Isso é simplesmente difícil de acreditar — disse Harlan. — Ou será que o advogado dele acha que não há defesa possível? Quero dizer, quem iria a julgamento quando já confessou e quando há *também*, como você chama isso, uma prova concreta?

— A doutora Davis, a advogada dele, deu uma declaração depois. Você pode ver o vídeo online se lhe convier. Basta dizer que estão jogando muito pesado no caso, insistindo que a promotoria está aplicando mal a lei. Duvido que consigam amparo legal para tanto, mas dá um bom espetáculo.

— Fale minha língua. Você quer dizer que estamos com problemas, certo?

— Liles parece querer levar o caso até onde puder, sim, e eu tenho certeza de que a declaração da doutora Davis vai provocá-lo ainda mais.

— Então eu acho que vamos ter de tirá-lo da jogada, não é? É para isso que estou lhe pagando — disse Harlan, dando a partida na picape. — O destino de minha garotinha está nas suas mãos, Hubbard, por isso certifique-se de fazer a jogada certa.

— É claro, senhor Wilkes. Pode ter certeza de que faremos tudo o que estiver a nosso alcance em seu benefício. Não preciso lembrá-lo, no entanto, de que é possível que Liles venha a ser igualmente duro conosco quando chegar a hora. Vou pressionar bastante para as taxas caírem, usando uma abordagem mais diplomática que a que doutora Davis usou hoje. Mas, se Liles permanecer firme, talvez tenhamos de propor um acordo, já o julgamento seria o único recurso.

— Ela é totalmente inocente, então *não* aceitar acordo nenhum, e você não pode deixar isso chegar a julgamento — disse Harlan, tentando ignorar a forte dor de estômago que se seguiu à sua imagem mental de Amelia no banco das testemunhas, sendo atormentada por Gibson Liles. Todo mundo vendo, julgando — a *ela*, e não a um desempenho em algum recital ou peça de teatro. Ele não podia permitir que isso acontecesse. Imagine se compuserem um júri cheio de velhos amargurados, antiquados e preconceituosos, ou fanáticos religiosos, e Hubbard não conseguisse fazê-los ver a luz? Os sulistas eram engraçados sobre sua moral — não era Liles uma prova disso? — por isso, não se podia prever quais seriam suas chances se tivesse de ser julgada por apenas 12 pessoas.

Ele não era um tolo, apesar de tudo. Entendia que Hubbard, mesmo com todas as suas conexões, relações e argumentos, poderia não ser capaz de resolver a situação melhor do que a advogada de Winter. Sendo assim, a única maneira certa de agir seria fazer que o público ficasse do lado de Amelia desde o início. *Criar a realidade,* o mesmo que ele dizia à sua equipe de vendas quando todos se reuniam para o encontro trimestral da Wilkes Auto. Ele iria a público, e por todos os meios possíveis, com a mensagem de que sua garota era vítima não apenas de Anthony Winter, mas também de Gibson Liles. Humildemente, pediria apoio e orações, e seria o mais enfático possível ao dizer cada palavra. Sua filha não era uma mercadoria a ser trocada. Ela era seu coração, seu orgulho.

— Domingo de manhã, assim que eu estiver de volta da feira do automóvel — disse a Hubbard —, vou lhe passar algumas daquelas ideias publicitárias de que falamos. Quando eu contar o que realmente aconteceu, ninguém estará disposto a deixar Liles fazer a ideia errada de minha garota.

25

A MANHÃ DO SÁBADO anterior ao Dia de Ação de Graças poderia ter sido confundida com um dia de junho, não fosse pela paleta de cores outonais enfeitando as árvores. O sol brilhando, um céu tão claro e azul que os amigos de Kim em Ithaca chorariam de inveja, os aromas de milho assado e carne grelhada vindo dos quiosques metálicos dos vendedores — tudo isso somado a uma manhã perfeita no mercado de pulgas de Raleigh, onde Kim passeava ao lado da mãe, vestindo bermuda, sandálias e óculos de sol, desejando poder estar passeando com William a seu lado, segurando-lhe a mão. Quanto tempo se passara desde que tivera o conforto de um homem, essa tranquilidade? Não que isso fosse resolver algum de seus problemas, mas ter um parceiro, alguém cujos interesses comungassem com os seus, tornava as dificuldades suportáveis. Sua mãe estava maravilhosa — Kim era grata pela companhia e o apoio dela. Uma mãe, no entanto, preenchia um papel diferente. Um papel importante e até mesmo fundamental, mas diferente. Imaginava que Anthony, firme em sua devoção a Amelia, deveria estar se sentindo do mesmo modo.

Kim desejou também que fosse realmente junho e que nenhum dos problemas que mantinha ela, William, Anthony e Amelia separados aquela manhã tivesse acontecido — ou que fosse o mês de junho seguinte, e os problemas já tivessem sido resolvidos. Ela adorava o sol, o calor, mas tudo parecia artificial, como uma visita em julho a uma loja de decoração de Natal aberta o ano inteiro.

Anthony seguia atrás das mulheres, mais envolvido numa conversa de texto ao celular que Cameron lhe dera do que com Kim e a avó. O presente dos telefones, a que ela resistira a princípio, mas então, depois de discutir com Anthony, cedera, a deixava ansiosa — pelos garotos. E por Liz McGuiness também — será que ela não se preocupava com as consequências que poderia enfrentar por envolver-se dessa maneira? Talvez sim, e o fizera ainda assim — e nesse caso Kim a admirava, verdade seja dita, e sentia-se envergonhada da sua própria hesitação em fazer qualquer coisa que fosse contra as instruções do tribunal ou os conselhos da advogada. Deveria ligar para a senhora McGuiness, sabia que deveria... Ligue e diga a ela para interromper o serviço antes que surjam mais problemas (e eles todos não eram verdadeiros ímãs de problemas naqueles dias?). Ela sabia que deveria ligar, e ainda assim deixara para lá porque estava muito de coração mole, relutante em negar aos garotos aquela pequena alegria. Quem sabe naquela tarde falaria com Anthony sobre isso, reiterar a ele o risco que a mãe de Cameron estava correndo, depois fazer a ligação.

— Você está obcecada, não é? — disse Marta a Kim.

— O quê? Ah, desculpe, mãe.

— Eu conheço esse olhar. Lembro-me de quando seu pai lhe deu aquele grande livro reluzente do Monet quando você tinha, o quê, dez anos?

Kim se lembrou do aniversário. Eles haviam se vestido — Kim com seu primeiro sutiã, que a fazia sentir-se tão crescida — e saíram para jantar.

— Doze, eu acho.

— Doze, então. Você estudou cada página, cada pintura, como se tivesse de memorizar o livro inteiro antes de ficar cega ou algo assim.

— Você sabia que ele viveu até os 86 anos? E o aniversário dele acabou de passar.

A mãe sorriu.

— Ele é muito parecido com você, você sabe.

— Monet?

— Anthony. Eu só posso imaginar como teria sido se os telefones celulares e as mensagens de texto existissem quando você tinha a idade dele.

Anthony as alcançou e disse:

— Desculpem. Cameron quer que eu dê uma olhada nas bolsas a tiracolo. Acham que vendem por aqui?

Antes que Kim pudesse responder, ela ouviu o telefone tocar novamente.

Kim havia muito se acostumara a suas frequentes mensagens de texto, apesar de ter sido tão estranho no início. Ele redigia mensagens de texto enquanto ouvia música, fazia a lição de casa e gravava músicas num CD. Como ele conseguia manter a atenção em tantas coisas ao mesmo tempo?

Quando ele conseguiu seu primeiro celular, ela impôs regras rígidas sobre o uso dele. Nada de ligações ou textos durante as refeições. Nada de usar o telefone quando visitassem os amigos ou os pais dela. Nada de mensagens de texto no cinema — não que ela e Anthony fossem juntos ao cinema muitas vezes mesmo quando ele tinha 15 anos. Nos primeiros dias com seu próprio telefone, ela não lhe permitira ficar com ele no quarto durante a noite. A maioria dessas regras permaneceu em vigor quando ele ficou mais velho, mas ficar com o telefone durante a noite foi uma das que caíram assim que ele conseguiu sua carteira de habilitação e um emprego. Ele jurou que dormiria o suficiente e que as suas notas não seriam prejudicadas — na verdade, as suas notas na Ravenswood eram melhores do que haviam sido antes.

Mesmo depois daquela noite, um ano antes, quando ele chegou em casa das audições todo embevecido com Amelia, ela confiava no discernimento dele. E ele tivera, na maioria dos casos. Anthony não usava drogas. Era um aluno exemplar. Praticava atletismo, lia, escrevia, não gastava todo seu tempo na frente da televisão ou do computador, fazia teatro, inscrevera-se como voluntário na Habitat, trabalhava em meio período. Não fumava. Não bebia, ao menos até onde ela tinha conhecimento. Ele poderia ter sido sexualmente ativo antes da sua prisão, mas Amelia não estava grávida dele, nem nenhuma outra garota. Não, ele não era perfeito. Ele deixava pratos espalhados por toda a casa, precisava ser forçado a limpar seu banheiro, às vezes era teimoso e gostava de discutir com ela sobre as regras. Ele insistia em que, quando estivesse na faculdade, procuraria localizar Santos e mostrar-lhe a que ponto conseguira chegar, mostrar como pouco importara o abandono (quando, é claro, estaria mostrando exatamente o contrário) —, mas ela não poderia culpá-lo por isso. Ela realmente não o culpava por ceder a seus impulsos naturais da idade; mas se ele ao menos não o tivesse feito tão *modernamente*.

Havia poucas regras remanescentes em sua casa naqueles dias. Em vez disso, eles viviam com uma compreensão solidária do que era esperado e apropriado. Ele tinha 18 anos agora. Por lei, um adulto pleno. Ele poderia votar, poderia ser *convocado*, se as coisas chegassem a esse ponto, poderia assinar seus próprios contratos se fizesse algum, poderia casar-se sem o consentimento dela. Até sua prisão — prisões, melhor dizendo —, ela se sentia bem em relação ao trabalho que fizera de criá-lo sozinha. E se tivesse feito tudo errado, todos aqueles anos? Estaria fazendo tudo errado naquele momento?

Sua mãe apontou à frente deles, para uma mesa forrada com caixas de discos de vinil.

— Vou ver se consigo encontrar alguma banda famosa por lá.

— Vovó, eu lhe disse, posso lhe conseguir o que quiser em CD... ou poderíamos conseguir-lhe um iPod. Você já tem um computador, assim seria mais fácil para você conseguir a música que quiser.

— Eu sei, e você está certo. Só que não é a mesma coisa. Há mais coisas na música do que a música em si.

Eles a deixaram andar na frente até a mesa, Anthony respondendo a outra mensagem de texto. Apesar do que dissera, Kim tinha certeza de que ele estava enviando mensagens de texto para Amelia. Esse era o propósito de ele ter o telefone. Ela sabia disso, e sabia que, se ele fosse pego, isso seria considerado uma violação dos termos de sua fiança — e da de Amelia. A fiança seria revogada, e ele iria para a cadeia até que o caso fosse resolvido. Ela sabia que deveria intervir por muitas razões, e ainda assim não tivera a coragem de fazê-lo. Quem, senão os Wilkes, pegariam Amelia? — e eles não poderiam denunciar Anthony sem também comprometer a filha. Ela estava se preocupando demais. Obcecada, como dissera sua mãe. Precisava relaxar.

— Então, como ela está? — perguntou ao filho, tentando parecer descontraída.

Ele ergueu os olhos para ela.

— Você a viu ontem.

— Ora, sem essa!

Anthony segurou o telefone e disse:

— Isto? Eu lhe disse, estou falando com Cameron.

— Está tudo bem, não vou denunciá-lo.

Ele ofereceu-lhe o telefone.

— Veja por si mesma.

Seu primeiro instinto foi o de concordar, acreditar nele. Depois estendeu a mão para o aparelho, observando qualquer sinal, qualquer alteração em seu rosto, um indício de que estava blefando. Não havia nada. Ele largou o telefone e disse:

— Espere um instante — em seguida saiu para acompanhar a avó.

Kim o observou ir. Obviamente, ele sabia que ela o estava testando, e naquele momento, em pé debaixo dos grandes galhos de um dos maiores carvalhos que já vira, ela se sentia sem graça e um pouco envergonhada. Ele não fora sempre franco com ela? Talvez ele não fosse descaradamente íntimo sobre o que acontecia entre ele e Amelia, mas que filho daria *todas* as informações à sua mãe? E, além disso, um relacionamento deveria ser um assunto privado, e não aventuras vividas na frente dos outros. Ele era em quase todos os sentidos um adulto; ela se esforçava para respeitar a privacidade dele.

Ela não lhe perguntara sobre detalhes íntimos, mas se o tivesse feito, ele muito decerto teria respondido criteriosa mas honestamente. Como para provar isso a si mesma, ela apertou um botão no celular para iluminar a tela, depois outro para ver o registro de mensagens de texto. O nome de Cameron encheu o visor.

— Kim, venha ver isto — chamou sua mãe, acenando para que ela se aproximasse da mesa.

Marta segurava um álbum e, quando Kim se aproximou deles, ela o entregou, dizendo:

— *Os Maiores Sucessos de Barry Manilow*, 1978. Eu disse a Anthony como você acabou com o disco que tinha. Ela estava com 16 anos — disse a avó a Anthony. — Você sabe como é.

Kim estendeu o celular, e ele o aceitou.

— Sim — disse ele —, eu sei.

***

Anthony não gostava de enganar a mãe e não estaria fazendo isso se tivesse escolha. Por mais resignada que ela estivesse quanto a ele aceitar o telefone de Cameron, e por mais relutantemente tolerante que ela pudesse ficar se visse o nome de Amelia no visor do telefone naquele momento, ele não podia dar-se ao luxo de arriscar.

Anthony, a mãe e a avó foram da mesa de discos a uma variedade de vendedores de móveis antigos, parando, por fim, num grande estande que exibia vestidos, túnicas e tapeçarias indianas. Quando viu que as duas mulheres se achavam bem ocupadas, a mãe experimentando ponchos e a avó escolhendo alguns lenços, ele disse:

— Sabem, isso tudo é muito bonito, mas realmente não faz meu estilo. Vou pegar um refrigerante ou algo assim, tudo bem?

— Ah, tudo bem, querido. Eu, eu o chamo quando terminarmos.

Ele deixou o estande, contendo-se para não correr. O que estava prestes a acontecer teria de parecer acidental a qualquer pessoa que pudesse estar observando, um acaso absoluto. Casualidade. Destino. Muita gente saía de casa para ir ao mercado de pulgas nas manhãs de fim de semana. Havia sempre ótimas pechinchas à disposição, cercados com filhotes de cachorros aguardando uma adoção e milho assado no espeto. Não havia nenhuma mostra de armas de fogo e facas naquele dia mas, então, isso só tornava o encontro mais plausível. Poucas mulheres apareciam sozinhas quando o local estava lotado de caçadores e colecionadores, além de tipos machões que queriam pôr as mãos em armas semiautomáticas. Nunca se sabia quando seria preciso derrubar o governo.

Ele passou por famílias rebocando crianças pequenas em vagões Radio Flyer, pais empurrando carrinhos carregados com bolsas e bebês. À frente dele, um jovem casal caminhava de mãos dadas, como se isso fosse a coisa mais normal do mundo. Ele os observou com inveja. Por que eles, e não ele? Teriam sido mais espertos ou mais puros do que ele e Amelia? Ou tinham apenas tido sorte? Será que haviam feito as mesmas coisas que ele e Amelia, mas não foram pegos? E se tivessem feito isso, mas ninguém se importasse? Teriam tido a sorte de apaixonar-se *depois* do ensino médio, quando a opinião dos pais, ainda que negativas, não podiam ir contra eles? Ou talvez tivessem a sorte de ter pais que aprovavam. Ele poderia imaginar uma coisa dessas; sua mãe era desse tipo. Por menos que isso lhe fizesse bem.

Ele passou por uma exposição de ferramentas de metal, cobertas de ferrugem e espalhadas nas mesas e no chão dentro do espaço reservado ao vendedor. Passou por um estande que oferecia óculos de sol de grife, dois por 15 dólares. Passou por um caixa automático de banco e um gramado extenso, onde um grupo de jovens mães de origem hispânica achavam-se sentadas juntas enquanto as crianças corriam a seu redor, gritando em espanhol, rindo e caindo na grama. E então ele a viu.

Ela estava sentada num banco em frente à Arena Dorton, voltada para o imponente chafariz de concreto, um enorme bloco retangular com água caindo de ambos os lados numa piscina redonda. Os borrifos provocados pela queda-d'água faziam parecer que ela estava sentada sob um arco-íris como uma donzela numa história irlandesa. Ele a viu de lado com o perfil perfeito, o cabelo puxado para trás, o pescoço suave e os braços e pernas expostos ao olhar ávido dele. Um olhar reduzido mais precisamente quase à inanição. Ele parou para admirá-la por apenas um minuto. Ela era um oásis, uma joia, um refúgio, um bálsamo para as feridas dele. Era a metáfora da beleza, do desejo e do conforto que era capaz de imaginar, e mesmo assim ele não seria capaz de explicar adequadamente o que o ato de vê-la fazia a seu coração. Fazia com seu coração. Amelia.

Ela se virou, então, como se o tivesse ouvido. A expressão pensativa desapareceu e foi substituída por um sorriso agradecido. Anthony ouvia as batidas de seu coração enquanto percorria a distância que os separava. Ouvia o barulho da cachoeira, as crianças gritando, a voz grossa de um homem com forte sotaque estrangeiro instruindo uma volumosa mulher tatuada a trazer-lhe amendoins assados e uma cerveja se ela pudesse encontrar. E então ouviu a voz musical de Amelia dizendo:

— Ora, imagine só, encontrar você aqui.

Ele quis puxá-la do banco e envolvê-la nos braços, apertá-la contra o peito, fazê-la saber como seu coração batia forte e sentir se o dela também. O que fez foi sentar-se ao lado dela e rir, mas o som saiu com um estranho tipo de soluço, como se fosse isso o que realmente quisesse fazer.

— Sim, uau. Que coincidência estranha — disse ele.

— Tive de fugir para o banheiro *duas vezes* para mandar a mensagem de texto. Minha mãe está agindo como se eu fosse uma garotinha da pré-escola que pode escapar se não estiver a um passo dela. É claro que neste momento ela deve estar preocupada, pensando que não estou me sentindo bem.

— Meu Deus, como estou feliz de ver você.

Ela lhe sorriu, e ele devolveu o sorriso, e para os dois o mundo parou por um instante, em reconhecimento a uma coisa rara e maravilhosa.

— "Mal souberam a razão" — ditou ele — "logo procuraram o remédio."

Ela pegou as mãos dele e apertou-as entre seus dedos frios, que ele então envolveu com os seus próprios mais quentes. As mãos dela pareciam mais delicadas do que antes. *Ela* parecia mais delicada. Mais pálida e menos robusta, a não ser pelos olhos — esses estavam maiores do que nunca e tão cheios de saudade e sofrimento como os dele deveriam estar. Ele deveria ter-se certificado de que ela protegesse as fotos com mais segurança, escondido em algum canto recluso de seus arquivos no computador, onde ninguém pudesse encontrá-las por acaso. Onde dificilmente pudessem ser encontradas mesmo por alguém que estivesse procurando propositadamente. Estivera tão certo de sua inocência que não pensara no risco. Ele e Amelia se pertenciam. Tinham um futuro juntos enlaçado com um fio de ouro. O que poderia dar errado, pensaram?

Estavam entorpecidos de amor.

— Devemos muito a Cameron — disse ela.

— Devemos.

— É uma loucura, não é, toda essa confusão?

— E sem fim.

— E sem sentido — disse ela.

— É difícil pensar que possa melhorar.

Ela examinou uma unha — as suas unhas estavam tão rentes, ele notou, roídas, doloridas — depois ela a mordiscou, dizendo:

— E se... e se a coisa piorar?

Ele esperava que o encontro ali naquele dia fosse uma experiência totalmente animadora para ela, que de algum modo eles evitariam comentar sobre a situação. Não era uma esperança realista obviamente. A existência de ambos havia sido consumida pelo furacão-monstro multicéfalo que era o ironicamente chamado Sistema de Justiça, deixando-lhes pouco sobre o que conversar que não estivesse relacionado às datas de julgamento, advogados e a separação forçada.

— Eu quero dizer que "não vejo como poderia piorar", mas realmente vejo como poderia.

— Você já pensou em como é ser fichado como delinquente sexual? — disse Amelia. — As pessoas acham que você pegou crianças de parquinhos e fez coisas horríveis a elas. Você se lembra daquele filme, *Pecados Íntimos?*[11] Elas pensam que você é como aquele pobre homem, o tipo esquisito que o ex-policial tenta a qualquer custo apanhar. E eu, elas me veem como uma doente, uma ninfomaníaca procurando ação onde quer que possa encontrar. Cameron diz que os delinquentes sexuais não têm autorização para usar quaisquer meios de comunicação social, nunca. Não importa o que aconteça. Aparentemente, todos os condenados por crimes sexuais encontram suas vítimas no MySpace e no Facebook.

Ele apoiou um braço no encosto do banco e, com a outra mão, acariciou a pele suave do joelho dela, subindo até a parte superior da coxa, onde seus shorts terminavam. A pele dela era como pálidas pétalas de rosas.

— Eu me lembro do filme — disse ele. — É por isso que não apelei. O acordo que eles ofereceram era um programa obrigatório de aconselhamento sobre vício em sexo, 400 horas de serviço comunitário e ficha como infrator por cinco anos, como se estivessem me fazendo um favor por não aumentar as exigências. Não se pode nunca escapar *de vez* de ter sido fichado assim. É por isso que pretendo arriscar minhas fichas no tribunal. Se tivesse cedido a essa oferta, imagine o que eles quereriam pelos crimes mais graves.

11. Pecados Íntimos (Little Children, em inglês) é um filme americano de 2006, baseado no romance homônimo de Tom Perrotta. (N.T.)

— Ontem, antes de sair, meu pai disse que meu advogado está preocupado que eu possa ir a julgamento, mas que ele não deixará chegar a esse ponto. Como se dependesse dele — disse ela, balançando a cabeça. — Ele acha que controla o universo. Ele não consegue entender como o promotor pode me acusar quando sou, obviamente, uma vítima. Ele está... ele está tão *seguro* de que está certo.

Anthony tomou-lhe a mão e entrelaçou os dedos delas aos dele.

— Sinto muito. Odeio que isso esteja acontecendo com você.

— E com você! Meu Deus! — Ela inclinou a cabeça, olhando para o alto da fonte. — Eu mal posso acreditar que seja real.

— Quanto tempo você tem? — perguntou ele.

Ela se endireitou e correu o olhos ao redor, depois ficou muito quieta.

— Não muito — disse.

Ele acompanhou seu olhar para um ponto a uns 50 metros de distância talvez, onde Sheri Wilkes se encontrava, a boca ligeiramente aberta, olhando para eles.

— Você acha que ela está nos observando? — disse ele.

— Eu não sei. — Amelia olhou para ele novamente. — Ela apenas está ali, como se não soubesse o que fazer. Eu odeio isso — disse ferozmente. — Anthony, eu não quero mais *fazer* isso. Quero nossa vida de volta. Quero nossos planos. Eu lhe contei que recebi uma carta da Duke dizendo que eles "não poderiam considerar minha admissão neste momento"?

— Você não ia para lá de qualquer maneira — disse ele.

— Não será diferente com a NYU.

— Não — admitiu ele —, provavelmente não será.

O telefone dele tocou: era sua mãe. Ele atendeu, dizendo:

— Ligo já, já para você, tudo bem?

— É claro — disse a mãe, depois acrescentou: — Ah, não se preocupe, lá está você...

Ele viu Kim e Marta caminhando na direção dele, ao mesmo tempo que a mãe o via. Então, ela olhou para além dele e parou de repente.

— Droga — disse ele, guardando o telefone. — Ela viu sua mãe. Espero que isso não fique feio.

— Minha mãe não dirá nada, ela nunca faria uma cena, mas é melhor eu ir — disse Amelia, pondo-se de pé.

Ele se levantou também, mantendo um olhar atento nas duas mães, que não haviam se deslocado dos pontos onde se encontravam.

— Pensei que algo assim pudesse acontecer — disse ela, sua voz ficou grave —, mas valeu a pena por poder vê-lo.

Ele passou os braços em volta dela e a puxou contra si.

— Eu não quero deixá-la ir. Tem de haver uma maneira de sairmos dessa. As pessoas não podem realmente ser tão estúpidas, podem? — Ele se afastou para poder vê-la e riu sem alegria quando disse: — Escute o que estou dizendo, é como se eu estivesse em negação. Pareço com seu pai, não?

Ela apoiou a testa no pescoço dele. Seus braços o apertavam ao redor da cintura.

— Vamos *embora* — disse ela, e ele sentiu o calor de sua respiração através da camisa. — Hoje à noite. Antes de meu pai voltar. Quando ela contar a ele o que eu fiz hoje, não serei mesmo capaz de respirar sem ele saber.

— Ir embora? Para onde?

— Quem sabe Nova York? Eu tenho algum dinheiro e uma amiga que aposto que vai nos acolher por um tempo. Vou buscá-lo às 11 — disse ela, recuando e olhando para a mãe, que ainda não fizera movimento para separá-los e estava, ao que parecia, olhando para longe naquele momento. Amelia disse: — Ela está sempre na cama às dez.

Ele viu sua mãe virar-se sem jeito e falar com sua avó, que inclinou a cabeça concordando. Apesar de seu apoio a ele, de sua generosidade e da vontade de vê-lo atravessar seu calvário, a ideia de fugir com Amelia, que ele descartara tão facilmente no estacionamento da escola naquela manhã algumas semanas antes, naquele momento parecia ser a ação mais sensata possível em meio ao caos que a vida deles se tornara. Afastar-se, obter algum alívio, resolver tudo depois.

— *Eu* vou buscar você — disse ele, já formulando um plano que protegeria Amelia caso eles não conseguissem.

Ela o olhou fixamente, os olhos brilhantes de esperança, mas salpicados de medo.

— Será que conseguiremos realmente fazer isso?

Se *conseguiriam* fazê-lo? As chances não estavam a favor deles — mas isso não vinha absolutamente ao caso, certo? Uma emoção estranha, algo como terror e alegria somados, o fez sentir-se faminto de repente.

— Eu irei se você for.

— O fato é que agora realmente não temos nada a perder — disse ela, a determinação substituindo a incerteza.

— E as datas em que precisamos nos apresentar no tribunal? Se não aparecermos...

— Vamos resolver isso. Talvez, depois de sair daqui e ter a chance de pensar direito, tenhamos algumas ideias novas — disse ela, ecoando os pensamentos dele. — Não estaremos infringindo as regras desde que não deixemos de comparecer nas próximas convocações, certo?

— Certo.

Ele, porém, não estava tão otimista quanto ela. Não tinham todos eles procurado uma solução naquelas semanas todas sem chegar a nada? Ele respirou pesadamente. Eram tantas coisas a considerar, mas, de qualquer modo, seria muito melhor considerá-las com Amelia a seu lado.

— Então, tudo bem, vamos ver o que acontece — disse ele.

O sorriso de resposta dela foi uma recompensa em si.

— Leve roupas quentes — disse ela.

Ele a beijou como se fosse a última vez, deleitando-se com o beijo e, ao mesmo tempo, esperando que a demonstração compensasse qualquer suspeita que as mães pudessem ter de que ele e Amelia estivessem pensando que poderiam repetir aquilo. Depois ele tomou-lhe as mãos, e ela se afastou lentamente, irradiando toda a sua relutância. Ótimo, ela entendera que eles precisavam representar aquele papel, os amantes tristes se despedindo para quem sabia quanto tempo, talvez para sempre. Ela se virou para sua mãe, depois se separou, fazendo uma pausa, olhando para ele por cima do ombro, e por fim se afastando lentamente, sem mais olhar para trás. Ele observou Sheri Wilkes reprimir a emoção, mas a compaixão torceu-lhe a boca numa careta triste, e quando Amelia se aproximou, Sheri Wilkes estendeu a mão e tocou a cabeça curvada de Amelia.

Percebendo um movimento atrás de si, Anthony se virou e viu a mãe e a avó perto do banco. Havia lágrimas nos olhos das duas mulheres.

— Ah, querido — disse a mãe. Ela parecia agoniada.

— Vamos andando, encontrar um lugar para almoçar.

Ele verificou a hora no celular: faltavam apenas 12 horas, 12 horas para agir como se nada tivesse mudado. Ele não gostava de enganar a mãe, mas o faria se isso significasse pôr um fim àquela vida de párias que eles estavam vivendo. Ele faria qualquer coisa se isso significasse que Amelia de algum modo pudesse ficar livre.

TERCEIRO ATO

Até mesmo a alta virtude, num momento mal aplicada,
em vício se transforma, e este, por vezes, ao dever dá a norma.

WILLIAM SHAKESPEARE, *ROMEU E JULIETA*

26

NO SÁBADO À NOITE, bastante feliz com os resultados da viagem, Harlan embarcou no voo que partia de San Francisco às 22 horas e encontrou seu assento na primeira classe. Ele fora pelas razões habituais — ver em primeira mão tudo o que as montadoras de todo o mundo estavam fazendo, incluindo carros conceituais, híbridos e edições limitadas. Mas seu objetivo principal daquela vez era para dar uma olhada num conversível de dois lugares Nash-Healey de 1952 que era oferecido por um sujeito que morava em Novato e levara o carro para os potenciais compradores verem. Por 195 mil dólares, o Nash era uma pechincha, com certeza. Harlan não poderia arcar com o montante no momento, em razão do dinheiro que desembolsara para a boate de Clem e para a fiança de Amelia. No entanto, já planejara ir, de modo que não havia mal algum em dar uma olhada. Com tudo o que estava acontecendo em casa, ele achava que merecia um descanso, um dia de folga para esquecer o estresse, os noticiários e a rotina cotidiana. Não arriscara um lance no carro — mas também ninguém mais o fizera, portanto ainda poderia ser que, quando a confusão toda que deixara sua vida de cabeça para baixo se endireitasse, o carro ainda estivesse disponível, à sua espera.

O Moscone Center, onde a mostra continuaria durante toda a semana seguinte, estava apinhado de homens de meia-idade, Harlan incluído, juntamente com um bom número de jovens, homens solteiros e muitas famílias com filhos pequenos que, assim como nas lojas de Harlan, insistiam em tocar cada parte dos carros que pudessem alcançar. Os demonstradores e vendedores acompanhavam tudo ansiosamente, à espera de que cada criança saísse logo, para que pudessem polir, removendo as impressões digitais. O ritual continuaria indefinidamente durante toda a mostra, e Harlan se divertira em vê-lo acontecer. Ele simpatizava com os vendedores, mas, ainda assim, era engraçado. Ele também tivera um bom momento observando um trio de mulheres em shorts minúsculos, pouco maiores que uma calcinha, ou *hot pants,* ou fosse lá como estivessem chamando as coisas nos dias atuais, roupas que deixavam muito pouco — mas ainda o bastante — para a imaginação de um homem, conversando com um grupo de sujeitos bem-vestidos ao lado de um Lamborghini amarelo. Prostitutas, imaginou ele. Mesmo solitário e deslocado como se sentia, uma ilha num mar de participantes, apesar de ter muito a dizer e muita gente a quem dizer, ele não estava lá para esse tipo de coisa. Não procurara nada, embora pudesse ter procurado, considerando que Sheri se mostrava desinteressada dele desde aquela manhã no chuveiro. Ao contrário de alguns caras em que poderia pensar, alguns cujas iniciais eram as mesmas que as de sua garotinha, ele tinha uma autoestima muito alta para pensar em obter sexo de maneira desonrosa.

— É isso mesmo, estou me referindo a você, Anthony Winter — murmurou ele, abrindo um exemplar do *Wall Street Journal.*

A comissária de bordo nas proximidades perguntou:

— Quis dizer alguma coisa, senhor?

Harlan sorriu para ela.

— Eu disse que você salvaria minha vida se me trouxesse um uísque enquanto esperamos para esta gracinha ser carregada.

O avião decolou no horário e, durante as cinco horas até a escala em Washington, D.C., Harlan tentou o melhor que pôde desligar o cérebro e dormir um pouco. Eram quase dez horas da manhã quando chegaram a Raleigh, e ele precisava ir direto do aeroporto para uma pequena conversa que marcara com um repórter. Esperava que lhe colocassem um pouco de maquiagem, suavizando as olheiras que decerto teria sob os olhos. Mas, pensando bem, talvez causasse um melhor efeito se aparecesse como a pessoa destroçada como se sentia.

Harlan agendara essa primeira entrevista defensiva diante das câmeras para as 11 horas de domingo em resposta a mensagens de cinco repórteres diferentes solicitando algum comentário, alguma reação ao resultado da audiência de Anthony Winter no tribunal. Será que teria uma opinião? Como achava que isso afetaria o caso de Amelia? Seria a recusa de Winter em aceitar um acordo na primeira acusação, perguntara um deles, uma declaração de guerra?

Harlan gostara dessa pergunta e então decidira ir ver pessoalmente esse repórter, um jovem vigoroso da afiliada local da Fox. Com os outros, ele falara brevemente por telefone. Não tinha nenhum escrúpulo em aproveitar o interesse da mídia por sua reação — o que ele sabia muito bem que tinha pouco a ver com ele e tudo com a fabricação de polêmica — assim circularia ainda mais rápido a notícia de que Amelia não era nada parecida com o que vinha sendo retratado no noticiário.

A equipe de televisão chegou à Wilkes Rolls/Bentley para preparar-se minutos depois do próprio Harlan. Seu voo chegara 15 minutos mais cedo, e ele ainda assim tivera dificuldades de deixar o aeroporto. Normalmente, ligaria para Sheri para informar que chegara, mas dessa vez ele lhe pregara uma mentira inocente, dizendo que viria num voo posterior, porque não lhe contara sobre a entrevista, e não queria ouvi-la falar a respeito de nada enquanto a entrevista não fosse feita. Não estava feliz por sentir-se dessa maneira. O problema com Amelia não estava ajudando nem um pouco seu casamento — o que era mais uma razão para atacar rápido e rasteiro e, se necessário, desculpar-se mais tarde.

O pessoal do noticiário pedira para ir à sua casa — torna tudo mais personalizado, dissera o produtor —, mas Harlan não engolira a isca. O que eles realmente queriam era o acesso à sua filha, e isso simplesmente não aconteceria. Assim, ele mandou que preparassem seu cenário na loja, diante de um trio dos melhores carros que qualquer fabricante teria a oferecer fora da Itália. E dentro da Itália, a propósito, com exceção da Lamborghini. Harlan gostaria de vender esses também — a margem de lucro era ridícula, mas o seguro também, e não havia número suficiente de compradores na região naquele momento para justificar o investimento. Atrás de Harlan achava-se um Rolls Phantom conversível, um Rolls Ghost e um Bentley Continental — 1 milhão de dólares em classe e poder, e se ele conhecia alguma coisa sobre as pessoas, era que elas associavam essas coisas à autoridade. Tudo o que dissesse naquela entrevista seria considerado sagrado. Então, a citação de Amelia na semana seguinte muito provavelmente se transformaria no cancelamento de todas as acusações contra ela, porque não haveria como Liles gostar de nadar contra essa maré.

— Senhor Wilkes, obrigado novamente por concordar em fazer isso — disse o produtor. — O que vamos fazer é colocá-lo sentado bem aqui, e Bobby se sentará aqui ao seu lado. Ele lhe fará algumas perguntas e, uma vez que não estamos fazendo isso ao vivo, sinta-se à vontade para responder pelo tempo que desejar. Tudo bem?

— Pode apostar — disse Harlan. Seu telefone começou a tocar. Ele verificou a tela: Sheri. Apertou um botão para ignorar a chamada. — Desculpe por isso.

— Não tem problema. Vamos colocar-lhe um microfone, um pouco de pó para que sua pele não brilhe na tela, vamos fazer uma passagem de som e depois começamos a gravar.

— Tudo certo — disse Harlan, enquanto seu telefone tocava novamente. Sheri. — É minha esposa, é melhor eu atender. Desculpe, eu volto já.

Ele saiu em direção às portas da loja enquanto atendia:

— Oi, querida, *acabei* de chegar, ia ligar agora mesmo.

— Então ela não está com você — disse Sheri. — Pensei que talvez, se você tivesse chegado mais cedo...

Harlan parou de andar.

— Está dizendo que Docinho não está aí.

— Eu a deixei dormindo enquanto ia à igreja — Sheri continuou como se não o tivesse escutado —, então só fui lá em cima um minuto atrás. Ela estava tão amuada ontem à noite. Quis lhe dar um tempo para superar isso.

— Superar o quê?

— Já verifiquei a casa toda e o chalé. O carro dela está aqui.

— Talvez, talvez ela tenha saído para correr.

— Deveríamos ter dado a ela um novo telefone — disse Sheri.

— Ela só saiu para correr, aposto. Aproveitou que você não estava em casa e foi dar uma corrida. — Se ele continuasse a dizer isso, talvez se tornasse realidade. — Logo estarei em casa, certo? Ligue para mim quando ela chegar.

Por mais seguro que se sentisse de que estava certo, ele passou a entrevista inteira distraído com a possibilidade de estar errado, uma dúvida incômoda que preferia não reconhecer, mas que não abandonaria sua mente. Meia hora mais tarde, enquanto o pessoal guardava o equipamento e ele ainda não recebera notícias de Sheri, a dúvida chegou a um nível que não pôde ignorar. Ele agradeceu ao repórter e à equipe, disse-lhes para ir a algum lugar agradável e almoçar por sua conta, depois entrou na picape e dirigiu para casa, na esperança de que o mal-estar no estômago tivesse apenas a ver com a fome e não com o que descobriria quando chegasse lá.

27

KIM LEU O BILHETE E AFUNDOU-SE numa cadeira da cozinha. Alisou o papel em cima da mesa, uma bela folha da caixa de papel de linho que ganhara de uma aluna no último Natal, depois releu a mensagem. México, dizia ele. *México.* Por que eles iriam...? *Como* é que eles...? O que, em nome de Deus, eles estavam pensando?

Ela empurrou o cabelo desgrenhado do rosto e leu o bilhete mais uma vez, esperando que as palavras de algum modo fossem diferentes, que se reorganizassem em alguma coisa que fizesse sentido.

Querida mamãe,

Este bilhete será um choque, e sinto muito por isso. Você não merece mais problemas do que já lhe causei. Se houvesse algum outro caminho para Amelia e eu ficarmos juntos... Mas não há, *por isso vou levá-la para o México. Estou duro, mas tenho certeza de que ela tem dinheiro, então não se preocupe com isso.*

Você sabe tão bem quanto eu que não tenho nada a perder se ficar. Tudo o que lhe devo, vou encontrar um modo de pagar.

Ainda não admito que tenha feito algo errado, mas, até que todo mundo veja isso dessa maneira, é assim que tem de ser.

Pode levar um tempo até chegarmos a um lugar onde eu possa entrar em contato com você. Mas prometo que vou ter cuidado e fazer escolhas seguras, e entrarei em contato com você assim que puder. Você é a melhor mãe que já existiu, e eu a amo.

Anthony

— Eu não posso acreditar que você fez isso — disse ela, balançando a cabeça. Olhou para o papel. As palavras não mudaram.

— Pagar-me?! — disse ela. — Em que moeda, pesos ganhos colhendo abacates?

Ela riu, um riso delirante, incrédulo, diante do absurdo. Ela poderia perder cada centavo que tinha em seu nome e ele achava que promessa de encontrar de algum modo uma maneira de pagá-la deixaria tudo certo?

Isso não podia estar acontecendo. Isso não podia ser sua vida.

Ele não podia *fazer* isso com ela.

De que maneira qualquer advogado, qualquer juiz, qualquer pessoa que pensasse imaginaria naquele momento que ele não era outra coisa senão malditamente culpado da acusação? Como ele podia simplesmente fugir e deixá-la para arrumar toda a bagunça que fizera?

Ele ficava com Amelia, ele ficava livre, e ela não ganharia *nada*, perderia *tudo.* Sem emprego, sem dinheiro, sem William. "Ah, espere", pensou ela, "eu recebo toda a vergonha, todo o embaraço e toda a culpa."

Nunca deveria ter permitido que ele se encontrasse com Amelia. Se tivesse procurado os Wilkes desde o início, eles acabariam com tudo e nada disso estaria acontecendo. Ou talvez eles não tivessem impedido os garotos de encontrar-se, e assim nada disso estaria acontecendo.

Nada disso deveria estar acontecendo.

— Maldito! — disse ela, mas o desabafo e a raiva subjacente, o desejo obscuro de ter ignorado aquele lavatório tantos anos antes, pareceram-lhe perigosos, como um poço de lava quente e borbulhante em que ela poderia jogar-se por vontade própria. Ele era seu filho. Como ela poderia querê-lo longe?

Levou algum tempo, mas, quando não lhe ocorreram respostas e a terra não se abriu e a engoliu (embora ela o tenha desejado com todas as forças), ela se acalmou, a ponto de não culpar Anthony por *tudo* o que estava acontecendo, e culpar também o vinho. Na noite anterior, levara uma garrafa e um livro para o quarto e, no decorrer da noite, tomara dois copos e depois enchera um terceiro, pensando melhor, e o bebera também, e fora dormir um pouco depois das dez com Anthony meditando em seu quarto, como se tornara seu hábito. Ela não pensara em nada. Ele estava de mau humor, e não era de admirar, depois do encontro demasiadamente curto com Amelia no mercado de pulgas. *Ela* estava de mau humor, por causa dele e dela. Tomara o vinho, fora deitar-se e dormira profundamente, sem saber que escrevera um bilhete, pegara Amelia e *partira*, pelo amor de Deus, para o México.

Ela se culpou.

Embora Kim soubesse mais tarde que não importaria nem um pouco se esperasse duas horas antes de pegar o telefone e ligar para os pais de Amelia, sentia-se mal por isso no momento. Tomara um banho, vestira-se e caminhara de um lado para outro enquanto tentava concluir se Amelia também deixara um bilhete, o que, nesse caso, a livraria da obrigação de ligar — como se ficar obcecada pela pergunta fosse trazer-lhe a resposta. Quando tentou e não conseguiu encontrar Anthony, e quando a resposta deixou de apresentar-se (nenhuma surpresa), ela engoliu o constrangimento (o *seu* filho enviara as fotos; seu filho desobedecera a mãe, os pais de Amelia e o tribunal para encontrar-se com Amelia no dia anterior) para poder fazer a coisa certa e ligou.

— Aqui é Kim Winter — disse. — Gostaria de saber se vocês têm notícias de Amelia.

— Senhora Winter, ah! Eu, eu esperava que você soubesse alguma coisa. Meu marido, ele está a caminho de casa, ele estava fora da cidade... Estou imaginando que ela se encheu com a gente e foi a algum lugar com Anthony.

— Sim, foi por isso que liguei. Ela foi com ele, para o México.

— Como é? Será que disse *México?*

— Sim. Sim — disse —, e você ouviu direito. Ele deixou um bilhete ontem à noite, acho. Eu estava dormindo. Não fazia a mínima ideia. Eles, eles queriam ficar juntos, e acharam que essa era a única maneira.

Nas horas que se seguiram, Kim repetiria isso inúmeras vezes, para vários policiais e detetives, para a advogada, para William (que retornou *essa* ligação, desculpando-se e mostrando-se solidário), para sua mãe, para Rose Ellen, para jornalistas. Por mais que se sentisse desleal, ela esperava que divulgando a notícia ajudaria a deter os garotos antes que eles realmente chegassem ao México, uma ação que só aumentaria o sofrimento de todos eles.

Ela discutiu o bilhete, leu-o e, finalmente, o entregou às autoridades como prova. Depois, quando as ondas diminuíram, ondas de raiva e medo por Anthony a afligiram, ela entrou em pânico ao pensar que ele pudesse ser pego, ao pensar nele, neles, escapando com sucesso.

Ela não estava preparada para o retorno dos policiais naquela noite com um mandado de prisão *para ela*.

— Sob quais acusações? — exigira saber, parecendo uma atriz histérica de um filme da semana.

— Minha senhora, se colaborar, terá todas as suas respostas na central de polícia.

Quando ela foi colocada na viatura, levada para a prisão, deixou que tirassem as suas impressões digitais, buscada, fotografada, humilhada, deixada numa cela para protestar, silenciosamente, contra as acusações de "contribuição para a delinquência de um menor de idade" e "deixar de denunciar abusos" — abusos! — até que a mãe veio na manhã seguinte para soltá-la sob fiança — que o juiz permitira somente depois de ela ser equipada com uma tornozeleira eletrônica de "prisão domiciliar", na esperança de que Anthony entrasse em contato com ela e ela os levasse até ele — Kim entendeu cada vez melhor as forças que haviam forçado Anthony e Amelia a fugir. Ela se concentrou nisso para que o desejo repisado inúmeras vezes de que ele e Amelia *simplesmente não tivessem tirado a roupa* não a distraísse dos problemas imediatos.

Sentia-se grata a Mariana Davis, que argumentara (sem custo adicional, por ora) por ela os termos da fiança, quando o tribunal estava inclinado a deixá-la na cadeia.

Ela poderia, afinal, ser tentada a encontrar-se com os adolescentes, se tivesse a oportunidade. Kim não teria dito isso em voz alta, mas, sim, depois de ter provado um pouquinho do que eles haviam passado, era verdade, ela ficaria bastante tentada.

— Espero que eles comprem protetor solar — disse ela à mãe mais tarde naquela noite, sentindo-se miserável.

Elas estavam na sala de estar de Kim, comendo em bandejas diante da televisão, do modo como fizeram tantas vezes quando ela era criança. Naquela época, eram ela e os pais com seus jantares congelados fumegantes à frente, a televisão em preto e branco exibindo o noticiário nacional sobre a guerra no Vietnã. Nessa noite ela estava comendo um prato de frango caseiro com arroz que a mãe preparara para elas, e a notícia era de uma guerra muito menor e mais moderna, mas as reações de Kim — perda de apetite, impotência e desânimo — não eram muito diferentes de antes.

A apresentadora da CNN relatou:

— O caso envolvendo dois adolescentes da Carolina do Norte acusados num escândalo de *sexting*, informado pela primeira vez aqui na noite de domingo, continua a atrair o interesse de pessoas de todo o país. Neste domingo também ocorreu a prisão de Kim Winter, mãe de Anthony Winter e professora da escola de elite frequentada pelos adolescentes, por supostamente permitir o *sexting* e deixar de denunciá-lo. O FBI foi chamado para ajudar na busca pelos adolescentes fugitivos, que se acredita terem ido para o México. Ambos aguardam a citação em tribunal superior no início de dezembro. Gibson Liles, o promotor distrital encarregado do caso, declarou o seguinte: "Estou impressionado e satisfeito com o apoio que tenho recebido por seguir por um caminho de sanção adequada para as atividades dessa dupla", dizia Liles, de pé em frente ao tribunal de terno e gravata e penteado como um jovem John Edwards. "O recente comportamento de Bonnie e Clyde deles reforça minha interpretação inicial, de que não se tratava de dois adolescentes comuns que cometeram um simples erro. Dito isso, algumas evidências sugerem que a senhorita Wilkes *pode* ser uma cúmplice involuntária neste momento. Outras investigações estão em curso."

Kim deixou cair o garfo.

— O que ele quer dizer com "involuntária"? Eles fugiram juntos. Quem poderia pensar o contrário?

— Além do pai dela, você quer dizer? Foi o bilhete de Anthony, aposto — disse a mãe. — Ele nunca diz "nós", apenas "eu". Achei curioso, mas é claro que nunca imaginei que isso poderia significar que ele a tenha raptado.

— Ele *não fez* isso — disse Kim, estendendo a mão para o telefone. — Você os viu... no chafariz? Sinceramente, mamãe.

— Querida, eu sei.

Ela ligou para Mariana Davis, enquanto a âncora introduzia um segundo clipe, dessa vez de Harlan Wilkes.

— Nesta entrevista, que concedeu antes de sua filha desaparecer, Harlan Wilkes, dono do império Wilkes Automotive, da Carolina do Norte, defendeu vigorosamente a filha: "O que as pessoas não têm visto no noticiário e tal — disse Wilkes, parecendo triste e sincero — é que Amelia foi enganada por esse sujeito, iludida por sua boa aparência e por sua inteligência. O fato de ele ser essas coisas não significa que não seja também um pervertido, um predador de mulheres jovens".

Kim apontou para a tela.

— Este homem deve ser enforcado por suas mentiras — cuspiu ela, enquanto esperava a saudação do correio de voz de Mariana Davis terminar para então deixar um recado.

— Precisamos declarar à CNN que não é verdade, que ele não a raptou. Há testemunhas que os viram juntos ontem, amorosamente juntos. A mãe dela viu. Ah, aqui é Kim Winter. Por favor, ligue-me de volta.

A âncora estava dizendo:

— Ele acrescentou mais isto hoje cedo. — E lá estava Wilkes, dessa vez dizendo: "Estou feliz por Liles finalmente começar a entender as coisas, prender Kim Winter foi um passo na direção certa. Não tenho nenhuma dúvida de que Amelia foi levada contra sua vontade, o bilhete que foi encontrado comprova isso. Ela recebeu esse nome em homenagem a Amelia Earhart, então vocês podem apostar que ela está aguentando firme, onde quer que esteja. Minha esposa e eu rezamos por seu regresso em segurança e peço a todos vocês para rezarem conosco, e estamos ansiosos para a verdade ser revelada e a justiça ser feita".

— Temos o texto do bilhete a que ele se refere... — continuou o âncora.

Kim apertou com raiva o botão do controle remoto da televisão para desligá-la.

— Sei que disse que queria acompanhar isso, mas como posso suportar uma coisa dessas? Bonnie e Clyde? Eles não são ladrões de banco, pelo amor de Deus! — Ela se levantou e levou o prato para a cozinha, dizendo: — Como devo me sentir vendo-os demonizá-lo desse jeito? Por que *eu* estou mantendo o silêncio quando ele obviamente não está? — Ela depositou o prato em cima do balcão e apertou as mãos contra a superfície fria, a cabeça inclinada, os olhos focados na tornozeleira larga que acompanhava via satélite todos os seus movimentos.

As acusações contra ela eram contravenções, classe 1, equivalentes à primeira acusação de Anthony — e igualmente ridículas. Sem antecedentes, ela não pegaria prisão, mas isso não importava agora. O estrago estava feito. Ela estava sendo julgada e condenada no tribunal da opinião pública ao lado dos garotos. Na França do final do século XVIII, eles todos já teriam sido levados à guilhotina.

— *Existe* alguma coisa para agradecer, então — disse ela, quando sua mãe entrou na cozinha.

— De que se trata?

Kim disse a ela o que estava pensando, sobre a guilhotina, depois falou:

— Será que eles não perceberam que isso aconteceria?

— Eles são tão jovens — disse a mãe. — Nós pensamos que a juventude é uma bênção, mas às vezes é uma maldição.

28

— SERIA O CASO DE NOS CHAMAREM DE FUGITIVOS — disse Amelia segunda-feira à noite, enquanto lia o noticiário na Internet sobre ela e Anthony no computador de sua amiga Jodi. — *Rapto*, ora, isso é loucura. Meu pai está completamente louco. Esperávamos que o bilhete funcionasse apenas como uma pista falsa para a polícia local, para nos dar tempo de chegar até aqui sem eles em nosso caminho.

Jodi, uma morena dinâmica e de pernas longas que Amelia conhecera havia vários anos num concurso nacional de canto, disse:

— Então funcionou melhor do que vocês pensaram. Estão mantendo a patrulha de fronteira em alerta quanto a vocês dois.

— Poderíamos muito bem ser terroristas.

— Argh, não diga a palavra que começa com T — disse Jodi. — Tivemos um espetáculo cancelado há três semanas por causa de uma ameaça de bomba. Quer dizer, não era nada, provavelmente algum idiota que fez o teste e não conseguiu o papel. A gente se esquece, certo, até que algo faz a gente lembrar e então é "Ai, merda, eu realmente deveria estar fazendo um trabalho de verdade com meu pai em Connecticut".

— Você é tão sortuda por estar trabalhando na Broadway. Não devia desistir nunca.

Jodi sorriu.

— Eu sei. Finalmente. *Fi-nal-men-te!* — cantarolou. — E você também vai, um dia. Sua voz é muito melhor que a minha. Assim como as suas pernas e sua bunda.

— Jodi! — Amelia riu.

Anthony estava sentado atrás delas, observando a rua da janela do quinto andar, onde ficava o apartamento de Jodi, no Village.

— Ela está certa — disse ele, sorrindo, com menos entusiasmo que o normal, em função das voltas que as coisas estavam dando. — Você vai ficar aqui. — Ele coçou a cabeça e acrescentou: — Embora, droga, eu ainda não saiba como.

Amelia encontrou o olhar dele. Não havia nenhuma crítica em suas palavras. Ele não a estava culpando por tê-lo persuadido a sair de casa, por tê-los catapultado de uma confusão a outra. Muito embora, para ser sincera, ela não se sentisse tão perturbada pelo furor dos acontecimentos do momento quanto estivera quando estava presa em casa, separada da vida. Eles haviam conseguido chegar ali, a Nova York! Aquilo tudo lhe parecia um mundo totalmente diferente, onde nada que antecedera à viagem de carro rumo ao norte fazia a menor diferença no momento. A vida estava em movimento, fluindo em todas as direções ao seu redor, e tudo o que tinham de fazer era entrar no fluxo.

A viagem fora demorada e tensa. Eles haviam partido de um caixa eletrônico de Raleigh, onde ela sacara o limite máximo permitido, depois pararam num Wal-Mart próximo e usaram seu cartão do banco mais uma vez, para comprar cartões Visa pré-pagos, para não poderem ser rastreados posteriormente por meios das compras que fizessem. A fim de evitar serem detectados facilmente, seguiram por um caminho tortuoso para chegar a Nova York — quase 12 horas ao volante, em vez das nove que levariam pela rodovia interestadual, e se revezaram para cochilar no carro. Na chegada, Jodi os acolhera como se eles tivessem sido amigos a vida inteira, mostrara-lhes todo o apartamento, indicara-lhes o quarto de hóspedes e dissera:

— Café com rosquinhas às dez. Até mais.

Eles haviam ficado escondidos no apartamento desde que chegaram, acompanhando as notícias e tentando decidir para onde ir depois dali. Por mais encantador que fosse o apartamento — ele não pertencia a Jodi, que nunca poderia pagar por tudo aquilo, mas ao pai dela, um designer de interiores de alto nível, que mantivera o imóvel mesmo depois de ter-se mudado —, Amelia estava ansiosa para sair e ver a cidade com Anthony. Naquele momento, ela queria ver a cidade e depois voltar ali para o quarto que tinham compartilhado à noite. Voltar para os braços de Anthony, que a envolveram tão ternamente enquanto ambos, exaustos, mergulhavam no sono.

— Então, eles estão nos chamando de fugitivos, hein, como se já tivéssemos deixado de comparecer à convocação no tribunal — disse ele.

— Acho que é porque violamos os termos da fiança pelo simples fato de estarmos juntos e por deixar a casa de nossos pais?

— Eu nunca devia ter deixado aquele bilhete.

Amelia fechou o computador e o deixou de lado.

— Não é culpa sua. Isso é apenas a desculpa que estão usando para justificar mais problemas.

— Você sabe, escrevi aquele bilhete de propósito para deixar você fora de problemas, pensando que, se alcançassem a gente, isso significaria que agi no calor da hora, com a ilusão de partirmos *juntos*. Por que não percebi que alguém poderia interpretar mal e chamar o que fiz de rapto?

Ela passou os braços ao redor da cintura dele.

— Não se preocupe... basta eu dizer que foi minha ideia também, ou que quis aproveitar a oportunidade, e você de maneira alguma me obrigou a ir junto. Não pode ser rapto se eu disser que não foi, certo?

— Ah, você acha que Liles precisa que haja uma *vítima* para me acusar de algo novo?

Amelia pousou o dedo indicador contra seus lábios.

— Foi tão lindo de sua parte tentar me proteger.

— Para mim, foi um privilégio. — Ele colocou as mãos no rosto dela e a beijou. — Vamos, senhoras — disse, afastando-se da janela à frente delas. — Vistam seus casacos, e vamos ver a cidade.

Amelia se iluminou.

— Sério?

— Estamos em Nova York, está escuro, ninguém vai reparar em nós aqui. Vamos aproveitar.

***

O ar da noite estava picante, mas permeado com o aroma de comidas exóticas, fumaça de óleo diesel e umidade restante da chuva recente. Amelia apertou a echarpe trás dos ombros, depois fechou o casaco e começou a abotoá-lo, mas parou quando uma dor pulsou por todo o seu abdome. Ela apertou a mão contra o estômago.

— O que foi isso? — perguntou Anthony.

— Nada. Um espasmo. Vai ver o sanduíche de salmão com cream cheese dessa manhã não caiu bem.

— Ei, não culpe o salmão defumado — brincou Jodi. — Talvez tenha tido uma indigestão depois de ver o noticiário a seu respeito. Eu me sentiria assim, bem, a não ser que as notícias fossem uma crítica favorável a uma de minhas surpreendentes apresentações.

Anthony franziu o cenho para Amelia.

— Tem certeza de que está bem?

— Tenho, sim — disse ela, balançando a cabeça. — Já estou melhor.

E estava. A dor diminuíra e estava desaparecendo rapidamente, do modo como acontecera no outro dia. Não aparecera mais, e sua menstruação não chegara mais cedo, então concluíra que não devia ser nada com que preocupar-se. Naquele momento era a mesma coisa.

— Vamos lá — disse, e eles partiram para o metrô.

Amelia se deliciava com a noite perfeita, a companhia das pessoas com quem estava, a mão enluvada de Anthony segurando a sua, a sensação de normalidade por estar ali, longe de casa. Sentia como se pertencesse àquele lugar. Como se fosse uma parte importante de algo muito certo. Ela, Anthony e Jodi eram três jovens caminhando, conversando e rindo, descendo aos saltos a escada até o metrô, percorrendo-a ao lado de pessoas de todos o cantos do mundo, pessoas que sabiam que essa era a maior cidade de todas, o lugar em que tudo acontecia — o bem e o mal, o lugar em que determinados tipos de sonhos tendiam a tornar-se realidade.

Não para todos, ela entendia isso. Algumas das pessoas naquele vagão com eles pareciam não poder estar mais longe do sucesso. Um homem de idade indeterminada, com uma barba ensebada, o cabelo oleoso sob um boné sujo, uma jaqueta de náilon outrora amarela que não oferecia isolamento e puída na altura dos cotovelos, dormia com a boca aberta num banco ao fundo do vagão. Não havia nenhuma maneira de saber se a situação dele, e de outros ali que não estavam muito acima dele, era o resultado de falta de oportunidade, de capacidade pessoal para progredir o bastante, de força de vontade ou de fé — ou talvez eles estivessem em Nova York por razões que nada tinham a ver com perseguir um sonho. Talvez tivessem nascido ali, ou vindo contra a vontade, ou, antes de tudo, não concordavam com a mitologia de Nova York. Se fosse esse o caso, ela lamentava por eles. Lamentava por eles de qualquer maneira.

Ela puxou a manga de Anthony e disse:

— Se algum dia eu conseguir…

— *Quando* você conseguir — disse ele.

— Doarei todo o meu dinheiro. Meu pai está errado. Não quero viver como ele e minha mãe, nunca.

Anthony apertou-lhe o ombro e inclinou a cabeça concordando.

— Parece um bom plano para mim.

Um bom plano e um plano fácil. Mais difícil seria pensar sobre aonde iriam depois dali. Mesmo que Jodi parecesse inclinada a ter hóspedes indefinidamente, Amelia sabia que eles não poderiam permanecer anônimos por muito tempo. O dinheiro acabaria, e, principalmente, não havia como seguirem em frente — sem escola, sem emprego — a menos que algo drástico acabasse com o absurdo legal. Mas ela não queria pensar em nada disso naquele momento. Depois veria. Agora era para o *agora*, por ali. O resto se resolveria; ela realmente acreditava que isso aconteceria. Verdade e justiça, esses eram os alicerces de seu país, certo? A verdade, a justiça e a fé, nenhum dos quais lhes servia muito bem naquele momento, mas eles teriam de ter uma pausa cedo ou tarde.

Os três deixaram o metrô na estação da Rua 50 e começaram a caminhar em direção à Times Square.

— Vamos passar pela maioria dos teatros por este caminho e vamos todos ficar babando como mendigos famintos à porta dos restaurantes.

— O que você quer dizer com "todos"? — disse Anthony. — Você está trabalhando.

— Sim, mas como *uma* integrante da Tribo mais inconsequente de *Hair*. — Ela sorriu, e as luzes das vitrines da lojas e das placas luminosas ao redor deles fizeram seus dentes muito brancos parecerem cor-de-rosa. — Sim, caramba, estou mesmo.

Ela tirou uma filmadora portátil do bolso e a apontou para Anthony.

— Tudo bem. *A Grande Aventura*, tomada um: o homem que vocês veem à sua frente é Anthony Winter, que está em Nova York para, quantas vezes você já esteve aqui antes?

— Duas vezes.

— Na Big Apple, pela terceira vez — disse Jodi. — Ele está, digamos, está em férias.

— Ele está em férias — disseram todos ao mesmo tempo, rindo.

— Ah, nós somos geniais — disse Jodi. Então continuou a narração: — Neste momento, Anthony quer... Você preenche a lacuna.

— Curtir esta noite — disse Anthony.

— Não, mais grandioso — disse Jodi. — Tente novamente. Ele quer...

— Procurar algo para comer. Uma comida realmente boa.

Jodi inclinou a cabeça e fez uma careta para ele.

— Você não segue muito bem a direção, não é? Vamos. Tomada três: ele quer...

Amelia respondeu.

— Ele quer escrever uma peça para ser encenada no Ambassador — disse ela, vendo o teatro histórico à direita deles, na Rua 49. — Assim como Shakespeare escreveu uma vez para o Globe.

— Sim, isso tem mais a ver! — disse Jodi, enquanto Amelia se encostava em Anthony e o beijava.

Eles haviam perdido o teste e não podiam remarcar, e nada do que queriam que acontecesse estava seguindo de acordo com o plano, no entanto, ainda assim estavam ali, juntos. Amelia olhou nos olhos dele e sentiu-se puramente feliz. Sentiu-se completa. Sentiu-se amada. Ela o beijou mais uma vez e lhe disse:

— Estou tão feliz de estar aqui com você. Obrigada. Isto é incrível, isto é perfeito.

— Anthony, o dramaturgo, e seu Único e Verdadeiro Amor, Amelia Wilkes, a futura estrela de... que espetáculo você quer estrelar? — disse Jodi.

— *Mamma Mia!* — declarou ela. Então, pensando melhor: — O *Fantasma*. Espere... *Chicago?* — Ela riu e disse: — Sinceramente, eu só quero *estar* aqui. Depois disso, bem, teremos de ver.

— Depois disso — disse Jodi —, seu nome estará em letreiros luminosos. — Ela se virou para filmar a marquise do Ambassador e os cartazes iluminados, com a placa vermelha na calçada em destaque: "Estrelando...!" A faixa não era ela própria iluminada, mas refletia a luz, e Amelia imaginou seu nome exibido em grandes letras pretas. Ela sabia que era possível. Se os outros haviam conseguido, por que ela não conseguiria? Era nisso que Anthony insistira ao longo daquele último ano e era nisso que ela acreditava.

Anthony a fitou e pousou as mãos em sua cintura, dizendo:

— Será incrível para você.

— Para nós.

Jodi, a câmera ainda filmando, disse a um casal que passava:

— Deem uma boa olhada, gente, vocês poderão dizer que a conheceram pessoalmente.

— Quem? — perguntou uma mulher, virando-se para olhar para Amelia.

— Amelia Wilkes, estrela da Broadway.

— Sem essa — disse Amelia, puxando Jodi para longe do casal. — Não se importem com ela — disse a eles. — Ela cheirou demais.

Depois que ficaram a sós, Anthony disse:

— Talvez não devesse espalhar nossos nomes assim, não acha?

— Relaxe, cara! Eles estão indo ver *Chicago* — disse Jodi —, não assistir aos noticiários ou ler as notícias sobre garotos fugidos para o *México.*

Eles se divertiram na Times Square como turistas, andando na roda-gigante na Toys "R" Us, aglomerando-se com os adolescentes que aguardavam na frente do estúdio da MTV para um vislumbre, alguém afirmou, do Eminem. Na Hershey, Jodi ficou boquiaberta com Amelia:

— Você não quer um chocolate?

— Realmente não estou com fome — respondeu Amelia, surpreendendo a si mesma.

Depois eles foram regatear lenços persas numa esquina próxima junto a uma dupla de homens cujo forte sotaque caribenho produzia uma maravilhosa incongruência com o frio cortante da noite e produtos que eles vendiam. Jodi filmava e narrava o tempo todo.

— Para a posteridade — disse-lhes. — Para eu poder dizer que os conheci na época.

— Contanto que você não divulgue o filme na Internet — advertiu Anthony, enquanto Amelia pagava pelos lenços que comprara.

Jodi assentiu e vasculhou a bolsa à procura de dinheiro, dizendo:

— Pelo menos não antes de vocês terem-se imortalizado, para que eu possa tirar o máximo proveito de nossa relação.

Amelia empurrou a mão de Jodi para que a câmara registrasse sua dona.

— Estrela em ascensão da Broadway, Jodi DeMarco!

Os vendedores riram e declararam que Jodi e Amelia tinham mesmo talento para estrelas.

— Coloque esses rostos nos ônibus, e todo mundo entrar neles andar e deixar a companhia rica!

— Esses caras deveriam estar vendendo hospedagem em Antigua ou outro lugar — disse Jodi enquanto deixavam a barraca, ela e Amelia cada uma de posse de três lenços de cores vibrantes comprados por quatro dólares cada. — Eu namorei um cara de lá. Genial, ótimo senso de humor. Um dançarino incrível. Acho que devia ligar de novo para ele. — Ela verificou a bateria da câmera. — Hum, acho que está acabando. — Ela enfiou a mão no bolso e disse: — Ei, que tal sairmos deste frio e ir comer uma comida japonesa no Kodama... não é longe daqui. Eles têm um sushi fabuloso. Vocês gostam de sushi?

— Acho ótimo — disse Anthony. Ele olhou para Amelia em expectativa.

— Sim — disse ela, balançando a cabeça. — Ainda não estou com muita fome, portanto o que vocês quiserem está bom.

Jodi sorriu com simpatia.

— Nada de salmão defumado para você, entendeu?

— Eu estou bem. Só estou meio distraída com toda esta maravilha, só isso.

— Sei — disse Jodi, fingindo ajeitar o cabelo coberto pelo chapéu —, as pessoas me dizem isso o tempo todo.

Durante dois dias de conto de fadas, aquela foi — a cidade, a camaradagem — a realidade de Amelia. Eles visitaram os pontos turísticos, perambularam pelas ruas, foram a cafés e restaurantes onde a comida era barata e a companhia inspiradora. Eles conheceram atores, dançarinos e poetas, pessoas que pretendiam criar a próxima grande tendência da moda, escrever o próximo grande romance, construir o próximo grande arranha-céu ou preparar as omeletes mais perfeitas que o mundo jamais vira. Eles foram ao Radio City assistir ao espetáculo das Rockettes. No final de todas as noites, ela e Anthony iam juntos para debaixo das cobertas e, na quarta-feira, ele fizera uma serenata para ela com "Would't It Be Nice", dos Beach Boys, antes de fazer amor com ela, com tal ternura que depois ela chorou lágrimas de gratidão e felicidade. Seria lindo. Seria.

Daí por diante, Amelia evitou comer salmão defumado, mas ingeriu pouca coisa mais, e as dores a incomodaram apenas mais uma vez durante sua estada — na quinta-feira à tarde, o Dia de Ação de Graças, antes de partirem da casa de Jodi e seguir o plano que ela e Anthony começaram a elaborar na véspera, quando estavam sentados, encapotados, ao sol no Washington Square Park.

O plano a que chegaram era deixar não só Nova York, a cidade, mas o estado de Nova York, e encontrar um ponto não patrulhado da fronteira com o Canadá. Anthony vivera no estado de Nova York metade da sua vida e estava bem seguro de que ainda existiam estradas vicinais — sem mencionar os campos abertos — onde eles poderiam cruzar a fronteira sem serem vistos e sem ter de apresentar passaportes e identidades. A ironia de terem chegado a esse plano naquele parque — o centro do campus da NYU — não passou despercebida a nenhum deles.

— Isto vai ficar aqui, esperando — dissera Anthony, olhando para os prédios ao redor do parque.

Amelia assentira com a cabeça, sem dizer nada. Pela primeira vez desde que chegara, ela sentia nos ombros o peso de sua condição. Não que tivesse se esquecido de que havia pessoas procurando por eles ou que, se fossem encontrados, seriam detidos e encarcerados — sem fiança dessa vez — até que os processos de ambos fossem encerrados. Ela sabia, assim como Anthony, que "encerrado" não significava uma solução de fato, porque não havia como saírem dessa ilesos. Como ele dissera: "O fato é que nós fizemos tudo aquilo de que nos acusam, considerando friamente, que é o que o juiz supostamente faz. E, como Liles não vai deixar por menos, teremos de enfrentar o julgamento até para ter a chance de evitar um tempo de prisão. Talvez o júri, se houver nele pessoas inteligentes o bastante, nos libere com facilidade, mas ele não pode em nenhum momento ignorar a lei".

A outra parte, que não precisava ser discutida, era seu pai e sua implacável insistência em demonizar Anthony. Quando Anthony fosse julgado, teria mais probabilidade que nunca — e muito mais probabilidade que ela — de ser condenado. Ficaria fichado por 30 anos como criminoso sexual, conforme é exigido em caso de crimes graves. Cumprir pena de prisão talvez fosse *im*provável, mas mesmo Mariana Davis não fora capaz de dizer que não aconteceria. Voltar atrás nessa altura não oferecia nenhuma esperança a nenhum deles. Era melhor arriscar a ida para o Canadá.

— Vamos conseguir identidades falsas, mesmo que não seja cem por cento infalível, seria o mais próximo que chegaríamos de tentar um recomeço. Estou pensando em Montreal. Não é uma Nova York, mas é uma cidade grande, você vai gostar, eles têm um ambiente teatral ótimo. Vamos conseguir emprego lá, trabalhar até onde der e, finalmente, voltar a Nova York sob nossas novas identidades.

— Sem sermos reconhecidos?

— Por quem? Além disso, você será uma atriz canadense tão incrível que, se alguém chegar a colocar uma foto de quem você era antes ao lado de um das suas atuais, haveria uma semelhança incrível com a garota que desaparecera no México, e isso não seria interessante? Mas então teremos todas as credenciais necessárias. Isso pode ser feito.

— Credenciais necessárias, mas as mesmas impressões digitais.

— Então é melhor evitar problemas com a Justiça.

— Alguém poderia fazer a ligação. Nossos pais fariam.

— Mas então a coisa toda será história antiga. Eles não vão nos delatar.

Ela estava prestes a responder: "Você não conhece meu pai", mas em vez disso decidiu que dessa vez Anthony poderia estar certo. Seu pai, até aquela altura, teria certamente aprendido a lição e não criaria mais problemas.

Eles sabiam que o plano não era perfeito. Havia lacunas, possivelmente grandes o bastante para eles desaparecerem dentro delas sem esperança de salvação. O que o plano lhes dava, porém, era uma possibilidade. Dava-lhes esperança. E o mais importante, eles estariam juntos e não apodreceriam na cadeia, sozinhos, na maior parte do tempo sem contato um com o outro, enquanto os advogados sugavam cada vez mais dinheiro, em busca de estratégias para ganhar uma guerra invencível. Eles estariam juntos e não iriam para a prisão, onde o mais próximo que estariam um do outro ou do mundo teatral seria na lembrança e na imaginação.

A dor de estômago surgiu quando eles estavam descansando no apartamento no período da tarde, enquanto Jodi se aprontava para sair para jantar com o pai em Stamford. Ela se manifestou rapidamente como antes e dessa vez perdurou por algum tempo. Anthony, que estava na Internet verificando a situação da "caçada humana" e pesquisando todas as informações que precisariam ter para a viagem, não a viu estremecer quando a dor começou. Ela esperou que ela passasse, depois foi para junto dele.

Estranhamente, ele estava com a página de Jodi no Facebook aberta — e então ela viu que ele estava tendo uma conversa de mensagens instantâneas com Cameron. Ele olhou por cima do ombro e disse:

— Jodi se tornou amiga dela por nossa causa, pedi para ela hoje de manhã. Queria ter uma maneira impossível de rastrear para mandar uma mensagem para minha mãe.

A saudade de casa abalou Amelia, ou melhor, a saudade de Cameron.

— Diga à Cam que estou com saudade dela.

Ele digitou a mensagem. Cameron respondeu com um emoticon fazendo uma careta, dizendo: "Sinto igual. Amo você, A!!! Tô tão feliz de vocês estarem bem, e darei o recado à sua mãe. E aos pais de A?".

Anthony disse a Amelia:

— Quer que ela dê algum recado para eles?

— Eu, eu quero, mas não. Se descobrirem que ela estava em contato com a gente, nunca vão deixá-la em paz. — Ela não se preocupava que a mãe de Anthony revelasse algo à polícia, mas seus pais, *seu pai,* mostrara que ela não poderia contar com ele. — Diga que não. Quero esperar até estarmos fora do país.

— Eu concordo — disse ele e digitou a resposta.

Ele terminou a conversa e desconectou o computador, depois se virou e a puxou para seu colo.

— Então, qual é o plano de viagem? — disse ela.

— Interestadual 87 é o caminho direto, significando o mais movimentado. Vamos pela 95 e depois subimos pela 91 até chegarmos perto da fronteira, então vamos para as áreas rurais usando as estradas municipais. A 81 pode ser ainda menos movimentada, mas esse caminho é cheio de pontes até o Canadá, então está fora de cogitação. Eu estou pensando em voz alta, certo?

— Sim, mas fica bonito fazendo isso.

— O clima parece meio instável, estão prevendo chuva de granizo mudando para neve depois da meia-noite. O que acha de sairmos logo?

No fundo, ela não queria partir. A frustração que conseguira reprimir nos últimos dias se impunha de novo, e ela respirou fundo para tentar sufocá-la. Os desejos eram coisas diáfanas, insubstanciais, que não tinham valor nem propósito. A ação era a única maneira de fazer algo acontecer.

— Por mim, tudo bem. Não haverá ninguém dirigindo na hora do jantar — disse ela.

— Tudo bem, então. Vamos nos mexer.

29

ANTHONY ABRAÇOU JODI e agradeceu mais uma vez pela hospitalidade.

— Seremos eternamente gratos.

— Vocês serão eternamente bem-vindos — disse Jodi. — Estou falando sério. Se voltarem para cá, isto é, *quando* voltarem para cá, espero que fiquem aqui pelo tempo que precisarem. E se acontecer de eu ter-me ligado a alguém excepcionalmente fabuloso na ocasião, ele irá acolhê-los também.

Os olhos de Amelia pareceram desamparados por trás do sorriso.

— Nós odiamos ter de partir. Mas muitíssimo obrigada. Foi o máximo. Você foi maravilhosa arriscando o pescoço por nossa causa.

Jodi dispensou a gratidão.

— Por favor. Qual o risco? É Nova York. Existem criminosos mais importantes aqui do que vocês dois.

Anthony estendeu a mão para a maçaneta da porta.

— Informaremos você quando chegarmos lá.

— Vou procurar entre os pedidos de amizade do Facebook de… quem vocês vão ser? Marie e Luc?

— Beau e Belle — falou Anthony, brincando.

— Eu gosto mais das sugestões dela — disse Amelia.

— Vão andando, pombinhos. Vocês podem discutir isso no carro.

Jodi os beijou, depois Anthony saiu na frente de Amelia, e eles desceram o quarteirão em silêncio até a garagem onde haviam deixado o carro estacionado. O peso do que estavam fazendo o fazia sentir-se fraco, tornando cada passo pesado como se estivesse andando com botas cobertas de lama endurecida. Seu estômago estava enjoado, e ele caminhou lentamente, como se estivesse prevendo que um precipício se abriria à frente deles quando a escuridão descesse e ele não seria capaz de antevê-lo a tempo.

No carro, ele ligou o iPod de Cameron e escolheu uma lista de reprodução.

— Baixei uma porção de músicas de Jodi. Nem todas são do tipo que eu escolheria, mas são melhores do que a pouca variedade de Cam. Você sabia que ela ainda ouve os Backstreet Boys?

— Acho melhor não admitir que também ouço.

— Não — disse ele —, você tem coisa melhor para ouvir.

Ele estendeu a mão e fez cócegas no pescoço dela e lhe deu um tapinha, sorrindo quase como se tudo estivesse normal.

O trajeto para fora da cidade e até onde eles poderiam pegar a 495 seria arriscado. Ele não podia se dar o luxo de ser demasiado agressivo na direção e correr o risco de provocar o menor acidente que fosse, mas também não podia ser passivo, pois assim não conseguiria pegar as pistas que queria quando precisasse. Enquanto ele se concentrava em dirigir para o destino almejado, Amelia se ocupava de observar a paisagem, até que entraram no túnel para o Queens.

— Adeus, Nova York — disse ela num suspiro.

A partir daí, a música deu-lhes algo em que concentrar-se, além do que estavam deixando para trás e do que estava por vir. Ele misturou Pink, Beyoncé e clássicos do Led Zeppelin com Green Day e Black Eyed Peas, e algumas músicas de Bob Dylan para arredondar as coisas. Não tinham ido muito longe, 40 minutos talvez, quando Amelia disse:

— Você acha que poderia parar em algum lugar?

— Você deveria ter ido antes de sairmos — brincou ele, imitando um tom paternal.

— É verdade. Sinto muito.

— Estava brincando. — Ele viu que ela apertava os lábios numa careta contraída. — É seu estômago de novo?

— Sabe, tenho certeza de que são os nervos. Não sentia nada disso até que todo o problema começou.

— Você... — Ele fez uma pausa, depois começou de novo. — Você quer voltar? Não temos de passar por isso.

— Não... quero dizer, *você* quer?

— Não, eu não. Não tem jeito, é isso que precisamos fazer. Temos de fazer. — Ele olhou para ela, e ela inclinou a cabeça, concordando. — Vou encontrar uma loja e vamos conseguir alguma coisa.

— Estará tudo fechado.

— Talvez não.

Na saída seguinte, eles encontraram um posto de gasolina e uma loja de conveniência aberta e entraram. Amelia segurava a mão contra o estômago enquanto eles verificavam as ofertas.

— Não acho que seja, você sabe, um problema de digestão. Simplesmente dói. É pior quando estou em movimento.

Ele pegou um frasco grande de ibuprofeno.

— É sempre bom ter isto de qualquer maneira. E isto — disse ele, pegando um frasco de antiácido. — E mais isto — acrescentou ele, estendendo a mão para um saco de salgadinhos de queijo no fim do corredor. — Sinto muito. Eu estou com fome.

Ela se aproximou dele e entrelaçou os braços ao redor de seu pescoço.

— Desculpe, eu não estou. Adoro esse salgadinho.

Eles trocaram beijos suaves e doces que fizeram essa pausa em seu plano de viagem parecer um refúgio num porto seguro. A pele dela cheirava a algo leve e floral. Madressilva, pensou ele. E algo de ervas também. Seus lábios eram quentes e suaves. Mais quentes do que o habitual. Ele se afastou para dar uma olhada nela e notou manchas rosadas na parte superior do rosto.

— Acho que você pode estar com febre.

Ele examinou o corredor à procura de um termômetro, mas não encontrou.

— Estou me sentindo bem. Quero dizer, não *bem*, mas não doente. Venha, vamos embora — disse ela.

Eles escolheram as bebidas e pagaram a conta, depois partiram novamente. O sol estava baixo, seus raios filtrando-se atrás das árvores já desprovidas de folhas. Amelia tomou um analgésico, depois mudou a música e cantou junto com "Aquarius", "Blackbird" e "If I Fell", e então, desligando o aparelho de som, cantou "Angel", de Sarah McLachlan, preenchendo o espaço ao redor deles com o som belo e triste, fazendo arrepiar os pelos dos braços dele.

— Você é realmente incrível — disse ele quando ela terminou. Ela encolheu os ombros ante o elogio, mas ele se sentiu como se estivesse de posse de algo raro e precioso. — Estou dizendo a você, um dia todo mundo vai saber seu nome.

— Qual nome? — disse ela, um sorriso brincando em seu rosto cansado. — Belle ou Marie?

Ela adormeceu enquanto eles saíam de Springfield e começavam a subir a encosta sinuosa das montanhas Berkshires. Ele olhava para ela de vez em quando, a preocupação contrabalançada pela admiração da bela estrutura óssea e a curva da bochecha. À luz fraca do painel, ele não podia ver se as bochechas ainda estavam vermelhas, mas os lábios pareciam mais escuros do que deveriam estar.

Quando ela acordou, ele lhe disse:

— Acabamos de chegar a Vermont. Estamos quase em Brattleboro. Você quer parar?

Ela se espreguiçou e, enquanto o fazia, emitiu um gemido de desconforto.

— Sim, vamos parar. Talvez se andar um pouco talvez possa relaxar esse espasmo.

— Você não acha que está com uma úlcera, não é?

— Não me surpreenderia. Vai ficar tudo bem. Pare de se preocupar, certo?

Ele pegou a saída para a próxima parada de descanso. Depois que terminou de usar o banheiro, esperou por ela, e esperou. Várias mulheres entraram e saíram, e nada de Amelia. Finalmente, quando ele já estava indo vê-la, ela abriu a porta e saiu.

— Desculpe — disse ela. — E antes que você pergunte, estou bem. Vamos pegar algumas bebidas e continuar. Uma mulher lá dentro disse que estava chovendo em St. Johnsbury, que eu acho que está em nosso caminho, não está?

— Está, sim.

Ele quis pressioná-la para obter mais detalhes sobre como se sentia, mas ela obviamente não queria falar daquilo. Talvez fosse embaraçoso; ele entendia, então deixou para lá.

Novamente no carro, Amelia ocupou-se de encontrar músicas, e eles conversaram sobre como escolheriam as estradas vicinais que deveriam tomar. Falaram sobre tudo, exceto sobre a ligeira tensão ofegante na voz dela, que lhe dizia que ela ainda sentia dor e estava tentando esconder. A chuva de que Amelia ouvira falar de fato caiu com força quando passavam por St. Johnsbury e seguiam a norte.

— Isso é muito triste — disse ela depois de um tempo. — Queria que fosse neve em vez de chuva.

— Dirigir na neve é pior. À noite principalmente.

— Não parece tão frio, no entanto, sabe? — A voz dela soou estranha para ele, subindo um pouco mais no "sabe" e então ela se dobrou. — Estou me sentindo mal do estômago. Pode encostar?

Ele sinalizou e se aproximou do acostamento o mais rápido que pôde. Assim que pararam, Amelia abriu a porta, inclinou-se para fora e vomitou. Ele manteve uma das mãos nas costas dela enquanto com a outra procurava guardanapos no porta-luvas.

Ela sentou-se novamente e fechou a porta, depois pegou os guardanapos que ele encontrara e limpou a boca.

— Sinto muito. Aconteceu de repente. Não sei o que pode ser.

— Você não comeu nada…

— Nós compramos antiácido lá, não foi? — Ela começou a torcer o corpo para alcançar a bolsa no banco de trás, mas parou e apertou as mãos sobre a barriga.

— Amelia, algo não está certo. Precisamos levá-la a um médico.

— É apenas uma intoxicação alimentar — insistiu ela. — Vai passar.

— Uma intoxicação alimentar que dura quatro dias? Vamos.

— São nove horas da noite de Ação de Graças e nós estamos em lugar nenhum no meio de Vermont. Mesmo que eu quisesse, um médico não seria uma opção neste momento.

Anthony levou-lhe a mão à testa do modo como a mãe sempre fizera com ele quando pensava que poderia estar doente.

— Você ainda parece quente. Não é intoxicação alimentar.

— Então é um vírus. Vamos embora. Não podemos estar tão longe da fronteira agora.

Ele considerou as suas opções. Ela estava certa, a fronteira ficava a cerca de apenas 60 quilômetros de distância da interestadual, mas não dava para dizer quanto tempo levariam para encontrar um lugar para atravessar e, ao encontrar um, estariam longe de qualquer lugar onde pudesse haver algum atendimento médico que ele e a mãe haviam usado em certa ocasião. E se ela piorasse e eles estivessem a quilômetros de alguma ajuda?

— Precisamos parar na próxima cidade grande.

— Anthony, nós não podemos. Vou ter de dar meu nome...

— Use um nome falso. Seja Marie Wilkes... e você perdeu sua carteira esta manhã, assim está sem identificação. Pagamos em dinheiro e vai ficar tudo bem.

Mesmo no escuro, ele pôde ver o medo e a dúvida nos olhos de Amelia quando ela disse:

— Você acha?

— Sim. Aperte os cintos e vamos embora.

Eles seguiram caminho, ambos em silêncio, os limpadores varrendo agressivamente a chuva do para-brisa, como se também estivessem frustrados com o rumo dos acontecimentos. Anthony interpretava os movimentos repetidos das pás como "Por quê? Por quê? Por quê? Por quê?", e gostaria muito de ter uma resposta.

— Suponha que seja caro — disse Amelia. — E se acabar custando todo o nosso dinheiro?

— Vamos simplesmente chegar lá e pedir que examinem você. Se você estiver certa e for um vírus, talvez possam lhe dar algum remédio e ficará por isso mesmo.

Os limpadores de novo, e então ele sentiu a mão esquerda de Amelia segurando sua mão direita ao volante. Ela a apertou, e sua mão demasiadamente quente.

— Você é muito bom para mim e lhe agradeço isso. Desculpe estar atrapalhando as coisas — disse ela.

— Pare com isso. Você não está fazendo nada.

Um dezena de quilômetros antes da fronteira, bem à altura em que precisariam sair da rodovia interestadual de qualquer maneira, eles se depararam com a placa para uma cidade chamada Newport.

— Vou pegar esta estrada — disse ele. — Se não tiverem alguma clínica atendendo, podem ter um pronto-socorro.

— Tudo bem — disse ela numa voz sufocada. — Acho que você está certo. A dor não passa.

Ele soltou a mão da dela e a pousou em seu cabelo. Estava úmido desde quando ela se inclinara para fora do carro. Alisou-o e levantou uma mecha sobre o ombro, acariciando repetidamente o vão deixado pelo cabelo. Isso pareceu produzir nela um efeito calmante. Ela fechou os olhos e se inclinou para que ele pudesse passar o braço em volta de seus ombros.

Alguns quilômetros se passaram e não se via uma saída. Ele parou no primeiro posto de gasolina, estacionou e saiu do carro, correndo até lá dentro, onde perguntou a um atendente onde poderia levar Amelia.

— O hospital T — disse o homem. — Todos os outros lugares estão fechados a esta hora. Desça a rua no sentido oeste e encontrará uma placa indicando o caminho. Isso aí já virou um granizo?

— Um pouco. Com alguns flocos de neve misturados.

— Pois é. Dizem que no fim de semana vamos ter neve mais funda do que um sueco alto. Afinal, de onde você está vindo?

— Nova York — respondeu Anthony com sinceridade.

— Bem, boa sorte com tudo.

No carro, ele encontrou Amelia com lágrimas escorrendo pelo rosto.

— Ei, veja — disse ele, estendendo a mão para pressionar a testa dela. — Tem um hospital aqui perto. Eles vão cuidar de você.

Ela inclinou a cabeça, então ele a soltou e deu partida no carro. Foi um trajeto curto até o hospital, encontrado sem dificuldade como prometido, e lá ele manobrou para a entrada do pronto-socorro. À luz do prédio, a palidez de Amelia era fantasmagórica. Ela mantinha os braços em volta do corpo, a mão esquerda no ponto onde o quadril direito se inclinava em direção ao umbigo, uma região que ele admirava muito em circunstâncias melhores.

— Está pronta? — perguntou ele.

— Na verdade, não. Mas acho que não tenho muita escolha, afinal.

Ele a beijou na testa, depois abriu a porta para outro dilema que nunca poderia ter previsto.

A última vez que Anthony estivera num pronto-socorro foi aos 14 anos, quando caiu sobre o braço esquerdo depois de um salto com o pé errado no campo de futebol. O osso rádio partira-se em dois, deixando-o de molho por uns dois meses. Fora nessa época que começara a ler mais atentamente a obra do Bardo, dedicando-se com mais afinco a entender seus poemas e peças teatrais. Para entendê-las, precisou conhecer o teatro grego, então leu suas peças também, discutindo tudo com o avô, cujas perguntas incisivas fizeram Anthony entender como a vida atual não era muito diferente da que se levava na época antiga. O mesmo palco, atores diferentes, como dizia o ditado. Ou, pensou ele, para ser mais preciso, "O mundo todo é um palco e todos os homens e mulheres meros atores". Meros atores, o avô Phil explicara, em papéis escritos para eles desde o início dos tempos. Se um papel que lhe couber não depender totalmente de você, então pode não ser seu afinal, dizia ele.

Anthony e Amelia eram meros atores naquele drama que as Parcas haviam criado para sabe lá que outra finalidade senão sua própria diversão, foi o que ele pensou enquanto esperava. Amelia, com tanta dor que não conseguia andar ereta, fora levada para a triagem, enquanto ele permanecia sentado, com frio e medo, num saguão estranho de um hospital estranho em uma cidade estranha a apenas quatro quilômetros de distância do Canadá. Ela dera um nome falso, uma data de nascimento falsa, contara a história de ter perdido a identidade e poderia ter sido descoberta no ato quando lhe pediram seu endereço — eles não haviam pensado nisso, o que ela diria? — não fosse por outro acesso de dor e náusea que encorajou a enfermeira a levá-la antes e deixar as outras perguntas para mais tarde. Por um segundo, ele pensou que ela estava fingindo — mas não. O pânico em seus olhos refletia exatamente o que acontecia com seu corpo e não o teria a dizer à funcionária da recepção.

Ele ficou com o telefone dela enquanto esperava, girando-o de uma extremidade para outra, depois de um lado para outro, depois o abrindo e o fechando várias vezes seguidas, até que notou a funcionária o observando. Ela lembrava sua professora da terceira série, a Sra. Preston, com seus ombros largos, o rosto redondo e os óculos que, no caso presente, repousavam tortos, em razão, ele notou, de ela ter as orelhas em alturas diferentes. De pé perto dela no balcão se achavam um homem que poderia ser irmão dela, usando um uniforme nas cores verde-oliva e preto de policial, com o cabelo preto-carvão cortado à Hitler.

— Imagino que esta frente fria já esteja por toda a parte nesta altura — estava dizendo o homem. — Você trouxe aquele caldeirão? Nada de peru, espero. Dez abaixo de zero, 30 com o vento, pelo menos é o que estão dizendo.

Os três eram as únicas pessoas no salão. Notando que o policial estava armado, Anthony se perguntou se os tiras ali em Newport (1.511 habitantes, informara a placa) estariam procurando "os adolescentes fugitivos". O policial também estava olhando para ele.

Naquele momento, a porta larga pela qual uma enfermeira levara Amelia dez minutos antes se abriu e a enfermeira reapareceu sem ela. Ele viu quando ela parou no balcão e pegou uma prancheta, depois veio na direção dele. Era uma mulher alta, com idade perto da de sua mãe, cabelo louro-claro, compleição forte, usando um uniforme bem passado. Ele não se lembrava de já ter visto calças de uniforme com vincos tão acentuados.

— Você é Luc? — disse ela quando chegou até ele.

Anthony teve um branco, depois se lembrou de que sim, se Amelia fosse Marie, ele era Luc.

— Isso mesmo — disse ele.

— Ela está indo bem. Ela me pediu para levá-lo para fazer companhia enquanto aguarda os exames.

Ele se levantou e acompanhou a enfermeira, que disse:

— Você não é daqui. Onde você mora?

— Nova York.

— Ah, é? Endereço?

— Centro da cidade.

— Hum. E para onde está indo?

Ele se deteve de novo, tentando decidir se dizer "Canadá" seria demasiado vago e, portanto, suspeito. E não queria dizer a verdade, para o caso improvável de alguém ir procurá-los mais tarde. Mas, pego de surpresa desse modo, ele foi incapaz de pensar no nome de outra cidade próxima.

— Montreal — disse finalmente, certo de que a pausa antes de responder era por si só suspeita, mas ela não pareceu dar muita importância a isso.

— Negócios ou prazer?

— Só uma rápida visita, você sabe, visitar um amigo.

— O tempo não está muito bom para uma visita, ainda mais quando essa chuva se transformar em neve. — Ela olhou para ele e acrescentou: — Espero que tenha trazido um casaco mais quente.

Ele estava vestindo o casaco preto de lã.

— Sim — disse ele, sentindo-se tolo. No norte de Vermont no final de novembro, com aquela chuva gelada lá fora, e ele ali vestido mais para a primavera de Vermont. — Este aqui está bom para... — Ele parou, quase dizendo Carolina do Norte. — Bom para Nova York — concluiu.

— Botas seriam uma opção inteligente também.

Ele inclinou a cabeça educadamente. Uma porção de coisas seria mais inteligente — a maioria das quais ele desejava que lhe tivessem ocorrido alguns meses antes, quando estar apaixonado fizera-lhe achar que ele e Amelia eram intocáveis.

A enfermeira o conduziu a uma sala com parede de vidro onde Amelia estava sentada, curvada para a frente, numa maca estreita, usando uma camisola de hospital. Ela sorriu fracamente quando o viu.

— Eles acham que não é um vírus.

A enfermeira fez correr uma cortina ao longo da parede de vidro.

— Vamos precisar coletar um pouco de sangue e talvez obter algumas imagens... uma tomografia computadorizada, para confirmar o que está parecendo ser uma apendicite.

— Você tem certeza disso? — perguntou ele.

— De que é apendicite, ou de precisarmos dos exames?

— Dos exames.

— Ah, não há dúvida. O scan vai nos permitir ver dentro do abdome dela... é uma ferramenta incrível, posso lhe garantir. Antes, porém, precisamos de uma contagem de glóbulos brancos, um teste de gravidez...

— Eu não estou grávida — declarou Amelia.

A enfermeira olhou para ela, depois para ele, e então perguntou para Amelia:

— Não teve nenhuma exposição?

O rosto de Amelia enrubesceu.

— Não tenho seguro-saúde. Quanto vai custar tudo isso? — disse ela.

— Não se preocupe com isso agora — disse a enfermeira. — Mas enquanto esperamos pelos exames, que são necessários, sim, vamos anotar o que falta das suas informações, tudo bem?

Amelia olhou para Anthony, os olhos arregalados pensando nas perguntas para as quais ele também não tinha respostas.

— E se você estiver certa, se for o apêndice? O que vai acontecer depois? — perguntou ele à enfermeira.

— Nesse caso, quase sempre se faz uma cirurgia.

— Nós não podemos pagar por isso — disse Amelia, olhando para ele.

A enfermeira estava preenchendo as informações numa tabela.

— Talvez a mamãe e o papai venham ajudá-la...

Amelia balançou a cabeça e disse:

— Não. Somos só nós dois.

Ela disse isso talvez rápido demais, ou talvez quando a enfermeira ergueu os olhos, viu nos olhos de Amelia o que Anthony estava vendo, porque, então, ela perguntou:

— Pode me informar novamente sua data de nascimento?

— Dezoito de fevereiro, de 90... *92.*

Anthony fechou os olhos por alguns segundos. "Ela tentou", pensou ele.

— E o endereço de sua casa?

— Eu... É, isto é, não tenho um no momento. Certo, Anthony? Porque estamos nos mudando para Montreal.

— Não vão apenas visitar um amigo então, Anthony?

Amelia, percebendo seu erro, olhou-o desesperada. Nesse exato momento, um perito chegou com uma bandeja de coleta de sangue e a enfermeira disse:

— Luc-Anthony, quer ir lá fora comigo?

— Volto já — disse ela a Amelia.

A enfermeira fechou a porta atrás deles e disse-lhe:

— Vocês quase me pegaram, mas acho que vocês dois não têm a menor chance de confirmar sua história.

— Vocês não podem simplesmente tratá-la sem se preocupar com isso? É complicado — disse ele.

— Complicado como? Ela é menor de idade, eu sei disso.

— Não é o que você está pensando. Eu realmente não posso dizer mais nada.

— Vocês parecem boas pessoas, os dois. Sim, vamos tratá-la, sem dúvida. Mas esse é meu trabalho, e meu marido, ele está desempregado no momento, então não posso arriscar tudo descumprindo as regras. Preciso denunciar isso.

— A quem? — disse ele, imaginando algum tipo de autoridade hospitalar cujo trabalho seria verificar as identidades, evitar fraudes, esse tipo de coisa.

— Você o viu, Roger, o policial lá na entrada.

— À *polícia?* Qual é — disse Anthony. — Não estamos fazendo nada de errado.

— É o procedimento, nada pessoal. E se vocês não fizeram nada, nada irá acontecer, certo?

Anthony inclinou a cabeça. Agora estava tudo acabado. Os deuses insensíveis e seu coro hipócrita os observavam das alturas, ansiosos para ver qual seria o desfecho do último ato dos pobres mortais.

Ele suspirou pesadamente e perguntou:

— Quando você vai saber com certeza sobre Amelia? Esse é o nome verdadeiro dela, Amelia, e eu sou Anthony.

A enfermeira lhe deu um sorriso apertado de aprovação.

— Bem, temos de esperar os exames de laboratório, enquanto isso vou dar-lhe algo para a náusea e a dor. O médico precisa examiná-la, vamos fazer a tomografia, interpretá-la, leva algumas horas. Se for o apêndice mesmo, ela poderá entrar em cirurgia às duas, três horas, depende.

— Será que você pelo menos poderia esperar para nos denunciar? Quero dizer, ela não vai a lugar algum.

A enfermeira apertou os lábios, então disse:

— Meu filho tem sua idade. Vou sair às onze, então posso esperar até lá.

Uma hora.

— Obrigado — disse ele.

O perito estava saindo quando Anthony voltou para junto de Amelia. Ele fechou a porta para que pudessem conversar a sós.

— Ela disse que vai lhe dar uns remédios, assim você se sentirá melhor, pelo menos até eles descobrirem qual é o problema.

— O que mais ela disse?

— Que não somos tão bons atores como precisávamos ser. Não com essas palavras, mas ela sabia que eu não estava sendo sincero com ela.

Amelia pareceu assustada.

— Foi minha culpa.

— Foi minha culpa. No caminho do saguão tropecei em minhas falas. Tenho certeza de que foi isso que deu a dica a ela.

Amelia mudou de posição, fez uma careta e disse:

— E agora?

— Agora vamos cuidar de você.

— Você sabe o que quero dizer.

— Ela precisa nos denunciar, para o policial, ela disse, você provavelmente não reparou nele quando entrou, mas ele está lá no saguão. Pedi que esperasse, e ela disse que temos uma hora. Depois disso, bem, duvido que demore muito até ele verificar minha identidade, levantar os dados sobre nós e descobrir tudo. Vou ficar com você enquanto deixarem.

A porta se abriu e a enfermeira entrou trazendo bolsas de líquidos intravenosos.

— Isso vai acalmar seu estômago e fazer circular alguns líquidos em você. Quando o médico chegar então acrescentaremos algo para a dor.

Amelia olhou para Anthony tristemente enquanto erguia o braço para a enfermeira. Ela estava obviamente exausta e naquele momento esse fardo pesava sobre ela também. Seus olhos vermelhos se encheram de lágrimas. Ele quis chorar também. Que noite de merda ela estava tendo. Dor. Exames. Cirurgia, provavelmente, e depois, graças a seus erros e uma boa dose de má sorte, uma viagem humilhante de volta à Carolina do Norte, sob a custódia da polícia ou, possivelmente, do FBI e, depois, cadeia, sabe-se lá por quanto tempo. Graças ao destino caprichoso, ela estava enfrentando a aniquilação de seu sonho de ir para a Tisch, para um dia ser a mulher cujo nome decoraria a marquise e encabeçaria o programa, cuja voz encantaria o público que fora vê-la e que compraria seus discos para poder reviver a paixão, a alegria ou a tristeza. Graças ao destino, o próprio futuro dele seria igualmente vazio. Ele a amava acima de qualquer coisa. Ela o amava. Por que isso não fora o bastante para superar tudo? A realidade era trágica e errada.

A enfermeira terminou de aplicar a intravenosa e disse:

— O médico deve chegar em um minuto.

Ela deu uma palmadinha no joelho de Amelia, depois os deixou sozinhos de novo.

Amelia tocou o cateter onde ele surgia junto à fita em seu pulso.

— Ainda há tempo. Eu poderia tirar isto e poderíamos partir.

— Não com aquele policial lá fora.

— Tenho certeza de que existem outras saídas.

Anthony tirou a jaqueta e a colocou sobre uma cadeira, depois se sentou na maca ao lado dela.

— Sim, tudo bem, mas suponha que a gente saia e depois seu apêndice se rompa?

Ele ouvira falar disso; o avô, quando criança, quase morrera desse modo porque sua casa ficava a meio dia de viagem de carro do centro cirúrgico mais próximo.

— Então tudo bem, talvez eu faça os exames e não seja o apêndice, ou nada mais grave, e ainda vamos poder sair daqui antes que ela diga a ele.

— Você já esteve num pronto-socorro antes? — perguntou ele. Ela balançou a cabeça, e ele continuou: — Nada acontece assim tão depressa. Mesmo que você seja o único paciente deles no momento, seu diagnóstico não deve sair antes de uma hora.

O rosto dela se descompôs.

— Por que você tem de ser tão negativo?

— Sinto muito. — Ele passou o braço em volta dela e inclinou a cabeça para apoiá-la contra a dela. — Estou tentando ser realista, só isso.

— Eu não quero realismo. A realidade é uma merda.

— Psiu — disse ele, beijando-lhe a têmpora. — O importante agora é você se sentir melhor.

Ouviu-se uma batida, então a porta se abriu novamente e um homem jovem, ruivo, vestindo um jaleco de médico, disse:

— Oi, então parece que temos uma dor abdominal interrompendo nossos planos.

— Tem... — Sua voz falhou. Enquanto isso, Anthony deslizava para fora da maca e se afastava para dar espaço para o médico examiná-la.

Ele observou enquanto o médico abaixava a cama e a deixava deitada de costas. Ela parecia tão magra, tão vulnerável enquanto aquele estranho, aquele médico, punha as mãos onde apenas as de Anthony tinham tocado nos últimos anos — nos últimos dias também, uma lembrança que pareceu distante e amarga naquele momento.

Quando o médico pressionou com força próximo ao quadril direito e depois soltou, ela pareceu contrair-se inteira enquanto gritava de dor.

— Desculpe por isso — disse o médico. — Mas essa é a melhor maneira de sabermos. Desconfio que vamos precisar que você deixe esse apêndice aqui com a gente antes de partir. — Ele sorriu, claramente um fã de seu próprio humor capenga.

Amelia não sorriu. Ela ajeitou cuidadosamente a camisola, e o médico tornou a levantar a cama. Enquanto se encaminhava para a saída, ele disse:

— Cindy voltará em seguida com um pouco de morfina, então pediremos para alguém conduzir você até a Radiologia. Cuide-se.

— Então — disse ela depois que ele se foi. Isso foi tudo. *Então.*

— Pois é — disse ele.

A enfermeira entrou com a morfina. Nem Amelia nem Anthony falaram enquanto ela a injetava numa veia. Depois ela disse a Amelia:

— Isto irá ajudá-la a se sentir confortável. Você já pensou em entrar em contato com seus pais? Eles podem querer estar aqui... especialmente se for prescrita a cirurgia.

Amelia deu de ombros.

— Pense nisso. Volto daqui a pouco.

Amelia descansou a cabeça na cama e fechou os olhos.

— Espero que a morfina funcione depressa.

— Deve funcionar.

— Deite aqui comigo?

— Claro.

Ele reclinou a cama e se deitou ao lado dela, com um braço sob a cabeça e o outro em volta de Amelia.

— Isso é bom — disse ela.

— Isso *foi* rápido.

Ela sorriu.

— Não, *isto* é bom — disse ela, pousando a mão no braço dele. — *Você* é bom. E eu sinto muito, muito mesmo. — Uma lágrima escapou-lhe do canto do olho e começou a rolar pelo rosto.

— Eu também — respondeu ele suavemente e pegou a lágrima com os lábios.

O cabelo dela cheirava a xampu e a chuva. Ele a beijou onde a lágrima se formara e se aproximou mais, e eles permaneceram deitados assim, sem falar, apenas respirando juntos, ela com os olhos fechados — descansando dessa vez. Ele fechou os seus também.

Passaram, quem sabe, uns 20 minutos, Amelia cochilando, Anthony remoendo o problema deles incessantemente em pensamento, à procura de outro ângulo, outra rota, alguma estratégia que não considerara ainda para impedir que as Parcas impusessem sua vontade. Então, finalmente, ocorreu-lhe a solução. Ele não gostava daquilo — Deus, não, na verdade, ele odiava, mas quanto mais pensava naquilo, mais aliviado se sentia por haver algo que ainda poderia ser feito afinal de contas. Algo grande. Algo que, se ele implementasse corretamente, quase com certeza deteria o trem desgovernado. Naquele momento, a única coisa de que precisava era a coragem para fazê-lo.

Um ruído do lado de fora da sala chamou sua atenção. Ele levantou a cabeça e viu um jovem de uniforme cor de pêssego empurrando uma cadeira de rodas para a porta.

— Ei, minha amada — sussurrou ele ao ouvido de Amelia.

— Hum?

— Parece que sua carona para a Radiologia chegou.

Ela abriu os olhos e o fitou sonolenta.

— Eu amo você, Anthony.

— Ninguém poderia amar você mais do que eu — disse ele.

Ele a beijou, correu a mão pelo lado de seu rosto, depois roçou-lhe os lábios com a ponta dos dedos. Encaixando o nariz no espaço entre o pescoço e o ombro, ele inspirou o cheiro dela, depois a beijou ali antes de levantar-se para ficar ao seu lado. O auxiliar começou a abrir a porta. Anthony se inclinou para beijar Amelia mais uma vez e disse:

— A gente se vê depois.

Ele parou quando chegou do lado de fora da porta; então, recompondo-se, afastou-se do quarto de Amelia. Não se permitiria olhar para trás.

No saguão, o policial continuava presente, ainda conversando com a recepcionista sobre o tempo e sobre comer algo com cheiro de atum que estava numa embalagem de plástico quadrada. Anthony verificou a hora no celular: "22h30".

Passando por eles, parou no balcão para pegar um folheto de informações do hospital, depois se encaminhou para o lado oposto da sala, onde parou de frente para as janelas altas. Por mais que houvesse uma corrente de ar frio próximo às janelas, ele não voltaria ao quarto de Amelia para pegar a jaqueta. Nos cones de luz lançados de cada poste de luz do estacionamento, admirou o granizo e a neve misturados à chuva — uma imagem bela e hipnótica.

Ele ouviu o policial rir alto e dizer:

— Sim, mas não se pode culpar um tolo pelo que ele não sabe.

— Diga isso a Gibson Liles — disse Anthony a si mesmo.

Ele se sentou e se inclinou para a frente, apoiando os cotovelos sobre os joelhos, o telefone nas mãos. "22h31." Era a hora.

30

ANTHONY OUVIU O SOM DE CHAMADA na linha, e de novo, e de novo, cinco vezes, e já estava pensando que teria de deixar um recado para a mãe (o que realmente não queria fazer), quando ela atendeu com uma voz hesitante:

— Alô?

— Oi, mãe.

Ela engasgou.

— Ah, Deus. Anthony! É *você!* Vi o número, mas... Querido! Você está... Onde você está? Você está bem?

— Está tudo bem, eu estou bem. Acalme-se — disse ele. — *Sois calme*, certo?

— Tudo bem — gaguejou ela, rindo. — Querido, ah, estou tao feliz por ter ligado. Todo mundo aqui está desesperado. Cameron disse que você fez contato antes, mas não sabia de onde. Você está no México? Pode me dizer alguma coisa?

Ele engoliu uma pedra que se formara na garganta e disse:

— Não estamos no México, não. Nunca pretendemos ir para lá. Fomos para Nova York. Como *você* está? Eu vi as notícias... eles a prenderam.

— Sim, bem... espere, Nova York? — disse ela.

— A caminho do Canadá. O que me traz a este momento e ao motivo pelo qual estou ligando. Trata-se de Amelia. Estamos em um hospital em Vermont. Parece que ela precisará retirar o apêndice. Acabaram de levá-la para uma tomografia computadorizada, mas o médico já parece bastante convencido.

— Ah, não! Em que cidade de Vermont? Em que hospital? Ela já contou aos pais? Imagino que o hospital precise do consentimento deles para tratá-la.

— Na verdade, não, ela não contou, e não, eles não precisam do consentimento deles. Mãe, nós fizemos tudo errado — disse ele, correndo a mão pelo cabelo. — Ela tentou usar um nome falso, mas nós não estávamos realmente preparados para isso e eles descobriram. Quer dizer, não sei, provavelmente não vou conseguir sair dessa de qualquer maneira se ela acabar precisando da cirurgia. A mãe dela merece saber. De qualquer modo, eles vão nos denunciar às autoridades. É só uma questão de tempo.

Kim ficou silenciosa — tão silenciosa que ele olhou para o telefone para certificar-se de que ainda estavam conectados.

— Então... — disse ela devagar — então, para começar, eu deveria entrar em contato com Mariana Davis...

— O que eu preciso que faça é ligar para Sheri Wilkes e dizer-lhe que Amelia está aqui em Newport, Vermont, no hospital North Country. Eu disse o nome dela à enfermeira, mas eles ainda podem a estar chamando de *Marie* Wilkes. — Ele leu para a mãe o número do telefone do hospital do folheto, depois disse: — Diga para ela pegar o próximo voo para, sei lá, Montreal, acho... Imagino que ela tenha passaporte. De lá, ela pode vir de carro. São só uns 150 quilômetros. Não tenho certeza de qual seria o aeroporto importante mais próximo.

— O de Burlington talvez seja o mais próximo — disse ela, depois de repetir o número para ele. — Então está bem, vou fazer isso, vou ligar agora mesmo. Como está Amelia? O que aconteceu?

Ele olhou para o relógio novamente. 10h35 da noite.

— Nós íamos procurar um cruzamento da fronteira sem patrulhamento, mas ela começou a passar mal. Ela queria continuar, mas sentia muita dor. Eu não quis arriscar.

— Isso foi, isso deve ter sido difícil. Querido, você não acha que deveríamos envolver a Dra. Davis nisso?

— Ainda não, certo? Acho que talvez tenha encontrado um meio de fazer com que Liles retire todas as acusações, mas não quero discutir isso agora.

— Anthony...

— Mãe, você vai ter mesmo de confiar em mim.

Ele quase podia ouvi-la lutando contra a necessidade de saber mais, e a dificuldade de encontrar a disposição de confiar num garoto que abusara do que recebera — ou pelo menos era o que ela imaginava. Então, ela finalmente disse:

— Tudo bem, certo, bem, mais alguma coisa que eu possa fazer? Odeio me sentir tão impotente.

— Eu sei, e sinto muito por isso. Caramba, sinto muito mesmo... — Ele apertou os olhos fechados brevemente, depois os abriu e piscou, limpando a garganta. — Ligue para a mãe de Amelia, como eu disse. Isso será uma grande ajuda. Tenho certeza de que haverá outras coisas mais tarde. Ouça — disse ele, de pé e de frente para as janelas mais uma vez —, eu, eu realmente preciso desligar agora. Só queria, eu queria falar por um minuto, para dizer obrigado por tudo o que você fez por mim e pedir desculpas.

— Ah, querido. Eu só gostaria de poder fazer mais.

— Eu também. Eu amo você, mamãe.

— Eu amo você, meu amor.

Ele apertou o botão para encerrar a chamada antes que ela pudesse dizer qualquer outra coisa, depois guardou o telefone e saiu para a noite fria e úmida.

Nas horas seguintes, ele entraria em contato com Cameron novamente. Ela faria contato com Jodi sobre o vídeo e depois começaria a informar seus amigos, e os milhares que acompanhavam a história deles no Facebook, com a notícia da doença de Amelia. Ele sairia no mau tempo, a água gelada escorrendo do cabelo pelo nariz e queixo, e encontraria uma garagem, depois um barracão, depois um celeiro, de onde faria ligações para o hospital, fazendo-se passar por agente do FBI, a fim de obter informações sobre o estado de Amelia — o que foi surpreendentemente fácil conseguir. As pessoas acreditavam no que fazia sentido para elas. Elas pensavam: "É claro que o FBI ligaria, e como era emocionante poder ajudar!".

Eles lhe informariam, por volta das duas horas da madrugada, que Amelia estava em cirurgia, e depois, às quatro, em recuperação, atordoada. Ele ficaria sabendo que os pais dela haviam resolvido fretar um avião — não havia voos partindo de Raleigh tão tarde da noite — e que estariam lá esperando que ela fosse levada de volta ao quarto. Ele saberia que outros agentes do FBI chegariam pela manhã para auxiliar a polícia de Newport e os policiais de Vermont na busca pelo garoto desaparecido — ah, mas então ele provavelmente já saberia disso.

Cerca de três horas antes do nascer do sol, ele ligaria para o auxílio à lista de Raleigh para obter o número de Gibson Liles no escritório da promotoria, então ligaria para esse número, sabendo que acessaria o correio de voz, e contaria ao procurador a que ponto as coisas haviam chegado. Ele enviaria uma mensagem de texto para Cameron, para dizer que fizera exatamente isso e pedir-lhe para divulgar a notícia. A neve estaria caindo com força então, acompanhada por uma brisa leve. Na escuridão intransponível da noite de Vermont, a neve não refletiria praticamente nenhuma luz. Ele deixaria o celeiro, encharcado e tremendo de frio, e partiria sem nenhuma direção particular.

Ele pensara em todos os aspectos desse plano — o que as pessoas diriam, como se reuniriam em torno de Amelia — e sabia que tudo o que tinha de fazer no momento era continuar caminhando, e a única coisa que precisaria fazer antes de ser encontrado, não muito tempo depois e não sem um desconforto insuportável, se daria por si só.

31

HARLAN WILKES E A ESPOSA esperavam que Amelia fosse trazida de volta a seu quarto, os dois fazendo o melhor que podiam para aceitar, ou mais provavelmente ignorar, a presença da polícia no corredor. Os bastardos presunçosos, pensou ele. Sabia como viam aquilo. Agora eles a tinham. Agora, tudo o que precisavam fazer era esperar um ou dois dias, até que ela fosse considerada apta para a viagem, e depois levar de volta a pequena Srta. Wilkes para Raleigh e para uma cela apertada num dos andares superiores da penitenciária do Condado de Wake, com 30 minutos de visitação permitida por semana, até ver o que aconteceria em seguida.

Harlan não conseguia lembrar-se de ter vivido noite mais longa que aquela que acabara de passar. Começando com Sheri indo encontrá-lo na sala de jogos (onde, depois de ter jantado um sanduíche de peito de peru, ele se distraía deitado sobre uma das almofadas de Amelia assistindo à retransmissão de partidas de futebol americano da década de 1970) e dizendo que Kim Winter se achava ao telefone, até sua mobilização das pessoas que poderiam encontrar-lhes um piloto e um avião, as conversas com o FBI e a Polícia do Estado de Vermont — que garantiriam a segurança de Amelia (um eufemismo, se é que ele já ouvira falar disso) e depois o demorado e aflitivo voo até aquele aeroporto minúsculo no meio do nada, onde um policial local os encontrara e levara através da neve insanamente espessa para "nosso modesto hospital à beira do lago".

— Foi sorte Jim ter ficado para manter a pista desimpedida — disse-lhes o policial, tão amigável como se tivessem chegado à cidade para uma temporada de esqui ou algo parecido. — Geralmente, eles saem às cinco, mas sabíamos da chegada do mau tempo. Que bom que chegaram em segurança. Nem todo piloto se disporia a essa viagem numa situação dessas, não, senhor. Se piorasse um pouco mais eles fechariam tudo, mas vocês tiveram sorte por esta tempestade ser só um preparativo para o inverno. Isso aqui nem chega a ser uma tempestade de verdade, aposto que não veremos mais que dez centímetros de neve quando acabar...

Sheri, em seu casaco mais quente, luvas, cachecol e chapéu, mantivera-se rigidamente sentada, segurando firme a maçaneta da porta e piscando diante do redemoinho branco à frente dos faróis. E Harlan, sem nada a dizer, a não ser sim, é claro que estavam muito contentes por estar ali para ver a filha, muito felizes em saber que ela se encontrava a salvo e em boas mãos.

Naquele momento, um ruído no corredor os fez saber que Amelia estava a caminho da sala de recuperação. Ele se levantou, e Sheri o acompanhou, um sorriso radiante, ridículo, no rosto. Quem poderia estar feliz naquele momento? Aliviado, sim. Winter não conseguira levar Amelia para fora do país, e ela encontrara assistência médica, graças a Deus, antes que fosse tarde demais. Mas feliz?

— Oi, minha querida — disse Sheri, indo direto para a cadeira de rodas quando esta passou pelo vão da porta.

Amelia, muito pálida, olheiras pesadas, mal olhou para qualquer um deles antes de dizer:

— Onde está Anthony?

Deus todo-poderoso, pensou Harlan, sem saber se ficava mais aborrecido por vê-la aparecer naquela camisola, os cabelos escorridos, um cateter preso ao pulso, ou por sua saudação — se é que poderia chamá-la assim. Sheri recuou enquanto o auxiliar virava a cadeira e a posicionava perto da cama.

— Ele, nós não sabemos. Ele não falou para onde ia antes de deixar você aqui?

Amelia balançou a cabeça.

— Eu já disse a eles que ele não falou. Passem-me o casaco dele, por favor?

Sheri se virou para ver onde Amelia estava olhando e pegou uma jaqueta de lã preta da cadeira.

— Bem, ninguém sabe mais nada — disse ela, entregando-a a Amelia. — Como você está se sentindo?

Amelia respondeu com uma careta enquanto o auxiliar a ajudava a acomodar-se na cama.

Harlan, desgostoso por Sheri simplesmente entregar a jaqueta, desgostoso por Amelia tê-la pedido, aproximou-se da cabeceira.

— Não trate mal sua mãe. Passamos a noite acordados, a semana passada inteira, na verdade, mortos de preocupação e rezando para que você estivesse bem. Mostre um pouco de consideração.

Olhando para Sheri, ela disse com firmeza:

— Estou me sentindo bem.

Enquanto Amelia era acomodada na cama, e o auxiliar e uma enfermeira ocupavam-se do cateter e das cobertas, dos travesseiros e da altura da cama, os três permaneceram juntos como estranhos num funeral, ninguém dizendo palavra.

A sensação de irrealidade era tão intensa que Harlan sentia-se desorientado, quase tonto. Como era possível que eles, a família Wilkes, estivesse no alto de Vermont, durante uma nevasca, num hospital tão pequeno e vazio que parecia um cenário de teatro, com policiais guardando do lado de fora da porta, não falando de outra coisa senão da neve, e que o maldito maluco do Winter tivesse conseguido escapar dali sem o carro — sem sequer o casaco! Harlan não gostou da admiração que percebera no tom de voz deles. O garoto era um renegado e um covarde, tendo deixado Amelia ali, indefesa e sozinha, para poder fugir. Sem dúvida, ele já estaria no Canadá — provavelmente tinha um cúmplice lá, provavelmente estaria sentado em algum lugar aquecido, bebendo e rindo do seu sucesso. Era uma pena por causa da garota, estaria ele dizendo, mas haveria outras. Sabe como é, coisas da vida, acontece…

Harlan decidiu tentar outra vez com Amelia. Começara com o pé errado — compreensível, mas obviamente não era o rumo a tomar. Ela estava num mau momento também.

— Somos tão gratos por você estar bem — disse ele.

Ela não disse nada.

— O doutor Hubbard fará o possível para encerrar seu caso, talvez até impedir que você vá para a cadeia.

Nada.

— Se você testemunhar que agiu contra a vontade...

— Não comece, papai — disse ela, suas palavras foram como três disparos na sala silenciosa.

Sheri interveio:

— Harlan, teremos tempo de sobra para tudo isso.

— Que tal eu ver se consigo encontrar um refrigerante? — disse ele. — Sheri, você quer alguma coisa?

Ela balançou a cabeça.

— A enfermeira disse que o pronto-socorro tem máquinas de venda automática, será que vendem salgadinhos de bacon? — Ele sorriu, mas nem a esposa, nem a filha apreciaram seu esforço. — Volto já — disse afinal.

— Espere um pouco — disse Sheri, levantando-se. Voltando para Amelia, ela disse: — Eu já volto. Preciso conversar com o papai.

Ele esperou no corredor enquanto Sheri saía e fechava a porta atrás de si.

— Harlan, eu preciso lhe perguntar, por que você está persistindo nisso? Com certeza você é capaz de ver que não está ajudando.

— Estou frustrado. É, é como se ela estivesse na água prestes a se afogar com um bote salva-vidas logo ali ao lado dela e ela se negando a subir. Não faz sentido.

— Eu me decidi, vou lhe contar o que aconteceu entre mim e Whit Johnson.

Harlan fez uma careta para ela.

— Isso *não* é uma boa ideia.

— Realmente, não estou preocupada com sua opinião neste momento. Afinal, você já se sente à vontade para ignorar todo mundo.

— Você não relutou tanto, se bem me lembro.

— Você está certo, e esse foi meu erro. Nada disso precisava acontecer, Harlan. Eu tentei apoiá-lo como uma esposa deve fazer, mas isso nos trouxe até aqui, não a *Vermont*, mas a ter uma filha infeliz que está sob prisão domiciliar num hospital, um rapaz desaparecido numa tempestade de neve e a mãe dele doente de preocupação. *Aqui* é um lugar horrível para estar.

Harlan enfiou as mãos nos bolsos do casaco e se encostou à parede, apoiando um pé contra ela. Isso não combinava muito bem com ele.

— Você realmente quer incentivá-la em todo esse negócio de estar apaixonada? — disse ele.

— Quero que ela saiba que entendo um pouco pelo que está passando. Não a confusão com a Justiça, mas a resistência de um pai a um homem com base em, bem, com base em nada, a não ser o preconceito e uma ideia equivocada sobre o que sua filhinha merece.

— Ah, então você queria que seu pai tivesse deixado você e o bastardo do Johnson ficarem juntos, é isso? Queria que eu nunca tivesse cruzado seu caminho? Ótimo. Mas você mesma me disse que estava satisfeito em apenas cuidar de uma lanchonete. Se você tivesse ficado com ele, não teria nada parecido com a vida que tem agora, e não teria Amelia.

— É verdade, não teria, mas essa não é a questão. Não estou lamentando as opções que fiz. Superei o desgosto, talvez porque ele não era realmente a pessoa certa para mim. Eu amo você, Harlan, mas isso não significa que não amasse a ele naquela época.

— Tudo bem — disse ele. — Tenha sua conversa...

— Não estou pedindo sua permissão.

— Mas quando o *amor* dela der errado e ela não puder mais voltar atrás e acabar infeliz, bêbada e doente, não venha me culpar.

— Ela *não* é como sua mãe. Na verdade, se é que vem ao caso, ela é muito parecida com você.

Ele abriu a boca para argumentar, mas, antes que o pensamento se concretizasse, pensou novamente. Ela estava certa, ele podia ver isso, Amelia tinha temperamento forte e era batalhadora, e tinha um sonho que não estava disposta a abandonar, assim como ele próprio. A parte diferente, porém, era que Amelia era uma garota, e as garotas não viam as coisas como os rapazes.

— De certa forma, sim, com certeza. Mas isso não muda nada em relação a ela e Winter — disse ele.

Sheri olhou para ele com piedade.

— Eu gostaria de nunca ter concordado com sua ideia de que ela poderia ser aconselhada, orientada, impedida de vê-lo, que devia achar que não poderia trazer *qualquer* rapaz para casa, para começar. Eu já sabia. Estamos falando de *amor*, não percebe? Não há nada que se possa fazer quanto a isso. — Ela abriu a porta e voltou para dentro do quarto, deixando-o lá sem nenhuma chance de responder. Não que ele soubesse o que dizer de qualquer maneira.

Ele seguiu em direção ao pronto-socorro, as palavras de Sheri, sua atitude, sua *certeza,* tudo, correndo para a frente e para trás dentro do cérebro dele, produzindo pensamentos caóticos e contraditórios que ele não estava muito feliz em ter. Normalmente, haveria um gancho ali para pegar esses pensamentos, um gancho feito de dúvida, digamos, ou pura rejeição, sua própria certeza de saber o que era certo e verdadeiro no mundo. Não aquela manhã.

Ele encontrou as máquinas de venda automática. Não com salgadinhos de bacon, mas pôde comprar um refrigerante. Lá fora, o dia se resumia a uma ressaca de luz cinzenta e neve levada pelo vento e parecendo diminuir. Ele estremeceu olhando para aquilo. Quem vivia num lugar abandonado e melancólico como aquele? Ele quis perguntar isso à mulher de cabelos brancos que viu atrás do balcão, que até parecia sensível — e teria feito isso, se ela já não estivesse conversando com um homem cujo crachá o identificava como um policial do estado de Vermont. Havia outros dois perto da porta, com um policial que se parecia um pouco com Hitler.

O policial na recepção — um soldado da força policial estadual, imaginou Harlan, com base na divisa em sua manga — estava mexendo uma xícara alta de café fumegante com um palito de madeira e dizendo:

— ...a sul da cidade, a uns seis quilômetros. Você sabe, a propriedade de Josias Howell. O velho saiu em busca de lenha para atiçar o fogo e encontrou parte dele no monte de neve, você sabe. Parecia engraçado embaixo de suas botas, ele disse, não era para ter um monte de neve bem ali. Escavou um pouco e lá estava ele.

A mulher disse:

— Isso é uma vergonha, é o que é. Betty me disse na mudança de turno que ele parecia ser um sujeito bom e carinhoso. O que poderia estar pensando…

— Por que ele não foi de carro, é o que ficamos pensando.

Harlan se aproximou deles.

— Assim, ele teria uma melhor chance de evitar a polícia… vocês estão falando de Anthony Winter, certo?

— Você é jornalista? — perguntou o policial, olhando para ele.

— Não, foi minha filha que ele raptou.

A mulher inclinou a cabeça.

— Acho que devia pensar melhor no que disse.

— Perdão?

— Cindy, que estava no turno da noite, disse que eles estavam sem dúvida envolvidos. Foi ela que teve de denunciá-los, mas disse que desejou não precisar fazer isso. Ela não sabia qual era o problema então e, quando descobriu, ficou muito triste por eles. Cheguei aqui às 11, e sua garota perguntava por ele o tempo todo, até que a levei para a cirurgia, e outra vez depois. Rapto, não, senhor, isso não vai colar.

Harlan tentou reunir a convicção a que chegara tão rapidamente antes.

— Amelia só *acha* que está apaixonada. Esse garoto Winter é um ator convincente, podem acreditar no que estou dizendo. Ou, será que deveria estar dizendo "era"?

— Hipotermia… — começou o soldado.

— Tão convincente — interrompeu a mulher, desafiando Harlan — que Cindy os descobriu usando nomes falsos em poucos minutos?

O soldado disse:

— No depoimento dela, digo, segundo o depoimento de sua filha, sair da Carolina do Norte foi ideia dela.

— Ela estava com medo de dizer o contrário — insistiu Harlan, sentindo-se como se estivesse tentando fazer uma pedra passar através de uma pedra utilizando apenas ondas cerebrais. Aquelas pessoas não conheciam a história toda. Elas precisavam saber os detalhes, e depois concordariam com ele. — Ele deixou um bilhete dizendo que a estava levando para fora do país. *Levando*. Isso prova muito bem que ele a raptou.

— Então por que deixou um bilhete? — disse a mulher.

— Certo — disse o soldado. — Se ele realmente estava a levando contra a vontade dela, não tentaria simplesmente desaparecer sem deixar rasto?

— Bem... — começou dizendo Harlan, mas não tinha uma resposta pronta para isso.

— Senhor — disse a mulher —, eles só queriam mantê-lo fora do caminho, só isso. Eu lhe digo, talvez seja a hora de parar de considerar a situação do seu ponto de vista. Temos um ditado aqui: "Isso é demais para a bomba", que é exatamente sua atitude em relação a esse rapaz. Aqueles dois estavam apaixonados.

— Você nem os viu — disse Harlan, querendo prevalecer e ainda sentindo a própria certeza escorregar, derrapando naquelas condições.

A mulher fez uma careta de pena para ele, o pobre homem que tinha a cabeça muito dura para entender o que estava claro para todo mundo.

— E nem preciso — respondeu ela.

O ruído de um motor a diesel chamou a atenção deles. À entrada do pronto-socorro se achava uma picape grande com uma cobertura de lona na parte traseira.

— Deve ser Josiah — disse o soldado.

Enquanto isso, uma equipe de quatro integrantes do corpo médico passava entre eles carregando uma maca e indo ao encontro da picape. Ante o olhar interrogativo de Harlan, o soldado acrescentou:

— Chamar uma ambulância não fazia sentido.

Enquanto Harlan observava, o grupo se aproximou da traseira da picape, enquanto alguém que estava agachado dentro segurava as pontas de um cobertor que, presumiu Harlan, estava enrolado em torno de Winter. Eles o deslizaram para cima da maca, e o que Harlan viu quando passaram por ele novamente o deixou tão regelado quanto a figura que passava por ele.

Ele levou a mão à boca. Jesus, ajude-o, aquilo era *real*. O corpo seminu azul e branco enrolado em posição fetal e ainda coberto com um bom bocado de neve não era ficção, era fora de questão. Aquele era *Anthony*, uma pessoa de verdade, vítima de hipotermia, o filho de Kim Winter. Aquele era o rapaz que Amelia vinha dizendo durante todo o tempo que era uma pessoa boa e decente. Fora por ele que ela perguntara a noite inteira, mesmo logo ao sair da cirurgia e, novamente, quando vira Sheri e ele. Aquele rapaz era o que aqueles estranhos, que não tinham preconceitos por desejos, medo, agenda política ou teimosia, estavam convencidos de que estava apaixonado por Amelia.

Mas, se assim fosse, por que saíra de lá, se não para fugir?

No entanto, ao sair, por que ele fora para o sul em vez de seguir para o norte, até a fronteira? Será que teria se confundido com as informações? — essa era a conclusão lógica. O lógico, no entanto, teria sido vestir o casaco. Diabos, pensou Harlan, o lógico teria sido deixar Amelia aqui na porta e afastar-se de carro para longe da civilização imediatamente, enquanto tinha tempo de sobra para fazê-lo.

A mulher se dirigiu a um integrante da equipe que passava apressada com a maca:

— Dê-me a identificação dele. — A Harlan e ao policial, ela disse: — Vou ligar para os pais dele se puder.

— Ele só tem a mãe — disse Harlan. — Não tem pai, não.

Se ele esperava que a expressão da mulher mudasse com base nisso, estava errado.

— Nós *conseguimos* as informações — disse a ela o soldado.

Harlan estranhou a pressa e apontou para as amplas portas que estavam se fechando atrás do grupo.

— O que eles acham que podem fazer por ele?

O soldado disse:

— Talvez nada. Ele parece já perdido. Em caso de hipotermia, no entanto, existe um ditado: você não está morto até que esteja quente e morto.

— O que isso quer dizer? Eles, eles o descongelam e depois podem declará-lo morto?

— Geralmente é isso o que acontece. De vez em quando, conseguem recuperá-los. Eu já ouvi falar. Não aqui, mas a gente vê no noticiário nacional de vez em quando.

— Você acha... — começou Harlan, sem saber por que estava prestes a dizer o que estava prestes a dizer, a não ser que gostaria de perguntar a Anthony sobre seus motivos, já que não parecia fazer sentido. E ele poderia dar a Amelia mais crédito do que dera. E ele gostaria que Sheri não o olhasse daquele jeito. Talvez o que estava prestes a dizer fosse motivado por ele estar ali no alto de Vermont, tão longe da estrada de terra de Robeson County, onde se criara, magro, famélico, revoltado e determinado, que a gravidade dessas lembranças se enfraqueciam pela distância, pelo cenário ou pela nevasca. Ele não sabia. Só sabia que tinha de dizer aquilo.

— Você acha que pode conseguir que um médico venha até aqui para falar comigo, quero dizer, agora mesmo?

32

KIM ESTAVA ACORDADA, mas não tomara banho nem se vestira, nem mesmo ingerira cafeína para ajudar a superar a exaustão decorrente da noite maldormida — várias na sequência, na verdade. O telefonema do FBI para informar que Anthony havia desaparecido — que basicamente deixara Amelia no hospital e se evadira para salvar a própria pele — acontecera às 11h45 da noite anterior. A chamada a pegara de surpresa, ainda atordoada por ter ouvido a voz de Anthony, pensando que sua oração de Ação de Graças fora atendida. Não fazia sentido. *Esse* era o plano dele, fugir sozinho? Ela não conseguia entender. Daquele momento até agora, 8h20 da manhã seguinte, ela ficara esperando o telefone tocar outra vez.

O agente do FBI que fizera a ligação da noite anterior queria saber se ela recebera notícias dele. O agente que chegara poucos minutos depois fizera o mesmo. Ela dissera a ambos que, sim, ele ligara e dissera que pensava ter encontrado uma saída para a situação, e não, ela não tivera nenhuma indicação do que a "saída" significasse perder-se numa nevasca, sozinho, a pé, no meio da noite, sem nenhuma provisão de que alguém soubesse — nem mesmo o casaco, eles insistiam em dizer-lhe, enterrando-lhe ainda mais a faca no coração —, de modo a ainda poder fugir da rede que o FBI estava armando.

Kim, perplexa e temerosa, pedira às pessoas cuja presença poderia aliviar sua mente para ir visitá-la. Por mais tarde que fosse, sua mãe, Rose Ellen e William chegaram imediatamente, enfrentando a correria de repórteres que forravam a rua em frente à casa dela. Eles tinham vindo, embora houvesse pouco a fazer além de especular e esperar. No momento, os três se encontravam na cozinha fazendo café e preparando bacon e ovos — como se ela, ou eles, estivessem interessados em comer. O que mais ela poderia fazer quando não havia o que fazer? Estando confinada em pouco mais que 170 metros quadrados e com a polícia não permitindo que fosse, por qualquer meio de transporte que pudesse conseguir, até Vermont para procurar o próprio filho — que tinha certeza de que poderia encontrar, ela, com seu coração como um farol para o dele — o que, em nome de Deus, ela deveria fazer?

William saiu da cozinha e sentou-se ao lado de Kim no sofá. Ele tomou-lhe a mão e a segurou, sem dizer nada. Ela estava contente por ele encontrar-se ali. Sua disposição de vir quando ela ligara, sua presença, essas coisas significavam algo para ela, significavam muito, embora não pudessem alcançar aquela cor em seu espectro emocional naquele momento. Quando isso acabasse, talvez... Talvez. Talvez não. Talvez isso nunca acabasse.

Depois de um minuto, William apertou-lhe a mão com mais força, depois a soltou e foi para a escrivaninha onde ligara seu laptop. Ele precisava sair logo, ela sabia; ele estava recebendo a família de fora da cidade, que aguardava sua volta. Fora bondade dele ficar tanto tempo. Fora bondade dele apenas ter ido.

— Isso é ótimo: apenas 24 novos e-mails esta manhã — disse ele. E aqui está o de um pai me lembrando que professora fabulosa você é. Absolutamente correto. — Ele olhou para ela por cima dos óculos e assentiu. Depois, continuando a leitura, disse: — Outra escreveu em apoio aos garotos.

— Fico feliz em ouvir isso — disse ela, tentando fazer o tom de voz coincidir com o sentido das palavras.

Da cozinha, Rose Ellen disse:

— O café está na mesa.

Kim se levantou. Ela não queria café, ou qualquer outra coisa a não ser respostas, pelo amor de Deus, mas isso lhe daria algo para fazer enquanto esperava.

— O que acha *disto* — disse William, não em referência ao café. Quando Kim se voltou, ele prosseguiu: — Este grupo, uma página no Facebook em apoio aos garotos? Escute isto. Muita gente está falando sobre a apendicite de Amelia e, espere, o que é isto?

Kim se aproximou e parou ao lado dele. A tela do computador estava cheia de mensagens e comentários, e ele foi rolando através deles muito rapidamente para que Kim acompanhasse. Mas então ele parou e disse:

— Aqui. — Ele apontou para a tela. — Mensagens de Cameron McGuiness na noite passada por volta da meia-noite: "Não acreditem no que ouvem, pessoal. Ele não a raptou e o resto é besteira também. O promotor tem uma mensagem de Anthony esperando em seu correio de voz e, então, todos verão".

— O promotor? — disse Kim.

— Anthony entrou em contato com Cameron ontem à noite?

— Quem sabe depois de ter falado comigo? Vou ligar para Mariana.

Kim pegou o celular da mesa de centro e estava prestes a fazer a ligação quando William disse:

— Espere um pouco. Espere, tem um vídeo aqui.

Kim foi ver do que ele estava falando. Na tela, com pouca iluminação, mas com cor e som, era Anthony, de perto e sorrindo.

Uma voz de mulher dizia:

"Tudo bem. *A Grande Aventura*, tomada um: o homem que vocês veem à sua frente é Anthony Winter, que está em Nova York para... quantas vezes você já esteve aqui antes?".

"Duas vezes."

"Na Big Apple, pela terceira vez", a voz continuou. "Ele está, digamos, que ele está em férias."

"Ele está em férias." Kim ouviu, e Amelia apareceu no quadro, as três vozes formando naquele momento um coro de gargalhadas.

"Ah, nós somos geniais", disse a narradora, e a câmera se moveu para mais perto de Amelia, que estava segurando o braço de Anthony e balançando a cabeça vigorosamente, toda sorrisos.

"Neste momento, Anthony quer... Você preenche a lacuna."

"Curtir esta noite", disse, olhando para a câmera.

— "Não, mais grandioso", disse a voz. "Tente novamente. Ele quer..."

Kim olhou para William e piscou para conter as lágrimas.

— Eles estavam em Nova York, isso é de lá, da outra noite. Olhe para Amelia — disse ela, voltando novamente para a tela. — Parece que ela está lá involuntariamente? É óbvio. Isso tem de ser parte do plano dele, qualquer que seja ele. Mariana precisa ver isso. O promotor precisa ver isso.

Ela estava ao telefone com a advogada tomando ciência de todas as novas informações quando um toque informou que ela tinha outra ligação à espera. — Ligo para você daqui a pouco — disse ela, depois olhou para o visor do telefone quando foi pressionar o botão para atender. Quando leu "Harlan Wilkes", seu dedo congelou-se no botão. Sua vontade instintiva foi de entregar o telefone à mãe ou a William, que estavam olhando para ela. Tudo o que tinha a dizer a Harlan Wilkes, ou ele a ela, não era adequado naquele momento, quando *ele* estava lá em Vermont com a filha, ao passo que *ela* estava esperando para saber o que acontecera com seu filho. Talvez ela simplesmente dissesse isso, pensou, então respirou fundo e atendeu.

— Aqui é Kim Winter — disse, com a intenção de encurtar a conversa, de dizer o que tinha a dizer e desligar. — Eu não...

— Senhora Winter, aqui é Harlan Wilkes. Você deve estar provavelmente recebendo telefonemas de, sei lá, muitas pessoas, e sei que não quer ouvir falar de mim, mas me dê um minuto. — Ele falava tão rapidamente que Kim duvidou que pudesse detê-lo. — Eles dirão que encontraram seu filho. — O coração dela se debatia entre as costelas. — E lhe dirão, eles dirão que ele está, que ele... — Wilkes tossiu. — Ele passou ao relento toda a noite da nevasca. — O coração dela se partiu. — Trata-se de hipotermia — disse ele. — Em um segundo eu a colocarei em contato com uma médica que lhe dirá tudo sobre isso, mas eis aqui minha parte: eu contratei um avião, ele está esperando para levá-la a Boston... há espaço para quatro pessoas, pode levar quem quiser. O avião está à espera no aeroporto internacional de Raleigh--Durham, no Terminal de Aviação Geral. Vá até o terminal, mandei alguém a esperando lá. Vá imediatamente, não deixe que esse negócio de prisão domiciliar a detenha.

Kim levantou a mão como se ele pudesse vê-la tentar atrasá-lo.

— Boston? Hipotermia? Como ele está?

— Aqui está a médica.

Kim ouviu o telefone mudando de mãos e então a voz de uma mulher dizendo:

— Senhora Winter, seu filho foi levado em poucos minutos sem pulsação... — Os joelhos de Kim dobraram, e ela deixou escapar um soluço. *Deus, não, Deus, não...* Ela desabou no chão, a médica prosseguiu: — ou qualquer sinal vital que pudéssemos discernir, sua temperatura interna é de pouco mais que 26 graus Celsius.

Algo na voz da médica, ou melhor, a ausência de algo, sugeria esperança.

— O quê? O que significa isso, nada que pudéssemos discernir?

— Ele está com hipotermia severa. Todo o sistema circulatório está retardado a ponto de estar efetivamente interrompido. Isso não significa que não possa voltar a funcionar novamente, mas neste momento não está funcionando. Ele está em animação suspensa — disse a médica, enquanto a mãe de Kim, Rose Ellen e William se agachavam perto dela, os rostos contraídos de preocupação. Ela não podia olhar para eles naquele momento, a médica seguia dizendo: — Houve casos de pessoas que *foram* ressuscitadas, e isso nos dá razão para pensar que ele tem uma chance de reanimação. O procedimento padrão em instalações como as nossas é tentar, com cobertores aquecidos e administração de solução quente intra-abdominal, elevar a temperatura do paciente e depois reanimar o coração, se pudermos.

— Certo — disse Kim, a boca se movendo mesmo enquanto o cérebro se esforçava para dar sentido às informações em meio ao horror diante do que a mulher dissera, *sem pulsação*. — Certo, quer dizer, então, que ele tem uma chance?

— É complicado. O processo de reaquecimento é metabolicamente complexo e, mesmo que seja feito com cuidado, o choque pode matar o paciente, muitas vezes o faz, para ser franca. Mas, se for usada uma máquina coração-pulmão, o corpo pode ser reaquecido extracorporeamente com circulação. O sangue é retirado e reaquecido, o que é uma estratégia muito mais eficaz. Mas, seja como for, não é isenta de riscos. As chances dele ainda são, eu preciso dizer, abaixo de 30 por cento. Mas isso é bem acima do que poderíamos esperar pelo outro método.

— Faça isso, então — disse ela, levantando a voz. — Faça pelo método da circulação extracorpórea. Faça isso já! Por que ainda me pergunta?

— Não podemos, aqui. Não temos o equipamento. Assim, o senhor Wilkes está organizando o transporte de helicóptero para Hospital Beth Israel Deaconess, se a senhora nos der seu consentimento.

— Meu Deus, sim — disse ela. — O senhor *Wilkes* está aí? Não importa. Sim, é claro. Quando?

— Imediatamente.

— Imediatamente. É claro, imediatamente — disse ela, movendo-se decidida em direção à escada. Precisava vestir-se. Tinha de chegar a Boston. — É claro — disse ela novamente. — Estou a caminho.

No momento em que Kim e a mãe chegaram ao Hospital Beth Israel Deaconess um pouco depois do meio-dia, Anthony tinha pulsação e estava respirando por conta própria. E isso era tudo.

Uma enfermeira, talvez pensando que estivesse sendo útil, veio a Kim e lhe entregou um amuleto de estanho em formato de coração.

— Disseram que ele tinha isso na mão quando o encontraram — disse ela.

Uma hora mais tarde, a condição dele não mudara. O médico responsável por seu caso se aproximou e explicou que, embora ele tivesse melhorado, ainda havia o *risco de morte*. Ele não estava *fora de perigo*. Kim ouviria essas expressões repetidamente de outros médicos e enfermeiros enquanto o dia avançava, e ela mesma as repetiria a William, a Rose Ellen, ao FBI, a Mariana Davis, a Cameron e a Amelia, com quem conversou bastante e sem pressa por volta das sete horas da noite.

— Eu gostaria de ter mais para contar. Eles não sabem quando ou se alguma coisa vai mudar. Espero que você esteja se sentindo bem.

— Eu estou bem — disse Amelia, embora fosse óbvio que estava chorando. — Eu quero estar aí.

— Eu sei que quer. Vou dizer a ele. Dizem que ele pode ouvir o que dizemos. *Pode ser* que seja capaz de ouvir — corrigiu ela. — Amelia, ele lhe disse alguma coisa sobre o que pretendia fazer?

— Eu nem soube que ele tinha saído.

Kim entendeu, então, que o que acontecera com ele não fora um acidente. Ele sabia o que estava fazendo e por isso não dissera a Amelia, por isso não contara a ela — que teria tentado impedi-lo. As postagens no Facebook, o vídeo, a mensagem misteriosa para a promotoria, tudo isso acompanhava sua caminhada sem casaco para o meio da noite fria de Vermont.

Ela desligou o telefone e o apertou contra a boca, mas o ruído, o protesto sentido, saiu de qualquer maneira, um lamento triste de sua garganta.

— Como você pôde fazer isso comigo? — sussurrou ela sem pensar, de algum ponto de seu raciocínio, reparando apenas no buraco negro que se abrira em seu coração.

Às oito horas da noite, a condição dele continuava na mesma, e assim também às nove e às dez, e também às 11 horas, quando Kim deixou a UTI de novo, para afastar-se de Anthony apenas tempo suficiente para verificar suas próprias mensagens. Quando viu que Mariana Davis ligara, só então Kim começou a pensar sobre o porquê de a polícia ainda não ter aparecido para prendê-la.

A mensagem dizia:

— Eles concluíram que basta acompanhá-la onde você está. Com Anthony em sua atual condição, eles sabem que você não irá a lugar algum. Os repórteres vão querer entrevistá-la, então me diga se quer que lhe redija um comunicado. E quanto a Liles, em relação à mensagem deixada por Anthony, não há nada ainda, mas você pode apostar que não será por muito mais tempo. As labaredas da mídia estão lambendo a porta da promotoria.

33

"ANIMAÇÃO SUSPENSA", assim a médica de Vermont chamara a condição de Anthony antes do reaquecimento. Embora seu corpo estivesse naquele momento aquecido, corado, com um aparência saudável e acima de 36 graus Celsius, ele permanecia tão suspenso quanto antes — mas as engrenagens que ele pusera em movimento antes de aventurar-se para fora daquele celeiro em Vermont tinham começado a girar.

O neurologista, sério e solene, declarou à imprensa na tarde de sábado que era possível que Anthony permanecesse em coma por tempo indeterminado.

"A reanimação é uma ciência inexata", mostraram-no dizendo na CNN, na MSNBC, na Fox e nos noticiários noturnos, provocando discussões periféricas numa sucessão de comentários e em blogs que se referiam ao neurologista como Victor Frankenstein. O fato de tantas fontes noticiosas estarem acompanhando a história de Anthony em primeiro plano, porém, era um sinal de que Cameron e Jodi tinham acendido o pavio exatamente da maneira como ele pretendera.

Discussões de todos os tipos — sobre hipotermia, sobre *sexting*, sobre amantes fugindo da Justiça — disseminavam-se por toda a parte. No entanto, o foco recaía sempre sobre a questão de saber se Anthony sobreviveria a seu calvário, e por que ele se submetera a isso. Ele era um herói ou um covarde? Que tipo de exemplo estava dando a outros adolescentes com problemas?

Na manhã de domingo, depois que Anthony permanecera imóvel e silencioso entre seus monitores e tubos por mais uma noite, o representante do banco de órgãos se aproximou de Kim, que só foi capaz de responder com inclinações de cabeça desamparadas. Sim, ela acreditava na doação. Sim, ela entendia que seu filho poderia ser um candidato perfeito. Sim, poderia ser que ele tivesse a intenção de ser um doador, se, de fato, o que ela desconfiava e que a mídia relatava nessa altura fosse verdade: que ele entrara na nevasca sabendo que não sairia dela.

— A polícia relatou que havia comprimidos no carro dele — disse a mulher —, mas ele não os tomara e também não usara uma arma. Ele era um jovem previdente.

— Ele é um jovem previdente — disse Kim a ela, sufocando-se.

Kim permaneceu ao lado de Anthony enquanto o mundo do lado de fora do hospital estava em polvorosa com a especulação e o suspense. Sua mãe a acompanhou muitas vezes e agiu como um elo entre Kim e a mídia, e entre a mídia e Kim. Domingo à tarde, ela relatou:

— William ligou. Há cerca de vinte ou mais vídeos diferentes naquele site do YouTube, mostrando os garotos no palco. É impressionante... tem um de quando Anthony tinha dez anos, montando acampamento em Woodstock. Também tem alguns de Amelia cantando em competições, mais as peças que eles encenaram no Raleigh Little Theatre e na escola. As pessoas estão narrando os clipes e misturando-os com aquele de Nova York, onde Amelia diz que quer ser estrela da Broadway. Não sou tão boa nesse negócio de computador-Internet-redes sociais, mas consegui ver algumas das coisas de que William falou e devo dizer: tem um admirável mundo novo acontecendo.

— É mesmo? — perguntou Kim, olhando para ela. — Porque, não nos esqueçamos, foi isso que os meteu nessa situação, para começar.

Durante todo o dia, a mãe fez tricô ou leu, enquanto Kim permaneceu sentada numa cadeira que pusera ao lado da cama e ficou segurando a mão queimada pelo frio e enfaixada de Anthony. Ela falava com ele, pedindo-lhe para mover o braço ou abrir os olhos.

— Você deveria ver todos aqueles vídeos por si mesmo, você sabe — dizia Kim a ele. — A vovó disse que você e Amelia são as estrelas da Internet no momento.

A mãe dela acrescentou:

— Tem uma petição circulando para a Tisch deixar você e Amelia entrarem com base em suas atuações anteriores.

— É mesmo? — perguntou Kim.

— Pensei que tivesse lhe contado isso. Sinto muito. Tem tanta coisa para acompanhar.

Kim se inclinou e esfregou o antebraço de Anthony.

— Que tal isso, hein? Uma porção de gente está de seu lado. Então, muitas pessoas...

— Círculos de oração — disse Marta. — Mencionei isso?

— Não. Ou talvez sim. Está tudo tão misturado.

As máquinas produziam estalidos, bipes e zumbidos.

O vazamento aconteceu de dentro do gabinete da promotoria, segundo o que Mariana Davis informara quando Kim falou com ela na segunda-feira de manhã.

— Sem dizer quem era, mas não estou surpresa. Uma porção de bons advogados de defesa começou lá. Já existe um link de áudio na Internet, provavelmente numa porção de lugares nesta altura. Mas ouça, deixe-me ler para você a transcrição...

— Você pode reproduzir o áudio, você sabe, basta colocar o telefone junto ao alto-falante.

— Eu, com certeza. Você está pronta?

— Quero ouvir.

— Tudo bem. Aqui vamos nós: "Senhor Liles, aqui é Anthony Winter. Estou escondido num celeiro em Vermont para poder terminar de pôr as coisas em ordem, mas vou sair daqui a pouco, indo lá para fora, cuja temperatura está, digamos, por volta de zero grau, até a hipotermia me derrubar, porque as pessoas precisam ver a que ponto as coisas chegaram. Eu não posso me salvar, mas talvez salve minha mãe e Amelia, que não merecem nada disso.

"As leis penais são aplicadas a pessoas que fazem o mal, certo? Tudo bem, então explique qual foi o mal que fizemos. Eu *amo* Amelia. Ela me ama. Isso é horrível, melhor prender-nos. Quanto ao *senhor*, no entanto: o que acontece com o dano que causou? Parece-me que, depois desta noite, deverá esperar enfrentar acusações de homicídio culposo, quando não assassinato. Wilkes pode ter carregado a arma, mas o senhor puxou o gatilho.

"O senhor alardeia aos quatro cantos sobre moralidade, exemplos e lições como se fosse um apóstolo designado por Deus e espera que todos o aplaudam por varrer lixos como nós para fora das ruas.

"Vamos ver se o aplaudirão agora."

Silêncio, depois Mariana voltou ao telefone.

— É isso aí. Ele pode ter sido editado. É difícil dizer.

A princípio, Kim não conseguiu falar. Aquela voz, aquelas palavras, elas vinham de Anthony, sem dúvida, mas aquele era um lado do filho que ela apenas vislumbrara, um lado que poderia um dia tê-lo visto *ser,* e *fazer* — um lado admirável. Aquele era um homem maduro e forte, corajoso, abnegado. Quando estava acuado não se acovardava e mantinha os pulsos fora das algemas, ele reagia, mesmo entendendo que precisava sacrificar-se para fazê-lo. *Aquele* era o homem que ela criara.

34

O QUARTO DE ANTHONY ESTAVA silencioso na segunda-feira à noite, exceto pelas máquinas que continuavam ligadas por metros de fios a quase todas as partes de seu corpo. Kim permanecera lá por tanto tempo que já conhecia os nomes das máquinas: monitor cardiorrespiratório, oxímetro de pulso, bomba intravenosa, monitor de O_2/CO_2 transcutâneo, monitor de pressão arterial, eletroencefalógrafo. Cada uma delas não lhe dizia nada que não pudesse ver com os próprios olhos. Anthony não melhorara. Ah, houvera um momento no final da manhã em que uma espécie de "ruído" em seu eletroencefalograma deixara a enfermeira animada mas, como não repetira durante todo o dia, disseram-lhe que poderia ter sido um soluço da máquina, algum tipo de interferência. Disseram que fariam mais testes na terça-feira mas que, se nada mudasse, seria preciso começar a pensar em que medidas poderiam ser tomadas em seguida.

— Nunca se sabe — disseram, em vozes esperançosas, mas seus olhos traíam piedade e dúvida.

Kim sabia o que era a dúvida. Tivera tempo de sobra para ceder a ela desde a primeira prisão de Anthony. Depois do que ele fizera por ela, porém, e por Amelia, sentia-se desleal e errada em ceder agora. Naquele momento, precisava permanecer forte para ele. Determinada. Precisava insistir para que tudo fosse considerado, julgado, feito. Precisava parar de vê-lo do modo como ouvira as enfermeiras descreverem sua condição na chegada ali. Visualizar para o bem dele, era isso que precisava fazer. Só que, todas as vezes que começava a invocá-lo alerta e ereto em seus pensamentos, era superada pelas lembranças de seu passado. Seu jeito como bebê, com os cachos de cabelo negro perfumados de xampu infantil. Aos três anos, fazendo curvas no triciclo equilibrado em apenas duas rodas. O primeiro gol triunfante no futebol aos cinco. Anthony e o avô colocando livros juntos nas prateleiras, sua mãe servindo-lhe porções enormes de frango empanado frito e dizendo a Kim para relaxar, um pouco de frango industrializado não iria matá-lo.

Ela queria desesperadamente o futuro, mas não conseguia encontrar um caminho para fora do passado.

Uma batida de leve chamou sua atenção e ela se virou para ver Amelia à porta.

— Disseram que posso vê-lo, desde que você não se importe.

Kim se levantou rapidamente e se aproximou dela. Os olhos de Amelia estavam enormes, absorvendo a visão de Anthony.

— É um pouco assustador...

— Não — disse Amelia, balançando a cabeça. — Eu não estou com medo. Eu, eu tive um sonho ontem à noite. — Ela se aproximou da cama, dizendo: — Ele estava falando comigo. — Então, delicadamente, consciente das ataduras, ela tomou a mão esquerda dele entre as suas e disse-lhe: — Eu consegui. Você estava certo.

Kim a examinou, aquela garota magra e pálida, uma coisinha de nada dentro do casaco de lã de Anthony. Ela estava tão calma e equilibrada.

— Certo sobre o quê? — perguntou Kim.

Amelia, com os olhos ainda em Anthony, disse:

— Meu sonho foi tão vívido... — Ela se virou para Kim. — Não foi como um sonho de verdade. Era mais como se eu estivesse tendo uma conversa com ele durante o sono. Você acredita nesse tipo de coisa? Ele disse que Liles retiraria todas as acusações...

— Será que ele retirou? — perguntou Kim. — Eu não soube de nada.

— Meu advogado diz que não é oficial... mas eu estou aqui, não estou? E não na cadeia.

Kim sentou-se na cadeira que havia muito considerava como dela. O que Amelia estava dizendo era incrivelmente adorável, e Kim gostaria de entregar-se à ideia de que poderia ser de algum modo real e não, digamos, um efeito colateral da anestesia que recebera ou um medicamento para a dor que ainda estivesse tomando. Se pudesse ser real, não seria ela, a mãe dele, a pessoa ali em sua cabeceira hora após hora, não seria a ela que ele se reportaria, se tal coisa fosse possível? Depois de todas as suas tentativas de visualização, todas as suas súplicas — se ele estivesse se comunicando, ela não saberia?

— Estou feliz por terem permitido que você viesse aqui — disse Kim —, sei que passou por um momento difícil. Nossa advogada também acha que o que você está dizendo, a retirada das acusações, provavelmente vai acontecer. Liles está enfrentando muita oposição, agora que... agora que a mensagem de Anthony foi divulgada.

Amelia pousou os dedos nos lábios de Anthony, deixou-os apenas descansar ali, depois alisou um cacho de seu cabelo e o enrolou no dedo.

— Ele me disse que você realmente precisa dormir um pouco.

Kim sentiu uma pequena bolha de riso subir dentro de si.

— Ele disse mesmo?

— Tudo bem se eu ficar?

— Ficar?

— Até que... — Ela encolheu os ombros, as lágrimas marejando-lhe os olhos.

Kim engoliu em seco.

— Sim. Fique. Seus pais...

— Eles vão arranjar um quarto num hotel. Deixe-me ir dizer a eles. Eu já volto.

Ela saiu do quarto, Kim acompanhando-a com o olhar. Se tivesse pensado em Amelia vendo-o naquela condição, a teria imaginado tendo um colapso, soluçando ante a visão. Essa versão calma, quase serena, de Amelia parecia tão improvável de ser real quanto o sonho que ela contara. Kim supôs que fosse o cansaço, supôs que Amelia, a exemplo de todos eles, estivesse se resignando ante a probabilidade sombria de que, apesar de o tratamento por reaquecimento ter restaurado algumas funções, não lhe restaurara a vida.

Se fosse esse o caso, pensou ela, com a garganta se fechando diante daquela imagem, diante da ideia de que ele já poderia ter ido embora, então pelo menos seu corpo, seus órgãos poderiam beneficiar outros. Ela se agarrou a essa ideia e tentou, ó Deus, distanciar-se do pensamento do que poderia ser a verdade, do que teria de ser feito se isso acontecesse.

Amelia voltou, segurando um tipo de smartphone na mão.

— Meu pai disse que precisamos ver isto — disse ela, entregando o aparelho a Kim.

Ela se inclinou sobre o ombro de Kim e apertou um botão. A tela se encheu com a imagem de Gibson Liles, dizendo: "Meu gabinete e eu, pessoalmente, ficamos triste com a notícia de que Anthony Winter está em estado crítico depois de sofrer uma hipotermia grave. Também é bastante evidente que a senhorita Amelia Wilkes sofreu com os acontecimentos dos últimos dias. Encarreguei-me pessoalmente de fazer uma revisão completa de todas as circunstâncias envolvendo os dois, bem como a mãe do senhor Winter, Kim Winter, e depois de refletir concluí que o Estado faria bem em retirar as acusações contra todos eles.

"Como seu serviçal, sou um mero instrumento de Justiça. Acreditei e acredito que as acusações eram justificadas no momento em que foram feitas. No entanto, como muitos de vocês têm manifestado, acontecimentos recentes sugerem que a Justiça foi feita por um poder maior do que qualquer um de nós aqui. Meu gabinete deseja afirmar formalmente que todas as acusações contra a senhora Winter, seu filho e a senhorita Wilkes estão anuladas."

Depois de um instante de silêncio, Amelia disse:

— Então, é isso.

Kim lhe entregou o telefone.

— Você esperava que ele admitisse que estava errado?

— Eu esperava... Eu não sei. — Amelia balançou a cabeça e tornou a aproximar-se de Anthony. — Liles arruína tudo e ainda consegue... E Anthony pode *nunca* conseguir...

Ela encarou Kim, as lágrimas escorrendo pelo rosto.

— Não é justo.

— A vida...

— Não é justa, sim, sem brincadeira.

Kim se levantou e a abraçou.

— Ele fez isso por você, por nós duas, mas por você especialmente. Para lhe dar o futuro que você merece. Você tem de olhar para a frente neste momento.

Amelia se afastou de Kim, enxugando os olhos com as costas das mãos.

— Eu não quero olhar para a frente. Eu não quero viver sem ele.

— Eu sei. — Kim sufocou as palavras.

— Ele sabia o que estava prestes a fazer, e ainda assim, sabe o que ele me disse? "A gente se vê depois".

— Querida, não faça isso consigo mesma. — *Ou comigo*, pensou ela. — Nós não sabemos o que irá acontecer, nem quando. Talvez, talvez você não devesse ficar. Você deve ir para casa, descansar, curar-se, terminar o ano letivo. Tire proveito de todo o apoio que recebeu. Não deixe que tudo o que ele fez seja em vão.

Amelia ficou em silêncio por um instante. Então disse:

— Minha mãe uma vez desistiu de alguém que ela amava. Seria muito difícil ficar com ele, ela disse. As coisas correram bem, mas ela nunca vai saber o que teria acontecido se tivesse persistido. Deixe-me ficar hoje à noite pelo menos. Por favor?

Kim lembrou-se da voz de Anthony em sua mensagem para Liles. "Eu *amo* Amelia."

"Eu *amo* Amelia." Quanta convicção; como ela poderia negar lhes qualquer coisa? Ele certamente iria querer que Amelia ficasse se assim desejasse.

— Tudo bem — disse Kim, sentando-se novamente.

Ela observou Anthony, o rosto inerte, imperturbável, como se estivesse mostrando lhes que seu trabalho estava feito e não houvesse mais nada a fazer.

"Eu, eu realmente preciso ir agora…"

"Eu te amo, mamãe."

Ela o imaginou de pé ao lado de Amelia no hospital de Vermont. "A gente se vê depois."

"Você precisa olhar para a frente agora", dissera ela a Amelia.

Oscilando.

ENCORE

*Cada folha de grama tem seu anjo que se curva sobre ela e sussurra: "*Cresça, cresça*".*

TALMUDE

AMELIA DEPOSITOU A ÚLTIMA das suas caixas sobre o piso de madeira do lado de dentro da porta.

— Acabou — disse ela. O suor escorria-lhe pelas costas e ao longo da mandíbula. — Eu não fazia ideia de que poderia ficar tão quente aqui, mesmo em agosto.

— Você trabalhou pra caramba. Tome aqui — disse Jodi, numa tentativa de imitar o sotaque sulista. — Ah, fiz um chazinho à maneira que se bebe lá em sua terra, docinho.

— Bendito seja seu coração. — Amelia arrastou as sílabas, retribuindo no mesmo sotaque, e pegou o copo de Jodi. Bebeu longamente, depois segurou o copo suado contra a testa, dizendo: — Meu pai costumava fazer isso com a cerveja e ele fazia isso com um pouco de chiado, como vapor escapando.

— Ah, isso me fez lembrar: sua mãe ligou enquanto você estava lá fora na picape. Eles estão presos no tráfego na saída de Newark, mas é certo que vão estar aqui para o jantar. Bem, ela disse "ceia", mas você sabe.

— Tudo bem. Isso nos dará tempo para organizar as coisas um pouco e tomar um banho. Não que isso vá torná-los um pouco melhores — acrescentou.

Seus pais tinham educadamente sugerido que ela passasse seu primeiro ano num dormitório, em vez de alugar um quarto de Jodi. Ela lhes agradecera pela sugestão e, depois, educadamente, dissera-lhes que eram loucos se imaginavam que ela perderia um único minuto de sua vida seguindo as regras de alguém que não ela própria.

Amelia terminou o chá e colocou o copo sobre o balcão.

— Nada mal para uma primeira tentativa. O dobro do açúcar, e você estará mais perto do que eu estou acostumada.

— Sério? Ah, bem, o que posso dizer, fui criada para reconhecer designers de sapatos italianos e decoradores suecos. Você terá de me educar sobre como as coisas são feitas no Sul.

— Se você quiser, mas, francamente, estou esperando deixar tudo aquilo para trás.

O som de passos do lado de fora fez com que ela se voltasse. Anthony entrou pela porta, dizendo:

— Espero que ela não esteja falando de mim.

— Sem essa — disse Jodi. — Ego.

— Porque ela *realmente* me deixou para trás, para tentar encontrar uma vaga no estacionamento, coisa que não existe em toda a Manhattan. Tive de vender a picape para conseguir me livrar dela.

Ele fechou a porta e veio juntar-se às duas na cozinha. A coxeadura, que era muita pronunciada a princípio, estava muito menos evidente agora. E quando eles foram arrumar o quarto dela e dele, Amelia observou que ele usara a mão esquerda com confiança, os dois dedos que faltavam, perdidos no congelamento, dificilmente seriam uma desvantagem.

Jodi lhe deu um copo de chá, que ele entornou num gole demorado. Ele estendeu o copo para que ela tornasse a enchê-lo.

— Ah, é assim que vai ser? — disse ela. — Eu sabia que deveria ter cobrado mais.

— Eu não posso acreditar que você esteja nos cobrando alguma coisa — disse Anthony com fingida indignação. — O que foi que você nos disse quando estivemos aqui no outono passado, algo como, poderíamos ficar o tempo que precisássemos?

— Mas não de graça — disse Jodi. — Isto é Nova York, garoto. O quê! Você acha que é alguém especial?

— Nem um pouco — disse ele.

— Não — concordou Amelia — Ele é tão comum como alguém que voltou da morte.

— Exatamente — disse Jodi.

— Só que, você sabe, meus olhos ficam vermelhos e brilhantes no escuro. Ah, e eu posso voar.

Ele estava brincando, mas a verdade não ficava tão longe do que estava dizendo. Despertara do coma nove dias depois, incapaz de falar — e então, quando recuperou a fala, três dias depois, descobriu que era, sem esforço, fluente em francês e espanhol. Sempre fora bem informado sobre música, mas agora sua memória de músicas, bandas, datas, nomes de álbuns e membros das bandas era praticamente instantânea. Na verdade, isso intimidara Amelia a princípio, mesmo enquanto ele se esforçava para recuperar a mobilidade física. Ele a ajudara a superar isso, porém, subestimando a mudança, assegurando-lhe que não se tornara um gênio de repente, brincando que, se fosse reprovado na faculdade e não conseguisse encontrar trabalho, poderia sustentar a ambos trabalhando como DJ na Europa.

Jodi levantou seu copo e fez um gesto para levantarem o deles.

— Um brinde a meus adoráveis novos companheiros de casa, Anthony e

Amelia, para que possam tomar de assalto a NYU e a Broadway, e me escalar para bons papéis quando conseguirem!

Eles beberam, depois Anthony passou o braço em volta dos ombros de Amelia e ergueu a taça novamente.

— À fé — disse ele, olhando nos olhos dela.

Amelia sorriu e inclinou a cabeça concordando.

— À perseverança — disse ela, beijando-o.

Jodi cutucou o tênis de Amelia com o dela.

— Acho que está na hora de vocês dois cavalgarem juntos rumo ao pôr do sol. Rolem os créditos finais!

— Você está brincando? — disse Amelia. — Nós estamos apenas começando.

AGRADECIMENTOS

É UM PRIVILÉGIO E UM PRAZER estar mais uma vez agradecendo à maravilhosa equipe da Ballantine Books por conduzir o que começou como uma semente de inspiração e chegou à forma de livro. Sou particularmente grata à minha editora, Libby McGuire, por seu apoio inabalável, e à minha incomparável editora, Linda Marrow, pela visão de especialista com que orienta, configura, vê e torna possível o que estou tentando fazer.

Tenho o prazer e a gratidão de poder chamar Wendy Sherman de minha agente literária, minha advogada e minha amiga. Todos os autores deveriam ser assim tão afortunados. É uma grande sorte também que Jenny Meyer seja a representante de meu trabalho junto às editoras no exterior.

Tantas pessoas trabalham nos bastidores para produzir um livro e fazê-lo chegar às mãos dos leitores, e eu sou grata a todas elas. Entretanto, merecem menção especial Kristin Fassler, Kim Hovey, Susan Corcoran, Alison Masciovecchio, Junessa Viloria, Dana Isaacson, Laura Goldin, Kathleen Carter Zrelak e Lynn Goldberg.

Devo muito aos livreiros e bibliotecários incríveis que não param de conquistar leitores para meus livros e quero estender um agradecimento especial a meus amigos bibliófilos entusiastas (especialmente Judy Lewis e Erin Hunter) e a meus dedicados leitores que estão fazendo o mesmo. Nenhum autor pode ter êxito sem pessoas como essas!

Agradeço muito a amizade e a camaradagem incessante de muitas pessoas — Pam Litchfield e Sharon Kurtzman em primeiro lugar. À comunidade literária on-line, que me adotou e me deu lugar em seu meio, faz-me feliz abrir meu computador todos os dias e provar que a Internet não é de todo má. (Vocês são demais!) E sou grata por ter uma família cheia de fé. É um prazer estar cercada de pessoas tão positivas.

As experiências de meu filho mais velho inspiraram a história deste livro e sou grata por sua vontade de vê-la escrita. Meus dois filhos — e também meus enteados — contribuíram com fundamentos para a história, permitindo-me adentrar o mundo em que vivem, um mundo que pede mais de todos nós nos dias atuais do que quando eu era uma jovem adulta. Sou eternamente grata por ter o amor e o apoio de meus meninos.

A vida de um escritor raramente é glamorosa e nunca é simples. Trabalhamos em horários estranhos, andamos às cegas, queremos falar da "história" sem parar e às vezes nos tornamos mais envolvidos no mundo de nossos personagens do que em nossa vida diária. Eu seria muito menos realizada se não fosse por meu incrível marido, Andrew, que é a força motriz que mantém tudo em movimento no ambiente doméstico. Mais do que isso, ele é meu Anthony.

NOTA DA AUTORA

EM 2009, MEU FILHO, que acabara de completar 19 anos, encontrou-me sentada na varanda trabalhando no livro que deveria ser meu lançamento para o início de 2011. Era um dia quente e ensolarado, tão normal como qualquer outro, até que levantei os olhos da tela do computador portátil e vi a expressão dele.

— Mãe — disse ele —, estou com problemas. Vou ser preso.

Quando um filho seu diz algo assim, o tempo para. O que quer que você esteja fazendo nesse momento, o que esteja esperando em sua lista de coisas a fazer, o que quer que tenha planejado para mais tarde nesse dia/semana/mês/ano, tudo isso de repente pertence ao *Antes*. Antes de meu filho me dizer que se entregaria à polícia por um crime que nenhum de nós jamais ouvira falar, eu era considerada incomum só por ser uma romancista. Antes de meu filho ser submetido a algemas e a uma longa viagem numa viatura policial até a cadeia de Wake County, ele era incomum apenas por ter-se tornado um bombeiro voluntário no primeiro ano do colegial. Antes de sua foto da ficha policial e de seu nome e endereço aparecerem nos jornais e nos noticiários da televisão, nossa família levava uma vida normal e confortável, não muito diferente da de outras pessoas que conhecíamos. Depois, foi como se tivéssemos desenvolvido um terceiro olho na testa, tornando-nos desagradáveis e suspeitos.

Nos meses arrastados, assustadores, incertos que se seguiram à prisão de meu filho, quando eu não deveria falar sobre o caso e, sim, estar terminando o livro em que estava trabalhando, minha mente ficou confusa com tantas perguntas — "E se...?". Algumas diziam respeito à segurança de meu filho, algumas a seu futuro, algumas a minha família, algumas a mim mesma. A história que se desenrola nas páginas deste livro é o resultado de minha busca de resposta à perguntas na toca do coelho, deixando de lado o livro em que vinha trabalhando para, em vez disso, dedicar-me a este.

Fazer isso não foi uma decisão fácil. Aquele livro estava sob contrato e já entrara no ciclo editorial uma vez. Minha agente, minha editora e meu *publisher* esperavam que eu entregasse os originais prontos no começo do ano. Mas, como disse Maya Angelou, não há maior sofrimento do que carregar uma história não contada dentro de si. Eu tinha de contar esta se quisesse encontrar alguma paz. Sou grata a todos os integrantes de minha "equipe" (meu marido e filhos incluídos) por apoiar esta escolha.

Este é um livro de ficção, os personagens foram tirados inteiramente de minha imaginação. Mas os acontecimentos que inspiraram a história e as emoções que a colorem — as reações, os medos e as possibilidades — são reais.